DATE DUE

JUL 1 3 1996			
GAYLORD			PRINTED IN U.S.A.

Perseguida

Joy Fielding

Perseguida

Traducción de
Gemma Rovira Ortega

PLAZA & JANES EDITORES, S. A.

Título original: *Don't Cry Now*
Diseño de la portada: Dpto. Artístico de Plaza & Janés
Fotografía de la portada: © Xavier Moya

Primera edición: noviembre, 1995

© 1995, Joy Fielding, Inc.
© de la traducción, Gemma Rovira Ortega
© 1995, Plaza & Janés Editores, S. A.
Enric Granados, 86-88. 08008 Barcelona

Printed in Spain – Impreso en España

ISBN: 84-01-32646-X
Depósito legal: B. 38.680 - 1995

Fotocomposición: Fort, S. A.

Impreso en Printer Industria Gráfica, s. a.
Sant Vicenç dels Horts (Barcelona)

L 3 2 6 4 6 X

*Para Owen Laster,
con respeto, admiración
y amor*

1

Ella se imaginaba palmeras. Eran altas y marrones, dobladas por décadas de fuertes vientos; sus largas hojas verdes meciéndose como guantes vacíos hacia un cielo azul, mágicamente despejado.

Rod había mencionado la posibilidad de que le acompañara en su viaje a Miami el siguiente mes. Unos cuantos días de reuniones con los asociados de la cadena de televisión, dijo, y luego el resto de la semana para ellos dos, para emular a Burt Lancaster y Deborah Kerr en la playa en *De aquí a la eternidad*... ¿Qué le parecía? Le parecía fabuloso, y al instante acudieron visiones de palmeras al interior de sus párpados, y las palmeras seguían allí cada vez que cerraba los ojos. Ella tenía algunos reparos por el trabajo: debería mentir a su director diciéndole que estaba enferma, cuando en realidad se pasaba la vida alardeando de ser una de esas personas desagradablemente sanas, inmunes a los resfriados y a los malditos virus de la gripe; con antelación tendría que programar sus clases diarias con todo detalle y precisión para que la persona que la sustituyera supiera exactamente qué hacer y a qué ritmo avanzar. Inconvenientes menores cuando los comparaba con la idea de una romántica semana al sol con el hombre que amaba. Incluso ilícita, si no fuese porque el hombre en cuestión era su marido desde hacía cinco años.

Bonnie respiró hondo, enfocando la visión para erradicar todo rastro de palmeras oscilantes. Inconvenientes menores, quizá. Pero, ¿cómo se las ingeniaría para disimular un saludable bronceado ante un susceptible director de instituto? ¿Cómo po-

9

dría mirar a aquel hombre a los ojos sin ruborizarse, hablarle sin tartamudear, enfrentarse a sus solícitas preguntas acerca de su salud? Detestaba mentir, lo hacía muy mal, valoraba la sinceridad por encima de cualquier otra cosa. («Qué niña tan buena», solía decirle su madre.) Y estaba orgullosa de no haber faltado a clase ni un solo día en los casi nueve años que llevaba trabajando de profesora. ¿Sería capaz de saltarse cinco días seguidos sólo para revolcarse con su marido por una playa de Florida?

—Además —dijo en voz alta, contemplando a aquella dulce muñeca rubia, que era su hija de tres años—, ¿cómo iba a dejarte cinco días enteros? —Acarició la mejilla de Amanda, recorriendo con los dedos la delgada cicatriz que atravesaba el pómulo de la niña, resultado de una reciente caída de su triciclo. «Qué frágiles son los niños», pensó Bonnie mientras se inclinaba e inhalaba el dulce olor de su hija. Amanda abrió sus azules ojos de inmediato.

—Ah, pero si estás despierta —exclamó Bonnie, y besó a la niña en la frente—. ¿No has tenido más pesadillas?

Amanda meneó la cabeza, y Bonnie sonrió aliviada. Amanda los había despertado a las cinco de la madrugada, llorando a causa de una pesadilla que no podía recordar.

—No llores, cariño —le había susurrado Bonnie, llevándose a Amanda a su propia cama—. Ahora no llores; no pasa nada. Mamá está aquí.

—Te quiero cosita dulce —dijo Bonnie, y la besó de nuevo.

Amanda se rió.

—Yo te quiero más.

—Imposible —replicó Bonnie—. No puedes quererme más de lo que yo te quiero.

Amanda se cruzó de brazos y adoptó su expresión más seria.

—Vale, entonces nos queremos exactamente lo mismo.

—De acuerdo, nos queremos lo mismo.

—Pero yo te quiero más.

Bonnie se echó a reír y sacó las piernas de la cama.

—Me parece que es hora de prepararse para el colegio.

—¡Yo sola! —De inmediato, el redondo cuerpecito de Amanda, cubierto con un camisón rosa y blanco, bajaba corriendo hacia su habitación.

«¿De dónde sacarán tanta energía?», se preguntó Bonnie. Volvió a taparse con las sábanas, dejando que su cansado cuerpo se regodeara en la tranquilidad de aquella mañana primaveral.

El estridente sonido del teléfono le golpeó el cerebro con una potencia tan inesperada que Bonnie sintió como si un coche hubiese colisionado con el suyo por detrás. Sus hombros se tensaron y luego dieron un tirón, contrayéndose en la base del cuello, como si su cuerpo hubiera encogido de pronto. ¿Quién telefonearía a las siete de la mañana?

Bonnie se obligó a abrir los ojos y miró hacia el teléfono de la mesilla de noche, junto a la cama de matrimonio. Se apoyó a regañadientes en un codo y tendió una mano impaciente para coger el auricular.

—¿Diga? —Se dio cuenta de que todavía tenía la voz adormecida, y se aclaró la garganta, mientras esperaba que la voz al otro extremo de la línea se identificara—. Diga —repitió al no obtener respuesta.

—Soy Joan. Tengo que hablar contigo.

Bonnie notó que algo se hundía en su corazón, la cabeza le cayó sobre el pecho, como si hubiese sido segada por una guillotina. Ni siquiera eran las siete de la mañana, y la ex mujer de su marido ya estaba al teléfono.

—¿Ocurre algo? —preguntó Bonnie, temiendo de inmediato lo peor—. ¿Sam y Lauren...?

—Se encuentran bien.

Bonnie expulsó el aire de los pulmones, aliviada.

—Rod está en la ducha —dijo, y pensó que era demasiado temprano para que Joan hubiera empezado a darle a la botella.

—No quiero hablar con Rod, sino contigo.

—Mira, me pillas en mal momento —se disculpó Bonnie con toda la amabilidad de que fue capaz—. Tengo que prepararme para...

—Hoy no trabajas. Sam me ha dicho que tienes P.R.

—R.P. —corrigió Bonnie—. Significa reciclaje profesional. —¿Por qué le explicaba todo eso a aquella mujer? Ninguna explicación le debía.

—¿Podemos vernos más tarde?

—No, por supuesto —contestó Bonnie, sorprendida por aquel requerimiento—. Tengo conferencias toda la mañana. Estoy haciendo un reciclaje profesional, ¿recuerdas? —«Como el papel», estuvo a punto de añadir, pero no lo hizo. Rod siempre se quejaba de que su ex mujer carecía de sentido del humor.

—Entonces quedamos a mediodía. Seguro que tendrás un descanso para comer.

—Joan, no puedo...

—No lo entiendes. Es imprescindible.

—¿Qué quieres decir con que es imprescindible? ¿Qué es lo que no entiendo? —¿De qué le hablaba aquella mujer? Desesperada, Bonnie miró hacia la puerta del cuarto de baño. Todavía corría el agua de la ducha. Rod estaba entonando un conmovedor estribillo de *Take another little piece of my heart*—. Joan, tengo que dejarte, de verdad.

—¡Estáis en peligro! —exclamó Joan.

—¿Cómo?

—Estáis en peligro. Tú y Amanda.

La fría garra del pánico asió inmediata e instintivamente las entrañas de Bonnie.

—¿Qué significa que estamos en peligro? ¿De qué me hablas?

—Es demasiado complicado para que te lo explique por teléfono —contestó Joan, con una voz que de pronto sonó misteriosamente calmada—. Tenemos que vernos.

—¿Has bebido, Joan? —inquirió Bonnie, enfadada ya, pese a sus buenas intenciones.

—¿Acaso mi voz es de borracha?

Bonnie tuvo que reconocer que no.

—Mira, esta mañana voy a enseñar una casa a varios clientes, en el 430 de Lombard Street. En Newton. He de acabar antes de la una, porque a esa hora llegará la propietaria...

—Ya te he comentado que tengo conferencias todo el día.

—¡Y yo ya te he dicho que estáis en peligro! —repitió Joan haciendo imperceptibles pausas, como si hubiese un punto entre cada palabra, como si cada letra estuviera en mayúsculas.

Bonnie abrió la boca con intención de protestar, pero lo pensó mejor.

—Está bien —accedió—. Intentaré acercarme durante el almuerzo.

—Antes de la una —le advirtió Joan.

—Antes de la una —consintió Bonnie.

—No lo comentes con Rod, por favor —añadió Joan.

—¿Por qué no?

La única respuesta que obtuvo Bonnie fue el ruido que hizo el auricular al colgar Joan de repente. La comunicación se había cortado.

—Ha sido un placer oírte, como siempre —dijo Bonnie, y colgó también ella. Se quedó contemplando el blanco techo, sumida en la frustración. ¿Qué loca idea se le había metido a Joan en su aturdida mente?

Aunque no sonaba aturdida, reconoció Bonnie mientras se levantaba de la cama y se dirigía hacia el cuarto de baño. Sonaba clara y centrada, como si supiese con toda exactitud qué estaba diciendo. Hablaba como quien tiene una misión concreta, pensó Bonnie mientras se lavaba la cara y se cepillaba los dientes. Luego caminó por la afelpada moqueta gris hacia el vestidor. Tal vez iba siendo hora de sacar la ropa de verano, aunque ¿qué decía aquel refrán que su amiga Diana citaba siempre? ¿Hasta el cuarenta de mayo no te quites el sayo? Sí, eso era, recordó Bonnie, bloqueando sus oídos para no oír otras voces, más ominosas. Se quitó el camisón blanco y se puso un sencillo vestido de color rosa. «Estáis en peligro —insistía la voz de Joan—. Tú y Amanda.»

¿A qué se refería Joan? ¿Qué peligro podían correr ella y su hija?

«No lo comentes con Rod, por favor.»

—¿Por qué no? —preguntó Bonnie de nuevo mientras se deslizaba el vestido por las delgadas caderas. ¿Por qué no quería Joan que comentara con su marido aquella extraña declaración? Seguramente porque Rod pensaría que estaba loca. Bonnie se echó a reír. Rod no necesitaba enterarse de aquello para pensar que su ex mujer estaba loca.

Decidió que no vería a Joan. Nada que aquella mujer dijera le interesaba. Nada que la beneficiara en modo alguno. Sin embargo, mientras tomaba esa decisión, Bonnie sabía que su curiosidad la vencería, que abandonaría con el mayor disimulo la conferencia antes de que acabara, perdiéndose probablemente la mejor parte, y cogería el coche para ir hasta Lombard Street, donde descubriría que Joan ni siquiera recordaba haberle telefoneado. Ya había ocurrido otras veces. Llamadas de borracha en plena madrugada, frenéticos desvaríos a la hora del almuerzo, tristes lamentos en el momento de acostarse. De los cuales luego nunca se acordaba. «Pero ¿qué dices? Yo no te he llamado por teléfono. ¿Por qué me atormentas? ¿De qué demonios me hablas?»

Bonnie era indulgente con ella. A pesar de cuanto sabía de aquella mujer, de la angustia que había producido a Rod, Bonnie sentía cierta lástima por ella. («Eres una buenaza», le decía su madre.) Siempre debía recordarse que los problemas de Joan se los había buscado ella sola, que había tomado conscientemente la decisión de empezar a beber, de seguir haciéndolo. Resultaba muy fácil disculpar su comportamiento con la excusa de que no era insólito que una mujer se dedicara a la bebida tras el tipo de tragedia que ella había sufrido.

Incluso aquel drama había sido en gran medida culpa de Joan. Sin duda habría podido evitarse si no hubiese sido tan descuidada dejando a su bebé de catorce meses sola en la bañera, aunque menos de un minuto, como luego clamó desconsolada. Tenía todo tipo de explicaciones: Sam y Lauren se peleaban en la otra habitación; Lauren gritaba, como si Sam estuviese haciéndole daño de verdad; salió corriendo del cuarto de baño un momento para ver qué ocurría. Cuando regresó, su hija pequeña estaba muerta, y su matrimonio arruinado.

«No lo comentes con Rod, por favor.»

«¿Para qué darle un disgusto a primera hora de la mañana?», se preguntó Bonnie, y decidió no mencionar a su marido la llamada de Joan, por lo menos hasta después de haberla visto. Rod tenía ya bastantes preocupaciones en la televisión: una franja horaria de tarde difícil, una presentadora insoportable, un formato trillado. ¿Cuántos programas de entrevistas necesitaban los televidentes en realidad? Sin embargo, bajo su experta dirección, los índices de audiencia habían subido sin parar. Cada vez se hablaba más de ampliar la cadena a nivel nacional. La convención de Miami del siguiente mes sería fundamental.

Las palmeras aparecieron de nuevo como por arte de magia, adornando la superficie de las paredes malva del dormitorio, como dibujos en un papel pintado. Unas suaves brisas imaginarias la siguieron hasta el pequeño tocador con espejo que había frente a la cama, bajo un discreto desnudo de Salvador Dalí: una mujer sin rostro dibujada en azul, las caderas redondeadas y los miembros alargados, con rayos de algo indefinido brotando de la parte superior de su cabeza, calva.

Quizá la calvicie fuese la respuesta, pensó Bonnie mientras intentaba en vano dar forma a su cabello, oscuro y largo hasta la barbilla, enmarcando su estrecho rostro, tal como su peluquera le había enseñado.

—Olvídalo —dijo a su imagen en el espejo. Abandonó su rebelde cabello, decidiendo que pese a las diminutas arrugas que tenía en la comisura de los ojos verde oscuro, su aspecto no era tan malo. Tenía esa belleza sana de animadora que en realidad nunca pasaba de moda, y que le hacía aparentar menos de sus casi treinta y cinco años. En una ocasión Joan la había descrito como «bien fregada».

Sin pedir permiso, múltiples imágenes de la ex mujer de Rod sustituyeron a las palmeras, como un cuadro de Andy Warhol o una de aquellas serigrafías de Marilyn Monroe.

—Joan —repitió Bonnie, intentando alargar la palabra en dos sílabas, para hacerla más dulce, más fácil de contender con ella—. Jo-an. Jo-an. —No funcionó. En sus labios, así como en su vida, Joan seguía siendo inalterable, imposible de cambiar o moderar.

Era una mujer grande —medía un metro ochenta—, con enormes ojos marrones que ella se empeñaba en describir como «negros», llameante cabellera pelirroja que ella prefería calificar de «rojiza», y unos senos espectaculares en el léxico de cualquiera. Todo en ella resultaba exagerado y ésa era sin duda, por lo menos en parte, una de las causas de su éxito como vendedora inmobiliaria.

¿Qué tramaba? ¿A cuento de qué aquel melodrama? ¿Qué era

aquello tan complicado que no podía explicarle por teléfono? ¿A qué tipo de peligro se refería?

Bonnie se encogió de hombros, y la ducha de Rod se interrumpió de golpe. No tardaría en averiguarlo, concluyó.

Bonnie ascendió con su Caprice blanco la entrada para coches del 430 de Lombard Street a las doce treinta y ocho exactamente —a causa de un accidente ocurrido en la autopista había tardado más de una hora en llegar—, y aparcó justo detrás del Mercedes rojo de Joan. Era evidente que Joan se las arreglaba muy bien, caviló Bonnie. Pese a las fluctuaciones del mercado inmobiliario, había sobrevivido a la última y prolongada crisis económica bastante bien al parecer. Pero claro, Joan era una superviviente nata. Sólo quienes la rodeaban perecían.

Aquella casa no debía de ser demasiado difícil de vender, pensó Bonnie; entrecerró los ojos para protegerlos de la luz solar, todavía no demasiado intensa, mientras pasaba por delante del enorme cartel del jardín delantero que anunciaba la venta y subía los escalones que conducían al porche. Era una casa de dos plantas, de madera, como la mayoría de los edificios de aquel barrio residencial de Boston, y había recibido recientemente una capa de pintura blanca. La puerta principal era negra y estaba entreabierta. Bonnie llamó tímidamente con los nudillos, y luego la empujó para abrirla un poco más. De inmediato oyó voces en una de las habitaciones de la parte trasera. Un hombre y una mujer. Quizá fuese Joan. Quizá no. Parecían hallarse en plena discusión. Era difícil deducirlo. En cualquier caso, no tenía intención de escuchar a escondidas. Esperaría unos minutos, y luego tosería discretamente unas cuantas veces, para que se dieran cuenta de que había alguien más en la casa.

Bonnie echó un vistazo a su alrededor y cogió uno de los muchos folletos que Joan había dejado en un montón sobre un pequeño banco del vestíbulo, junto a un libro de invitados. Según informaba el folleto, la casa, de dos plantas, tenía una superficie total de doscientos setenta metros cuadrados, con cuatro habitaciones y sótano. Una amplia escalera central dividía la casa en dos mitades idénticas, el salón a un lado y el comedor al otro. La cocina y la sala de estar se hallaban en la parte de atrás. Entre ambas había un cuarto de aseo.

Bonnie emitió un débil carraspeo, y luego otra vez, más fuerte. Las voces siguieron. Bonnie consultó su reloj. Entró en el salón, decorado en tonos beige y marfil. Tendría que marcharse pronto. De otro modo llegaría tarde y se perdería la primera parte de la conferencia sobre cómo los institutos tenían que adaptarse a los adolescentes de hoy en día. Volvió a consultar su reloj, y dio unos golpecitos con el pie en el parqué. Aquello era ridículo. Detestaba la idea de interrumpir a Joan mientras intentaba llevar a cabo una venta; pero, por otra parte, ella había insistido en que estuviera allí antes de la una en punto, y casi era esa hora.

—Joan —llamó, mientras salía al vestíbulo y recorría el pasillo hacia la cocina.

Las voces continuaron, como si Bonnie no hubiera hablado. Oyó algunos fragmentos de conversación.

—Bueno, si este proyecto sanitario se lleva a cabo...

—Ésa es una afirmación bastante estúpida.

Se preguntó qué ocurría. ¿Por qué se enzarzaría la gente (y mucho menos Joan) en una discusión así en un momento como aquél?

Voy a tener que cortarla, querida oyente —anunció de súbito la voz de hombre—. *No tiene usted ni idea de qué está diciendo, y me apetece escuchar un poco de música. ¿Qué les parece el sonido siempre clásico de Nirvana?*

Era la radio.

—Dios mío —murmuró Bonnie. ¡Había perdido el tiempo carraspeando discretamente para que un locutor de radio maleducado terminara de lanzar sus invectivas a una desventurada oyente! «¿Quién es la chalada?», se preguntó. Entonces perdió la paciencia y levantó la voz para hacerse oír por encima del súbito estruendo de Nirvana.

—Joan —gritó. Entró en la cocina amarilla y blanca. Y allí estaba Joan, sentada a la larga mesa de pino, sus enormes ojos oscuros enturbiados por la bebida, la boca entreabierta, a punto de hablar.

Pero nada dijo. Tampoco se movió. Ni siquiera cuando Bonnie se le acercó y agitó una mano delante del rostro de la mujer; ni cuando la sacudió el hombro.

—Joan, por el amor de Dios...

No podría asegurar en qué preciso momento se dio cuenta de que Joan estaba muerta. Tal vez fue cuando vio la brillante mancha carmín en la pechera de la blusa de seda blanca, como una obra de arte abstracta. O cuando vio el agujero oscuro entre sus senos, y notó la sangre en sus propias manos, tibia y pegajosa, como jarabe. Quizá fue la espantosa combinación de olores, reales o imaginarios, que de pronto se abrió camino hacia su nariz lo que la convenció. O los gritos que salían de su boca, como balas perdidas, un sonido atroz que creaba una armonía curiosamente apropiada con Nirvana.

O acaso fue la mujer que había en el umbral, gritando con ella, cargada con bolsas del supermercado, que se había quedado paralizada, apoyada contra la pared de enfrente, las bolsas de comestibles pegadas a su costados, como si fuesen lo único que la mantenía en pie.

Bonnie caminó hacia ella, y la mujer retrocedió, horrorizada, mientras Bonnie le quitaba las bolsas de los brazos.

—No me haga daño —suplicó la mujer—. Por favor, no me haga daño.

—Nadie va a hacerle daño —le aseguró Bonnie con calma, dejando las bolsas sobre el mármol y rodeando luego a la temblorosa mujer con un brazo. Con la otra mano descolgó el auricular del teléfono de pared y marcó el 911. Con voz clara dio la dirección a la operadora y le dijo que habían disparado contra una mujer. Cuando cortó la comunicación condujo a la propietaria de la casa, que todavía temblaba, hasta el salón, y una vez allí se sentó a su lado en el sofá marrón. Luego puso la cabeza entre las rodillas para no desmayarse y esperó la llegada de la policía.

2

Irrumpieron por la puerta principal como un violento trueno en medio de una tormenta, esperado pero no por ello menos terrorífico. Las voces inundaron el vestíbulo; los cuerpos invadieron el salón, pululando como abejas en un panal. La mujer que estaba sentada junto a Bonnie en el sofá se puso en pie de un salto para recibirlos.

—¡Gracias a Dios que han llegado! —exclamó con voz quejumbrosa.

—¿Ha sido usted quien ha llamado a la policía?

Bonnie vio que el dedo acusador de la mujer señalaba hacia ella, y que todos los ojos se volvían en su dirección mientras la habitación se iba llenando. Se obligó de mala gana a mirarlos a su vez, aunque al principio lo único que consiguió ver fue a Joan, fogosos mechones rojizos cayendo en frenéticos rizos alrededor del ceniciento rostro, su ancha boca algo entreabierta y perfilada con su inconfundible lápiz de labios naranja fluorescente, los oscuros ojos con una mirada lechosa, mortal.

—¿Contra quién han disparado? —preguntó alguien.

La mujer volvió a señalar, esta vez hacia la cocina.

—Contra mi agente inmobiliaria. De la inmobiliaria Ellen Marx.

Varios jóvenes sin rostro, vestidos con la blanca bata del personal médico, se apresuraron hacia la parte trasera de la casa. «Los enfermeros de la ambulancia, sin duda», dedujo Bonnie, curiosamente indiferente respecto a cuanto estaba ocurriendo; y esa súbita indiferencia hacía que percibiera los detalles de toda aquella actividad. Por lo menos había otras seis personas en la casa: los dos enfermeros, dos agentes de policía uniformados, una mujer cuyo porte la identificaba también como policía, pero que aparentaba apenas veinte años, y un hombre corpulento de unos cuarenta con el cutis estropeado y un estómago que sobresalía por encima de su cinturón. Era evidente que él estaba al mando, y siguió a los enfermeros a la cocina.

—Está muerta —anunció a su regreso. Llevaba una chaqueta deportiva a cuadros blancos y negros y una corbata roja lisa. Bonnie se fijó en las esposas que colgaban de su cinturón—. Ya lo he comunicado a comisaría. El forense no tardará en llegar.

«El forense», repitió Bonnie mentalmente. Se preguntó de dónde provendría aquella extraña palabra.

—Soy el capitán Mahoney, y ésta es la detective Kritzic. —Indicó con la cabeza a la mujer que tenía a su derecha—. ¿Quiere contarnos qué ha sucedido?

—Cuando he llegado a casa... —oyó Bonnie a la propietaria de la casa.

—¿Es suya esta casa? —preguntó la detective Kritzic.

—Sí. La he puesto en venta...

—Su nombre, por favor.

—¿Cómo? Ah, Margaret Palmay.

Bonnie vio como la agente de policía anotaba aquella información en su bloc.

—¿Y usted es...?

Bonnie tardó un momento en darse cuenta de que la detective Kritzic se dirigía a ella.

—Bonnie Wheeler —tartamudeó—. Me gustaría llamar a mi marido. —¿Por qué había dicho eso? Ni siquiera se había percatado de haberlo pensado.

—Enseguida podrá hacerlo, señora Wheeler —dijo el capitán Mahoney—. Primero tendrá que responder unas cuantas preguntas.

Bonnie asintió con la cabeza; comprendía que era importante respetar cierto orden. Pronto empezaría a llegar gente con extraños instrumentos y polvos para medir y examinar, llevando cámaras de vídeo y bolsas verdes para cadáveres y metros de cinta amarilla con la cual acordonar la zona. *Escenario del crimen. Prohibido el paso.* Conocía la rutina. Lo había visto muchas veces en televisión.

—Adelante, señora Palmay —apuntó la detective Kritzic con amabilidad—. Dice que había puesto su casa en venta...

—Sí, desde finales de marzo. Ésta era la primera vez que la mostrábamos a los clientes. Ella aseguró que se marcharía antes de la una.

—Así que usted no tiene forma de saber cuántas personas han entrado en la casa esta mañana —intervino el capitán Mahoney, sentenciando más que preguntando.

—En el vestíbulo hay un libro de invitados —dijo Bonnie, recordando el que había visto junto al montón de folletos, cuando entró en la casa.

Los agentes intercambiaron una mirada, y la detective Kritzic, que tenía el cabello pelirrojo, casi del mismo tono que Joan —hasta ese momento Bonnie no se había fijado en ello—, desapareció durante unos segundos, regresando con el libro en la mano. Ambos policías se hicieron una señal silenciosa.

—Y cuando ha llegado a casa...

—Me he dado cuenta de que todavía estaba aquí —explicó Margaret Palmay— porque he visto su coche en el camino de entrada, y he sabido que había alguien más con ella porque había otro automóvil justo detrás del suyo. He tenido que aparcar en la calle. Habría esperado a que se marcharan, pero venía cargada de bolsas, y había cosas que necesitaba meter en el congelador antes de que se estropearan. —Hizo una pausa, como si se hubiese quedado en blanco de pronto, y quizá le había pasado.

Era una mujer atractiva, pensó Bonnie, un poco baja y redondeada en la medida justa, con suave cabello rubio que se rizaba hacia la base de las orejas. Tenía una nariz estrecha y puntiaguda entre unos ojos azul pálido. La boca era pequeña, pero su voz sonaba clara y firme.

—¿Qué ha sucedido cuando usted ha entrado en la casa, señora Palmay?

—He ido derecha a la cocina, y entonces ha sido cuando la he visto. —De nuevo aquel dedo acusador se extendió desde la manga de su abrigo color beige, para señalar a Bonnie—. Estaba de pie junto a Joan. Tenía las manos manchadas de sangre.

Bonnie dirigió la vista hacia sus manos, y un grito de asombro escapó de su garganta cuando vio la sangre, de un rojo oscuro, que cubría sus dedos, como pintura para niños. Una oleada de calor le recorrió el cuerpo, descendiendo a una velocidad vertiginosa de la cabeza a los dedos de los pies, como un líquido circulando por una caña, robándole toda la energía. Se sintió mareada, débil.

—¿Les importa que me quite el abrigo? —Sin esperar una respuesta sacó las manos por las mangas del abrigo, intentando evitar que la sangre que tenía en los dedos tocara el suave forro de seda.

—¿Quién es Joan? —preguntó el capitán Mahoney, frunciendo el entrecejo.

—La víctima —contestó Margaret Palmay, y en sus labios la palabra sonó fuera de lugar.

«¿De quién se piensan que están hablando?», se preguntó Bonnie.

El capitán Mahoney consultó sus notas.

—Creía que había dicho que se llamaba Ellen Marx.

—No —aclaró Margaret Palmay—, Ellen Marx es el nombre de la agencia inmobiliaria donde ella trabajaba. La víctima se llama (se llamaba) Joan Wheeler.

—¿Wheeler?

Sus oscuros ojos se volvieron más oscuros aún; todas las miradas convergieron en Bonnie.

—Wheeler —repitió el capitán Mahoney, entornando un ojo, como si quisiera poner a Bonnie bajo la mira de una pistola—. ¿Pariente suya?

«¿Lo era? —se preguntó Bonnie—. ¿Existían las ex mujeres políticas como las madres políticas?»

—Era la ex mujer de mi marido —contestó.

Nadie habló. Dio la impresión de que alguien les había pedido que guardaran un momento de silencio. Bonnie observó que algo había cambiado, que en aquella habitación alguna corriente había sido sutilmente alterada.

—Muy bien, vamos a recapacitar un momento —dijo el capitán Mahoney, después de aclararse la garganta, dirigiendo de nuevo su atención hacia Margaret Palmay—. Dice usted que vio a la señora Wheeler de pie junto al cuerpo de la víctima, y que tenía las manos manchadas de sangre. ¿Vio usted algún arma?

—No.

—¿Qué sucedió entonces?

—Empecé a gritar. Creo que ella también gritaba, pero no estoy segura. Me vio y se me acercó. Al principio me asusté, pero se limitó a cogerme las bolsas de la compra y llamar a la policía.

—¿Está de acuerdo con la declaración de la señora Palmay? —inquirió el capitán Mahoney volviéndose hacia Bonnie, que nada dijo—. Señora Wheeler, ¿está usted en desacuerdo con algo de lo expuesto por la señora Palmay?

Bonnie negó con la cabeza. La versión de los hechos de Margaret Palmay parecía bastante clara.

—¿Por qué no nos cuenta qué hacía usted aquí?

«Eso va a ser más difícil», pensó. Se preguntó si su hermano se habría sentido como ella la primera vez que la policía lo interrogó, si se había puesto tan nervioso, tan agitado. Aunque sin duda se había acabado acostumbrando a aquello, decidió, y meneó la cabeza para librarse de aquellos incómodos pensamientos. La última persona en quien le convenía pensar era su hermano.

—Joan me llamó por teléfono a primera hora de la mañana —empezó—. Me pidió que me reuniera aquí con ella.

—Es de suponer que usted no venía a ver la casa.

Bonnie inspiró profundamente.

—Joan me dijo que necesitaba contarme algo que no podía decirme por teléfono. Ya sé —continuó sin precipitarse— que parece el argumento de una película.

—Sí, en efecto —reconoció el capitán—. ¿Eran amigas usted y la ex mujer de su marido, señora Wheeler?

—No —contestó Bonnie sin más.

—¿Le pareció inusitado que la llamara y le dijera que necesitaba hablar con usted?

—Sí y no —contestó Bonnie. Pero hubo de continuar cuando observó que la mirada del capitán exigía más explicaciones—.

Joan tenía problemas con la bebida. De vez en cuando telefoneaba a mi casa.

—Estoy seguro de que a usted no debía gustarle mucho eso —elucubró el capitán Mahoney, con algo que Bonnie interpretó como un intento de sonrisa comprensiva.

Bonnie se encogió de hombros; no estaba segura de cómo debía responder.

—¿Puedo llamar por teléfono a mi marido? —preguntó de nuevo.

—¿Qué opinó su marido acerca de esta cita con su ex mujer? —inquirió el capitán Mahoney, utilizando la pregunta de Bonnie como trampolín.

Bonnie hizo una pausa.

—Él no lo sabía.

—¿Que no lo sabía?

—Joan me pidió que no se lo comentara —explicó Bonnie.

—¿Le dio algún motivo?

—No.

—¿Hacía usted siempre caso a la ex mujer de su marido?

—Por supuesto que no.

—¿Por qué hoy sí?

—Me parece que no entiendo qué quiere decir.

—¿Por qué aceptó reunirse con ella hoy? ¿Por qué no se lo comentó a su marido?

Bonnie se llevó la mano a la boca, y la devolvió rápidamente a su regazo al notar la sangre. La sangre de Joan, pensó, conteniendo las náuseas.

—Me dijo algo extraño por teléfono.

—¿De qué se trata? —El capitán Mahoney avanzó unos pasos hacia ella, con el bolígrafo preparado para anotar su respuesta.

—Me aseguró que yo estaba en peligro.

—¿Que usted estaba en peligro?

—Mi hija y yo.

—¿Le dijo por qué? —preguntó el capitán Mahoney.

—No, sólo que era demasiado complicado y que no podía contármelo por teléfono.

—¿Y usted no tenía ni idea de a qué se refería?

—Ni idea.

—Así que aceptó reunirse con ella.

Bonnie asintió con la cabeza.

—¿A qué hora llegó usted aquí?

—A las doce treinta y ocho —contestó Bonnie.

El capitán Mahoney pareció sorprendido ante la precisión de su respuesta.

—El reloj de mi coche es digital —dijo Bonnie. De pronto, sus palabras le parecieron desesperadamente necias. Soltó una risita y vio que la perplejidad reemplazaba a la curiosidad en las expresiones de los presentes. Había muerto una mujer, por todos los santos. La habían matado. Y no se trataba de una desconocida: era la ex mujer de su marido. Y ella había sido descubierta junto al cadáver con las manos llenas de sangre. Desde luego, aquella situación no tenía la menor gracia. Bonnie se echó a reír de nuevo, esta vez más fuerte.

—¿Hay algo que le resulte divertido, señora Wheeler? —preguntó el capitán Mahoney.

—No —repuso Bonnie ahogando otra carcajada en su garganta, de modo que su voz sonó nudosa, como un trozo viejo de madera flotante—. Por supuesto que no. Supongo que estoy un poco nerviosa. Lo siento.

—¿Tiene algún motivo para estar nerviosa?

—No entiendo su pregunta.

La detective Kritzic se acercó a Bonnie y se sentó a su lado.

—¿Hay algo que le gustaría contarnos, señora Wheeler? —Su voz adoptó un tono maternal que se contradecía con su rostro infantil.

—Me gustaría llamar por teléfono a mi marido —insistió Bonnie.

—¿Qué le parece si antes acabamos con esto, señora Wheeler? —La voz de la detective Kritzic recuperó el tono anterior; de pronto, todo rastro de la madre indulgente desapareció.

Bonnie se encogió de hombros. ¿Acaso tenía alternativa?

—Llegó aquí a las doce treinta y ocho —repitió el capitán Mahoney, animándola a continuar.

—La puerta estaba abierta, así que entré —explicó Bonnie,

reviviendo los hechos mentalmente—. Oí voces que procedían de la parte trasera de la casa, y como no quería interrumpir la conversación, me quedé aquí unos minutos; luego entré en la cocina.

—¿Vio a alguien?

—A Joan. Estaba sola. Las voces que yo había oído eran de la radio.

—¿Qué sucedió entonces?

—Entonces... —Bonnie vaciló—. Al principio pensé que sólo estaba inconsciente, sentada a la mesa y con una mirada inexpresiva. Entonces me acerqué a ella y creo que la toqué. —Bonnie se miró los dedos ensangrentados—. Debí de tocarla. —Tragó saliva. Le dolía la garganta—. Entonces me di cuenta de que estaba muerta. Luego oí gritos: los míos y los suyos. —Miró a Margaret Palmay—. Avisé a la policía.

—¿Cómo supo que la víctima había muerto de un disparo?

—¿Qué?

—Usted dijo a la operadora que habían disparado contra una mujer.

—¿Ah, sí?

—Está grabado, señora Wheeler.

—No sé cómo lo supe —respondió Bonnie con sinceridad—. Tenía un agujero en la pechera de la blusa. Supongo que lo deduje por ello.

—¿La vio alguien llegar, señora Wheeler?

—Que yo sepa, no —contestó. ¿Por qué le preguntaba eso?

—¿A qué se dedica, señora Wheeler?

—¿Cómo?

—¿En qué trabaja?

—Soy profesora —contestó Bonnie, preguntándose qué relevancia tenía su profesión.

—¿En Newton?

—Weston.

—¿Qué colegio es ése?

—El Instituto Weston Hights. Soy profesora de lengua.

—¿Y a qué hora salió usted del instituto?

—De hecho, hoy no tenía clases. Tenía R.P. (Joan lo había llamado P.R.). Reciclaje profesional —explicó Bonnie—. Y asistí a un simposio celebrado en Boston. Me marché un poco antes de las doce.

—¿Y tardó más de cuarenta minutos en el trayecto de Boston a Newton? —preguntó el capitán con escepticismo.

—Hubo un accidente en la autopista —dijo Bonnie—, y quedé atrapada en el atasco.

—¿La vio alguien marcharse?

—¿Si me vieron marcharme? No lo sé. Procuré ser bastante discreta. Además, ¿por qué me hace esas preguntas? —preguntó de pronto.

—Dice que la ex mujer de su marido estaba muerta cuando usted llegó aquí —sentenció el capitán.

—Por supuesto que lo digo. ¿Qué otra cosa iba a decir? —Bonnie se puso en pie de un brinco—. ¿Qué ocurre aquí? ¿Sospecha de mí? —Por supuesto que sospechaba de ella. ¿De quién más iba a sospechar? La habían descubierto junto al cadáver de la ex mujer de su marido, con sangre en las manos, por todos los santos. Claro que sospechaban de ella—. No me ha contestado —insistió—. ¿Sospecha de mí?

—Sólo intentamos averiguar lo que ha pasado —intervino la detective Kritzic con calma.

—Quiero llamar a mi marido, ahora mismo —dijo Bonnie.

—¿Por qué no lo hace desde la comisaría? —El capitán Mahoney cerró su bloc de notas y dejó caer los brazos a lo largo de los costados.

—¿Estoy detenida? —preguntó Bonnie, y le pareció que era otra persona quien lo decía. Quizá fuese la radio, como antes.

—Se trata de que considero que estaremos más cómodos en la comisaría. —La respuesta no era muy satisfactoria.

—En ese caso —dijo Bonnie, y oyó la voz de su hermano impregnando la suya—, será mejor que llame a mi abogada.

3

—¿Dónde te habías metido? —preguntó Bonnie sin esforzarse en disimular su frustración—. Llevo toda la tarde intentando hablar contigo.

Diana Perrin miró a su amiga con perplejidad.

—Estaba con unos clientes —contestó con calma—. ¿Cómo querías que supiera que mi mejor amiga iba a ser conducida a la comisaría para someterse a un interrogatorio relacionado con un caso de asesinato?

—¡Piensan que he matado a la ex mujer de Rod!

—Sí, no me extraña —reconoció Diana—. ¿Qué demonios les has dicho?

—Sólo he contestado sus preguntas.

—Contestar sus preguntas —repitió Diana, estupefacta, meneando la cabeza. Bonnie observó que llevaba el largo cabello oscuro recogido en un moño en la nuca, muy jurista—. ¿Cuántas veces me has oído decir que nadie habla con la policía sin que esté un abogado presente?

—¿Cómo no iba a hablar con ellos, por el amor de Dios? ¡Yo encontré el cadáver de Joan!

—Razón de más. —Diana inspiró hondo, se dejó caer en una silla que había al otro lado de la mesa frente a Bonnie.

Estaban sentadas a los extremos opuestos de una larga mesa, quizá avellano claro, quizá roble oscuro, situada en el centro de una habitación pequeña, bien iluminada, pobremente amueblada, con suelo de linóleo gastado y paredes de un verde institucional que necesitaban una capa nueva de pintura. Las lámparas del techo eran indirectas y fluorescentes; las paredes estaban desnudas; las sillas, de madera, con el respaldo recto, sin cojines e incómodas, evidentemente diseñadas para hacer que sus usuarios desearan pasar el menor tiempo posible sentados en ellas. Una ventana interrumpía una de las paredes interiores, proporcionando una clara panorámica del interior de una pequeña comisaría de barrio. No sucedía gran cosa. Unos cuantos hombres y mujeres trabajaban en sus escritorios, mirando de vez en cuando en dirección a Bonnie. Llevaba más de media hora sin ver al capitán Mahoney ni a la detective Kritzic.

—A ver, ¿qué les has contado exactamente?

Bonnie hizo un segundo relato de lo ocurrido aquella mañana, buscando cualquier señal de emoción en el rostro de Diana, por lo general muy expresivo. Pero la abogada no denotaba nada; mientras Bonnie hablaba, los azules ojos de Diana permanecían fijos en los labios de su amiga. «Era una mujer guapa», pensó Bonnie. Ella sabía cómo se esforzaba Diana para disimular su atractivo, por lo menos durante la jornada laboral; siempre llevaba poco maquillaje, trajes chaqueta de corte sobrio, como el de color mostaza que se había puesto, y zapatos planos y prácticos. Sin embargo, nada conseguía disfrazar el hecho de que Diana Perrin, de treinta y dos años y con dos divorcios a sus espaldas, era una belleza.

—¿Qué miras? —preguntó Diana, consciente de pronto del atento examen de Bonnie.

—Estás preciosa.

—Mierda —murmuró Diana—. A esto debían de referirse los policías cuando me han dicho que algunas de tus reacciones no eran del todo apropiadas.

—¿Van a detenerme?

—Lo dudo. No tienen pruebas para acusarte, y como no te mirandizaron, no pueden utilizar nada de lo que dijiste contra ti.

—¿Mirandiqué?

—Que no te han leído tus derechos.

Bonnie pensó en lo maravillosamente maleable que era el idioma inglés, la facilidad con que había permitido que el apellido de un hombre se convirtiera en un verbo.

—Con sinceridad, ¿tan graves han sido mis respuestas?

—Bueno, teniendo en cuenta que yo me dedico al derecho mercantil, y que nada he tenido que ver con el código penal desde que salí de la universidad, veamos qué puedo hacer: la víctima era la ex mujer de tu marido; aunque no os llevabais bien, aceptaste reunirte con ella sin comentarlo con tu marido; te marchas de una reunión sin dar explicaciones y no dices a nadie a dónde vas. Aseguraste a la policía que te encontraste atrapada en un atasco a la hora del crimen...

—Hubo un accidente en la autopista. Pueden comprobarlo...

—Te aseguro que lo harán. Igual que tus llamadas telefónicas, tu horario de clases, el simposio al que aseguras haber asistido esta mañana...

—Pero si he estado en él, por el amor de Dios.

—El kilometraje de tu coche —prosiguió Diana como si no la hubiera oído—, los vecinos de Margaret Palmay, el mensaje que diste al 911.

—¿Qué motivos tendría yo para matar a Joan?

Diana levantó los largos y elegantes dedos, y los contó, uno por uno.

—Primero: era la ex mujer de tu marido; hay gente que lo consideraría motivo más que suficiente. Segundo: se trataba de una pelmaza. Tercero: suponía una continua fuga en tus presupuestos.

—¿Acaso me creen capaz de haberla asesinado para ahorrarme la pensión?

—Hay mucha gente que ha muerto por menos.

—¡Diana, yo no la he matado! Tú lo sabes.

—Claro que lo sé. —De pronto Diana se volvió sin levantarse de la silla, como si acabase de caer en la cuenta de que había perdido algo importante—. ¿Dónde está Rod? ¿Sabe ya lo ocurrido?

—Todavía no. No he podido hablar con él hasta hace unos veinte minutos. No te imaginas lo frustrante que ha sido. No conseguía localizar a nadie. Tú estabas en una reunión; Rod, almorzando. La única persona con quien he podido contactar ha sido Pam Goldenberg.

—¿Quién es?

—Su hija va a la guardería con Amanda. Compartimos el coche. Le pregunté si le importaría que Amanda se quedara en su casa hasta que yo salga de aquí.

—Buena idea.

—Menos mal.

Diana tendió una mano por encima de la mesa para asir la de su amiga.

—No seas demasiado dura contigo misma, Bonnie. Esto de tropezar con el cadáver de la ex mujer del marido no ocurre cada día. —Alzó la vista hacia el techo, y añadió—: ¿Cómo crees que se lo tomará Rod?

Con un encogimiento de hombros, Bonnie se levantó de la silla.

—Supongo que una vez asimilada la conmoción inicial, bien. Quienes me preocupan son Sam y Lauren. ¿Cómo encajarán la noticia de que su madre ha sido asesinada? ¿De qué forma les afectará?

—¿Significa eso que se irán a vivir contigo? —preguntó Diana con voz tímida.

Bonnie se lo pensó.

—¿Hay alguna otra opción?

Cerró los ojos, y por su mente pasaron las imágenes de los dos hijos adolescentes de Rod: Sam, de dieciséis años, alumno del Instituto Weston Hights, muy alto y delgado, con el cabello, recientemente teñido de negro, por los hombros, y un pequeño aro de oro en la aleta izquierda de la nariz; Lauren, de catorce años, una estudiante mediocre a pesar de estudiar en la mejor escuela privada de Newton, con cuerpo de modelo y ojos de gacela, con la exuberante y larga cabellera pelirroja y los carnosos labios de su madre.

—Me odian —murmuró Bonnie.

—No te odian.

—Por supuesto que sí. Y apenas conocen a su medio hermana.

Diana miró hacia la ventana interior.

—Ahí está Rod.

—¡Gracias a Dios! —Bonnie se puso en pie y vio a su marido,

un hombre alto y atractivo, hablando con una joven uniformada de azul que le indicaba con el dedo el pequeño despacho interior. Bonnie avanzó hacia la puerta y tendió una mano hacia el picaporte, pero entonces se detuvo.

—Dime que no es quien creo que es —exclamó Diana, leyendo el pensamiento a Bonnie.

—¡No puedo creerlo!

—¿Qué hace ella aquí?

La puerta se abrió y Rod entró en el despacho. La mujer que iba detrás de él se detuvo un momento para atender a un joven que le tendía algo para que se lo firmara, mientras empezaba a formarse un corrillo alrededor de ella. Un murmullo de emoción llenaba el aire. «¿No es ésa Marla Brenzelle?», preguntó una voz. «¿Es Marla Brenzelle?»

«Marla Brenzelle, me cago en todo», pensó Bonnie. La conoció en el instituto, cuando sólo era Marlene Brenzel, antes de que se hiciera una nariz nueva y se pusiera tetas nuevas, antes de que se pusiera dientes postizos y se operara el vientre, antes de que se hiciera la liposucción en los muslos y de que se tiñera el cabello color maíz maduro. La conoció cuando las únicas personas que conseguía que la escucharan eran aquellas almas en pena que acorralaba en el pasillo entre clase y clase, mucho antes de que su papá comprara una cadena de televisión y la convirtiera en la estrella de su propio programa de entrevistas. Bonnie pensó que lo único que no había cambiado de Marlene Brenzel durante el tiempo transcurrido desde aquella época era su cerebro. Seguía sin tenerlo.

—¡Oh, Rod, cuánto me alegra que estés aquí!

—He venido tan rápido como he podido. Marla se ha empeñado en traerme en su coche. —Rod rodeó a Bonnie con sus brazos—. ¿Qué sucede?

—¿No te lo han dicho? —preguntó Diana.

—Nadie me ha contado nada. —Rod se volvió hacia Diana, evidentemente sorprendido por su presencia—. ¿Qué haces aquí?

—La he llamado al ver que no lograba localizarte —explicó Bonnie.

—No lo entiendo.

—Será mejor que te sientes —le aconsejó Diana.

—¿Qué ocurre?

—Joan ha muerto —dijo Bonnie en voz baja.

—¿Qué? —Rod se agarró al respaldo de una silla en busca de apoyo.

—La han asesinado.

Rod, cuya piel era bastante blanca, se puso aún más pálido.

—¿Que la han matado? Es imposible. ¿Cómo... quién...?

—Me ha dado la impresión de que era un disparo. No saben quién ha sido.

Rod tardó un momento en asimilar las palabras de Bonnie.

—¿Qué quieres decir con eso de que te ha dado la impresión? ¿Cómo ibas a saberlo?

—Yo estaba allí —contestó Bonnie—. Fui quién la encontró.

—¿Qué significa que la encontraste? —La confusión de Rod se extendió a la sala contigua, atrayendo la atención de la antigua Marlene Brenzel, que se detuvo a medio autógrafo, mirando hacia ellos.

—No quiero que entre —dijo Bonnie.

Rod salió rápidamente del despacho con la mano tendida, y detuvo a Marlene cogiéndola por el hombro al tiempo que se inclinaba para susurrarle algo al oído. Bonnie vio la sorpresa en los ojos de aquella mujer, aunque no movió ni un músculo del rostro. «Seguramente no puede», pensó Bonnie.

—Se ha hecho tantas operaciones que parece una colcha de retales— murmuró Diana, leyendo una vez más los pensamientos de su amiga—. Tiene la barbilla tan puntiaguda que si se la clava a alguien lo mata.

Bonnie tuvo que morderse el labio inferior para no echarse a reír, pero la risa se apagó de inmediato en su garganta cuando su marido regresó al despacho. A Rod había empezado a ponérsele el pelo canoso antes de cumplir los treinta. Pero con cuarenta y uno le hacía parecer más joven de lo que era resaltando el marrón oscuro de sus ojos, y proporcionando a los rasgos más duros de su rostro —la larga nariz y la mandíbula cuadrada— la suavidad que necesitaban.

—¿Lo saben los niños? —preguntó Rod.

—Todavía no. —Bonnie se acercó a su marido y lo cogió del brazo.

—¿Qué voy a decirles?

—Quizá yo pueda ayudarle —se ofreció el capitán Mahoney, surgiendo de entre el corrillo que rodeaba a Marla Brenzelle y entrando en el pequeño despacho. Una vez dentro cerró la puerta—. Soy Randall Mahoney, capitán de la Brigada de Homicidios. La detective Kritzic y yo somos quienes hemos traído aquí a su esposa.

—¿Quiere decirme qué ha ocurrido exactamente?

Bonnie observó la postura de su marido mientras éste encajaba las noticias: los anchos hombros se desplomaron hacia adelante con la confirmación de que su ex mujer había muerto de un disparo; las grandes manos cayeron inertes a los costados con la revelación de que Bonnie había concertado una cita con Joan aquella mañana sin contárselo a él; su cabeza se movió de un lado a otro con gesto incrédulo cuando supo que había sido Bonnie quien había llamado a la policía, negándose luego a seguir cooperando hasta haber hablado con su abogada.

—Pero si es una abogada mercantil de tres al cuarto, por todos los santos —susurró Rod, sin siquiera disimular la antipatía que siempre había sentido hacia Diana—. ¿Por qué la has avisado?

—Porque no te encontraba. Y no sabía a quién llamar.

Rod se volvió hacia el capitán Mahoney.

—Me imagino que no sospechará de mi esposa —dijo, afirmando más que preguntando.

—De momento, lo único que pretendemos es obtener la máxima información posible —repuso el capitán Mahoney.

Bonnie captó algo distinto en la voz del policía, un sutil rastro de complicidad, como lo que estuviera diciendo a su marido en realidad fuera: los dos somos hombres; sabemos cómo funcionan estas cosas; no dejamos que nuestras emociones se apoderen de nosotros; ahora que usted ha llegado quizá empecemos a progresar un poco.

—¿Le importa que le haga unas cuantas preguntas? —dijo el

capitán Mahoney mientras la detective Kritzic abría la puerta en ese momento y entraba en el despacho.

—Qué jaleo —murmuró la joven, sofocada por su breve encuentro con la fama.

—Señor Wheeler, le presento a la detective Kritzic.

La detective Kritzic hizo una inclinación de cabeza, ocultando con timidez a su espalda una fotografía de Marla Brenzelle dedicada.

—Tengo entendido que usted es el realizador —dijo—. Soy una gran admiradora del programa.

«Tengo graves problemas, —pensó Bonnie—. El mundo tiene graves problemas.»

Rod aceptó el cumplido con elegancia.

—Si puedo hacer algo para cooperar, con mucho gusto...

—¿Es usted el ex marido de Joan Wheeler? —preguntó el capitán Mahoney.

—Sí.

—¿Quiere decirme cuánto tiempo estuvieron casados?

—Nueve años.

—¿Y cuándo se divorciaron?

—Hace siete años.

—¿Hijos?

—Un chico y una chica. —Miró a Bonnie en busca de ayuda.

—Sam tiene dieciséis años y Lauren, catorce —intervino su mujer.

Rod asintió con la cabeza. Mientras el capitán Mahoney anotaba aquella última información, todos guardaron silencio.

—¿Tenía su ex mujer algún enemigo que usted supiera, señor Wheeler?

Rod se encogió de hombros.

—Desde luego, mi ex mujer no era la reina de las relaciones públicas, capitán. No tenía muchos amigos. Pero enemigos... no sé qué decirle.

—¿Cuándo vio por última vez a su ex mujer, señor Wheeler?

Rod meditó unos instantes.

—Debió de ser en Navidad, cuando fui a llevar unos regalos a los niños.

—¿Y la última vez que habló por teléfono con ella?

—No recuerdo cuándo fue la última vez que hablé con ella por teléfono.

—Sin embargo, según su esposa actual, ella llamaba a menudo a su casa.

—Mi ex mujer era alcohólica, capitán Mahoney —dijo Rod, como si eso, de alguna forma, explicara todo.

—¿Se llevaba usted bien con ella, señor Wheeler?

—No contestes esa pregunta —le aconsejó Diana desde el otro extremo de la habitación, en voz baja pero con decisión—. Carece de relevancia.

—No tengo inconveniente en contestar esa pregunta —informó Rod a Diana, seco—. No, por supuesto que no nos llevábamos bien. Estaba como una cabra.

—Fantástico —oyó Bonnie que murmuraba Diana, no precisamente por lo bajo, al tiempo que hacía un ademán de frustración y ponía los ojos en blanco.

El capitán Mahoney dejó que una débil sonrisa frunciera las comisuras de sus labios.

—Según dice su esposa, su ex mujer la llamó por teléfono esta mañana para avisarla de que corría peligro. ¿Tiene usted idea de a qué se refería?

—¿Te dijo Joan que estabas en peligro? —preguntó Rod a su esposa. El aire de incredulidad que había cubierto, como una máscara, sus facciones se reflejó en su voz. Se llevó una mano a la frente y se la frotó hasta que se le enrojeció la piel—. No tengo idea de a qué podía referirse.

—¿Quién se beneficiaría de la muerte de su ex mujer, señor Wheeler?

Rod miró al capitán Mahoney, luego a su esposa, y de nuevo al capitán Mahoney.

—No entiendo su pregunta.

—Te recomiendo que no la contestes —volvió a interrumpirle Diana.

—¿Qué quiere decir? —inquirió Rod con impaciencia, aunque era difícil saber si su impaciencia iba dirigida al policía o a Diana.

—¿Tenía su ex mujer algún seguro de vida? ¿Había hecho testamento?

—No sé si había hecho testamento o no —contestó Rod, midiendo cuidadosamente cada palabra—. Tenía un seguro de vida; lo sé porque yo pagaba la póliza. Formaba parte del acuerdo de nuestro divorcio —explicó.

—¿Y quién es el beneficiario de ese seguro? —preguntó el capitán Mahoney.

—Sus hijos. Y yo —añadió Rod.

—¿Cuál es su valor?

—Doscientos cincuenta mil dólares —respondió Rod.

—Y la casa de Exeter Street, ¿a nombre de quién está?

—A nombre de los dos. —Rod hizo una pausa, y se aclaró la garganta—. El acuerdo de nuestro divorcio estipulaba que ella viviría en la casa mientras los niños asistieran al colegio; luego la vendería y nos repartiríamos los beneficios.

—¿Cuánto diría que vale la casa hoy en día, señor Wheeler?

—No lo sé. La agente inmobiliaria era Joan, no yo. —Rod, que parecía atormentado, entrecerró los ojos con creciente frustración—. Mire, creo que va siendo hora de que me lleve a mi esposa a casa...

—¿Dónde ha estado hoy, señor Wheeler?

—¿Cómo dice? —Se le encendieron las mejillas, como los círculos rosados pintados en los pómulos de las muñecas de porcelana.

—Tengo que preguntárselo —dijo el capitán Mahoney, en un tono casi de disculpa.

—No estás obligado a contestar —le recordó Diana.

—He estado trabajando —respondió Rod. Diana volvió a poner los ojos en blanco.

—¿Todo el día?

—Claro.

De pronto, Bonnie se sintió confusa. Si había estado todo el día trabajando, ¿dónde se había metido cuando ella lo llamó por teléfono?

—Su esposa ha intentado hablar con usted durante más de una hora, señor Wheeler —dijo el capitán Mahoney, como si leyese el pensamiento de Bonnie.

—Salí a almorzar y tardé bastante —explicó Rod.

—Estoy seguro de que tendrá testigos...

Rod inspiró hondo, emitió un sonido a medio camino entre la risa y el suspiro.

—Bueno, la verdad es que no tengo testigos. El caso es que no almorcé. Dije a la telefonista que me iba a comer y que no me encontrarían, pero lo que hice en realidad fue echarme en el sofá de mi despacho por unas cuantas horas. Anoche no pudimos dormir mucho. Nuestra hija tuvo una pesadilla.

Bonnie lo confirmó con un gesto de asentimiento.

—¿Nadie lo vio?

—No hasta las dos en punto, cuando acudí a una reunión. Mire —continuó sin precipitarse—, es posible que yo no sea uno de los mayores admiradores de mi ex mujer, pero desde luego jamás le deseé ningún daño. Lamento muchísimo lo que ha ocurrido. —Abrazó a Bonnie con fuerza, y añadió—: Estoy seguro de que los dos lo lamentamos.

Hubo una larga pausa durante la cual nadie habló. La estridente risa de Marla Brenzelle traspasaba las paredes del pequeño despacho. «Se está quedando con todos», pensó Bonnie, mientras observaba a la mujer que revoloteaba por la comisaría con su traje de Valentino amarillo chillón y un imaginario micrófono en la mano, acercándolo a las bocas de sus fascinados admiradores.

—Creo que eso es todo de momento —dijo el capitán Mahoney—. Pero tengan en cuenta que es probable que nos interese hablar con ustedes más adelante.

—Será un placer ayudarles —se ofreció Rod, aunque ya no sonaba tan sincero como antes.

—Tendremos que interrogar a Sam y Lauren —dijo la detective Kritzic.

Rod la miró con perplejidad.

—¿A Sam y Lauren? ¿Por qué?

—Ellos vivían con su madre —le recordó la detective Kritzic—. Tal vez nos den alguna pista sobre quién la mató.

Rod asintió con la cabeza.

—¿Puedo hablar antes con ellos? Creo que sería mejor que yo les diera la noticia.

—Por supuesto —declaró el capitán Mahoney—. Después le agradeceríamos que nos autorizara a registrar la casa. Podría haber pistas...

Rod asintió de nuevo.

—Cuando usted quiera.

—Pasaremos dentro de unas horas. Mientras tanto, le agradecería que no tocara nada de la casa. Cualquier detalle que los niños le cuenten, o si se le ocurre algo que nos sirviera de ayuda, espero que nos lo comunique de inmediato.

—Así lo haré.

Rod apretó el hombro de Bonnie y la condujo hacia la puerta.

—Ah, por cierto —añadió el capitán Mahoney cuando estaban a punto de salir—, ¿tiene usted o su esposa una pistola?

—¿Pistola? —Rod meneó la cabeza—. No —contestó, y esa única sílaba encerró más indignación que varias frases completas.

—Gracias —dijo el capitán Mahoney mientras Marla Brenzelle se libraba de sus admiradores y caminaba hacia ellos, con los brazos tendidos en una dramática representación de simpatía—. Nos veremos más tarde.

«Qué perspectiva tan emocionante», pensó Bonnie, mientras la antigua Marlene Brenzel la sofocaba con su apretado abrazo.

4

El suburbio residencial de Newton se halla a pocos minutos del centro de Boston; en sus 45 kilómetros cuadrados habitan casi 83.000 personas. Está compuesto por catorce barrios diferentes, entre ellos Oak Hill, al sudeste, y Auburndale, al noroeste. Joan Wheeler y sus hijos vivían en West Newton Hill, una de las zonas más lujosas de Newton.

La casa del número 13 Exeter Street era grande, de imitación estilo Tudor. Varios años atrás, Joan había pintado todo el exterior de la casa de un color beige verdoso, incluida la carpintería, y había sustituido todas las ventanas de la fachada de la planta principal por vidrieras. El resultado fue un edificio que no se sabía con exactitud si quería parecer una casa o una catedral. Las vidrieras eran primitivas y enigmáticas: un hombre con una larga túnica de mucho vuelo y un perro jugando a sus pies; una mujer con un vestido moderno y un jarro de agua sobre la cabeza; un hombre labrando la tierra; dos niños gordinflones jugando junto a una cascada.

Cuando Bonnie aparcó el coche en el camino de entrada, Rod bajó la cabeza y se la cogió con las dos manos.

—¿Te encuentras bien? —preguntó Bonnie.

Rod se recostó contra el reposacabezas de piel.

—No acabo de creer que esté muerta. Era una mujer tan dinámica. —Miró hacia la puerta principal—. Me da pánico entrar. No sé cómo darles la noticia, ni qué decir para que las cosas resulten más fáciles...

—Encontrarás las palabras adecuadas —lo animó Bonnie—.
Y sabes que yo haré todo lo que esté en mi mano para ayudarles.

Rod asintió con la cabeza, sin decir nada; abrió la portezuela
del coche y salió. El nublado cielo amenazaba lluvia.

«Abril es el mes más cruel», recitó Bonnie en silencio, recordando el verso del poema de T. S. Elliot. Cogió a su marido de la
mano y echaron a andar con paso solemne por el camino del jardín.

Al llegar ante la enorme puerta de madera doble, Rod se detuvo y buscó las llaves en su bolsillo.

—¿Tienes llaves? —preguntó Bonnie, sorprendida.

Rod empujó la puerta.

—Hola —dijo cuando entraron en el vestíbulo de mármol—.
¿Hay alguien en casa?

Bonnie consultó su reloj. Eran casi las cuatro y media.

—Hola —repitió Rod mientras Bonnie daba varios pasos hacia el salón, situado a la derecha.

En la estancia, decorada con un exuberante papel satinado
azul pálido, había un sofá de estilo antiguo tapizado en seda rosa
pálido y dos butacas azul y dorado agrupados alrededor de una
gran chimenea de ladrillo; varias alfombras indias, sin duda muy
caras, aparecían repartidas al azar por el suelo de parquet oscuro.
En las paredes, varios dibujos al carbón con marcos sencillos: una
mujer abrazando a una niña, dos mujeres de mediana edad repan-
tingadas y entregadas al sol de la tarde, y dos ancianas cosiendo.

—Son muy bonitos —comentó Bonnie, mientras examinaba
los dibujos con interés.

Cruzó el comedor pasando la mano por la superficie de la
larga y estrecha mesa de roble que ocupaba el centro de la habitación. Estaba rodeada por los dos lados por sillas de roble de respaldo alto con tapicería de piel naranja oscuro.

La cocina se encontraba en la parte de atrás, una estancia
enorme que ocupaba todo el ancho de la casa. Los suelos eran de
roble claro, los armarios color burdeos se adosaban contra tres
paredes blancas como la nieve; la cuarta estaba ocupada por un
ventanal con vistas a un patio decorado con gusto. La cocina se
veía inmaculada, igual que el salón y el comedor. Nada que ver

con su cocina, pensó Bonnie, reparando en que no había restos pegajosos en el suelo, ni de salsa reseca en las paredes, tampoco había señales de dedos en la gran mesa de cristal de la cocina. ¿Vivía alguien en aquella casa, sobre todo una mujer con dos adolescentes?, se preguntó mientras salía por la otra puerta de la cocina y regresaba al vestíbulo.

—¿Rod? —llamó, preguntándose adónde se habría metido su marido.

—Estoy aquí.

Bonnie siguió su voz hasta la pequeña habitación que había a la izquierda de la puerta principal. Rod se hallaba de pie detrás de un antiguo escritorio dorado acariciando con la mano derecha un gran pisapapeles de cristal. Tres de las paredes estaban cubiertas de estanterías; en la otra había un sofá de piel de color burdeos, con una mesita enana de forma ovalada delante.

—Ésta era mi habitación favorita —dijo Rod con aire melancólico.

—Todo está tan ordenado —se maravilló Bonnie—. Da un poco de miedo.

—¿Desde cuándo da miedo el orden?

—Desde que Amanda nació. —De pronto, Bonnie notó que algo se movía arriba. Volvió apresuradamente al vestíbulo, y Rod la siguió.

—¿Quién está ahí? —Era una voz débil, indecisa—. ¿Mamá? ¿Eres tú? ¿Hay alguien contigo?

—¿Lauren? —contestó Rod acercándose al pie de la escalera—. Soy papá, Lauren.

Hubo un silencio. Bonnie esperó junto a Rod. ¿Qué le diría? ¿Cómo le contaría, a su hija de catorce años, que su madre estaba muerta, que había sido asesinada?

—Lauren, ¿puedes bajar un momento? —dijo—. Tengo que hablar contigo.

Un rostró asomó por encima de la barandilla, pálido y cansado, los ojos muy abiertos, los labios anhelantes, las manos agarradas con fuerza al pasamanos. Se quedó un rato en lo alto de la escalera antes de dejar que su padre la convenciera para que bajara. Se movía tan despacio, con tanto cuidado, mientras bajaba por la escalera, mirando sólo sus pies, resistiéndose a levantar la vista hacia su padre y la mujer de su padre, que parecía un animal salvaje al cual una palma humana tienta con comida.

Vestía el uniforme verde y marfil que identificaba a las alumnas del colegio privado femenino Bishop: falda verde y calcetines largos a juego, blusa de manga larga color marfil, corbata a rayas verdes y doradas, y mocasines negros. Llevaba el largo cabello pelirrojo recogido en una cola de caballo y sujeto con un pasador verde oscuro. «El uniforme escolar más feo del mundo», pensó Bonnie, y recordó las astronómicas matrículas que Rod pagaba cada año. Otra de las condiciones de su acuerdo de divorcio.

—Hola, Lauren —la saludó Bonnie, y por primera vez se fijó en lo mucho que se parecían Lauren y Amanda, en la gran semejanza que había entre ellas y su padre.

—Hola, cariño —dijo Rod.

—Hola, papá —respondió Lauren, como si Bonnie no la hubiera saludado y no se encontrara en la casa—. ¿Qué haces aquí?

—He venido a verte —contestó Rod.

—¿Y a qué es debido eso?

—¿Dónde está tu hermano? —preguntó Rod.

Lauren se encogió de hombros.

—No lo sé. Hoy había R.P. —Miró hacia la puerta principal—. Mamá se retrasa —dijo—. Suele estar aquí ya cuando llego del instituto.

—¿Tienes idea de a qué hora volverá Sam? —inquirió Rod.

—¿Ocurre algo?

—Será mejor que nos sentemos —propuso Bonnie, pero se calló cuando observó que no la escuchaban.

—¿Qué ocurre? —preguntó Lauren otra vez, y un velo de temor cubrió sus enormes ojos color avellana.

—Ha habido un accidente —empezó Rod.

—¿Qué clase de accidente? —Lauren había empezado a menear la cabeza de un lado a otro, como si quisiese negar la realidad de lo que estaba a punto de oír.

—Tu madre... —comenzó Rod con dulzura.

—¿Ha tenido un accidente de tráfico? ¿Está en el hospital?

¿A qué hospital la han llevado? —Las preguntas se sucedían como si de una sola se tratara.

—Lauren, cariño... —empezó Rod, pero desfalleció, y miró a Bonnie en busca de ayuda.

Bonnie hizo una profunda inspiración.

—Cariño —dijo—, sentimos mucho tener que decirte esto...

—Estoy hablando con mi padre —la interrumpió la muchachita con brusquedad, la potencia de su reproche hizo que Bonnie perdiera el equilibrio, como si la hubiera apartado de un empujón. Bonnie se agarró a la barandilla, y flexionó las rodillas hasta quedar sentada en un escalón.

—¿Qué le ha ocurrido a mi madre? —preguntó Lauren a su padre.

—Está muerta —respondió él sin más rodeos.

Durante unos segundos, Lauren no dijo nada. Bonnie se moría de ganas de acercarse a ella, de cogerla en sus brazos y decirle que no se preocupara, que cuidarían de ella, que la querría como si fuese su propia hija, que todo saldría bien, pero las invisibles manos de Lauren la sujetaban por los hombros, rechazando su consuelo.

—Conducía muy mal —susurró Lauren—. Yo le pedía que no corriera tanto, pero no me hacía caso, y siempre gritaba a los otros conductores, les decía de todo, deberías haberla oído. Yo le decía que se calmara, que nadie podía hacer nada para mejorar el tráfico, pero...

—No ha sido un accidente de tráfico —la interrumpió Rod.

—¿Cómo...? —La palabra se heló en los labios de Lauren. Era evidente que no se le ocurría otra posibilidad—. ¿Cómo ha sido? —preguntó por fin.

—Le han disparado —contestó Rod.

—¿Disparado? —Lauren recorrió la habitación con mirada frenética y sin querer se encontró con los ojos de Bonnie, de los que apartó los suyos abruptamente—. ¿Estás diciéndome que la han asesinado?

—La policía no sabe aún qué ha ocurrido —dijo Rod, esquivando la pregunta.

—¿La policía?

—Dentro de un rato vendrán a casa —añadió Rod.

—¿Han asesinado a mi madre? —volvió a preguntar Lauren.

—Eso parece.

Lauren caminó hasta la puerta principal con paso decidido mientras Bonnie se ponía en pie. ¿Adónde iba? Pero Lauren dio media vuelta al llegar a la puerta y regresó con el mismo paso decidido, aunque no había propósito en ella que Bonnie pudiera determinar, aparte de moverse. Quizá eso le bastara.

—¿Quién? —preguntó Lauren—. ¿Saben quién ha sido?

Rod negó con la cabeza.

—¿Dónde? ¿En qué lugar ha sido?

—En una casa que tu madre estaba enseñando, en Lombard Street.

A Lauren se le llenaron los ojos de lágrimas. Volvió a caminar deprisa hasta la puerta principal, giró bruscamente sobre los gruesos tacones de sus mocasines negros, y volvió al centro del vestíbulo.

—¿Cómo te has enterado? —preguntó de pronto—. Quiero decir, ¿por qué se ha puesto la policía en contacto contigo, y no con Sam y conmigo?

—Yo la he encontrado —replicó Bonnie después de una pausa.

Fue como si el tiempo se hubiera detenido de pronto, pensó Bonnie más tarde; como si nada de lo que estaba sucediendo ocurriera en aquel momento, como si ya hubiese pasado hacía mucho tiempo en algún lugar lejano, y ellos sólo estuvieran observando una representación de aquella espantosa escena a través de un monitor de televisión de Rod; todo ocurrió a cámara lenta y con una ligera asincronía: la cabeza de Lauren se volvió hacia Bonnie fotograma a fotograma, su cola de caballo se alzó perezosamente en el aire, y luego golpeó su hombro derecho en una serie de exageradas sacudidas, las lágrimas brotaron bajo unas pupilas muy dilatadas, las manos se elevaron en el aire, arañándolo como si arañaran una pizarra, y su boca se abrió en un grito silencioso.

Entonces se desató el caos y la escena volvió de repente al presente, desarrollándose a una velocidad feroz e implacable. Bonnie vio, horrorizada, como Lauren cruzaba corriendo el vestíbulo hacia ella, y sus puños impactaban en su pecho y su rostro, para después comenzar a darle puntapiés en las piernas. El arrebato fue tan repentino, tan brutal, tan inesperado, que Bonnie apenas tuvo tiempo de defenderse de los golpes. De pronto, todos gritaban a la vez.

—¡Por el amor de Dios, Lauren! —chillaba Rod, intentado soltar a su hija y apartarla de Bonnie.

—¿Qué quiere decir que tú la has encontrado? —gritó Lauren—. ¿Qué quiere decir que tú la has encontrado?

—¡Por favor, Lauren! —exclamó Bonnie justo antes de que el puño izquierdo de la jovencita impactara en su boca. Bonnie cayó hacia atrás contra los escalones probando el sabor de la sangre por segunda vez aquel día, aunque esta vez la sangre era suya.

—¡Por el amor de Dios, Lauren! —repitió Rod—. ¡Basta ya! —Al fin, Rod consiguió sujetar a su hija por la cintura y separarla de Bonnie mientras aquélla seguía dando patadas y gritando—. ¿Qué te ocurre? —gritó, con la respiración entrecortada—. ¿Qué haces?

—¡Ella la ha matado! —gritó Lauren. La cola de caballo se le deshizo y el pelo se soltó del pasador verde y le cayó sobre el rostro, varios mechones se pegaron a sus mejillas, húmedas de lágrimas—. ¡Ella ha matado a mi madre! —Lauren intentó otra embestida en dirección a Bonnie.

—¡Ella no ha sido, por todos los santos! —chilló Rod, sujetando a su hija.

—¿La encontró por casualidad? —preguntó Lauren—. ¿Acaso insinúas que la encontró por casualidad?

A Bonnie le daba vueltas la cabeza. Tenía los ojos cerrados, ante la posibilidad de una nueva arremetida; le daba miedo abrirlos, y los oídos le zumbaban de las cosas horribles que Lauren decía. Le dolía la mandíbula. Sentía pinchazos en el labio inferior, que los dientes le habían cortado. Tenía los brazos y las piernas, cubiertos de cardenales, o los tendría para cuando la policía llegara. ¿Y no supondría eso un interesante añadido a sus notas?

—Lauren —dijo Bonnie con tono dulce aunque cada palabra le suponía un suplicio—, quiero que sepas que yo nada he tenido que ver con la muerte de tu madre.

—¿Qué hacías en aquella casa? ¿Intentas hacerme creer que

no era más que una coincidencia que estuvieras allí? ¿Que sólo fue una coincidencia que tú la encontraras?

—Tu madre me llamó por teléfono... —empezó a decir Bonnie, y entonces se echó a llorar, tapándose el rostro con las manos. No era capaz de explicarlo de nuevo. No podía rememorar una vez más los espantosos acontecimientos de aquella mañana.

—Vayamos al salón —dijo Rod en voz baja—. Quizá, si nos sentamos y hablamos de todo esto usando la cabeza, averigüemos algo.

—Me voy a mi habitación —exclamó Lauren, soltándose de los brazos de su padre.

Bonnie retrocedió al ver que Lauren se le acercaba, y alzó las manos para protegerse el rostro de posibles golpes. Pero sólo notó las vibraciones de los pesados mocasines negros de Lauren golpeando los escalones forrados de moqueta gris. Momentos después oyó un portazo arriba.

Rod acudió junto a Bonnie, y empezó a apartarle el cabello de los ojos con sumo cuidado y a besarle el rostro después de limpiarle la sangre.

—Cariño mío, lo siento. Pobrecita. ¿Te encuentras bien?

—¡Dios mío! —murmuró Bonnie—. Me odia a muerte.

Se oyó un ruido en la puerta principal, arrastrar de pies, risas, el ruido de una llave que giraba en la cerradura. «Sam», pensó Bonnie, y su cuerpo se tensó automáticamente.

«Prepárate para la segunda tanda», le decía su mente.

5

La puerta se abrió y Sam Wheeler se derramó en el vestíbulo, como un vaso de agua alto. Iba envuelto en un montón de ropa: una chaqueta caqui abierta sobre una camisa de camuflaje, abierta a su vez sobre una camisa verde oliva, las tres prendas colgando por encima de unos pantalones marrones desteñidos y holgados. Calzaba unas nada baratas zapatillas de deporte de marca, altas de tobillo, con los cordones sueltos bailándole alrededor de los pies, como serpientes. El cabello, que llevaba despeinado, era tan negro que desprendía destellos azulados, anulando el color natural de sus ojos, de modo que parecían dos agujeros vacíos, incongruentemente acurrucados bajo unas pestañas de extraordinaria largura. Un pequeño aro dorado colgaba de la aleta izquierda de su nariz.

Justo detrás de Sam entró otro chico, no tan alto, un poco más atlético, con una serie de tatuajes cubriéndole los brazos desnudos. Su cabello, largo y castaño, enmarcaba un rostro bastante agraciado, pero había algo casi grosero en su atractivo, cierto sarcasmo en sus ojos grises y en su porte. Llevaba camiseta negra, pantalones tejanos negros y botas de piel negras puntiagudas. El aroma fuerte y dulzón de la marihuana lo rodeaba como una intensa colonia. «Su seña de identidad», comprendió Bonnie. Todo el mundo lo llamaba Haze[1] porque siempre estaba sumido en una especie de confusión mental. Ella miró a los dos chicos.

1. *Haze:* neblina, confusión.

—¿Qué ocurre? —preguntó Sam en lugar de saludar, aunque ni su rostro ni su voz denotaban sorpresa por verlos allí.

—Hola, señora Wheeler —dijo Haze, fijando la mirada, como la lente de una cámara, en aquel labio partido—. ¿Qué tiene en la boca?

—Mi esposa ha sufrido un pequeño accidente —se adelantó a explicar Rod.

¿No había utilizado la misma palabra para comunicar a su hija la muerte de Joan? A Bonnie le pareció una elección interesante, en tanto que absolvía a todos de culpa.

—¿Es tuyo el coche que hay en el camino? —preguntó Sam a Bonnie, sin dar importancia a lo que su padre acababa de decir.

Bonnie asintió con la cabeza.

—Tenemos algo que decirte, Sam.

El muchacho se encogió de hombros. «Pues empezad», decía su gesto.

—Creo que sería mejor que hablásemos a solas —dijo Rod mirando a Haze.

—No veo la razón —le contradijo Sam.

Haze, que seguía a su lado, soltó una risita.

—Éste es Harold Gleason —dijo Bonnie, presentando a su marido al amigo de Sam—. Es alumno mío. —«Y un incordio, nunca hace los ejercicios de casa, va a suspender», habría podido añadir, pero no lo hizo—. Todos lo llaman Haze.

—Parece como si le hubieran dado un golpe, señora Wheeler —dijo Haze, ignorando su presentación y adelantándose un paso; el olor a marihuana irradiaba provocativo de su cabello y ropa, alargándose hacia ella como una tercera mano—. Sí —observó—. Parece como si alguien le hubiera arañado aquí, señora Wheeler.

—Sam, es importante —dijo Rod con impaciencia.

—Te escucho.

—A tu madre le ha ocurrido algo... —empezó Rod; pero se interrumpió, mirando hacia lo alto de la escalera.

Los ojos de Sam siguieron la dirección de su mirada.

—¿Qué le ha pasado? ¿Se ha emborrachado y se ha caído de la cama? ¿Te ha llamado y te ha pedido que vengas? ¿Por eso estás aquí?

—Tu madre está muerta, Sam —susurró Rod.

Se hizo el silencio. Bonnie escrutó el rostro de Sam en busca de alguna señal indicativa de sus sentimientos, pero su rostro era inexpresivo, nada de lo que estuviera pasando detrás de aquellos insondables ojos negros se traslucía en él.

—¿Cómo ha sido? —preguntó Haze.

—Le han disparado —contestó Bonnie sin más, aunque no perdió de vista el rostro de Sam, por si se reflejaba alguna emoción en él. Pero no la había: ni una lágrima, ni un temblor, ni siquiera un pestañeo—. Yo fui quien la encontró —continuó y, sin darse cuenta, retrocedió un paso, protegiéndose la boca con el dorso de la mano.

Seguía sin haber respuesta.

—Me llamó por teléfono esta mañana, porque tenía que contarme una cosa, y me pidió que me reuniera con ella en una casa que iba a enseñar a unos clientes, en Lombard Street. Cuando llegué, la encontré muerta.

Sam entrecerró los ojos.

—¿Tienes idea de para qué quería verme, Sam? —preguntó Bonnie.

Sam negó con la cabeza.

—Creo que intentaba avisarme de algo —agregó Bonnie—. Quizá si supiera lo que...

—¿Quién la ha matado, tío? —preguntó Haze, frotándose nervioso las aletas de la nariz con los dedos. Bonnie vio el músculo de su brazo flexionándose bajo su camiseta negra, un tatuaje de un corazón rojo se hinchaba involuntariamente con el movimiento. JODIENDA ponía encima del corazón; MADRE, debajo.

—Todavía no lo sabemos —contestó Bonnie, contenta de que alguien formulara las preguntas adecuadas.

—¿Qué le ha pasado a su coche? —preguntó Sam.

—¿Cómo dices? —Bonnie estaba segura de que no le había entendido bien. ¿Había preguntado Sam por el coche de su madre?

—¿Dónde está su coche? —repitió Sam.

—Supongo que seguirá en la Lombard Street —dijo Bonnie; las palabras emergieron con lentitud de su boca.

—Es un coche muy caro —dijo Sam—. La policía no puede confiscarlo, ¿verdad?

Bonnie no sabía qué contestar. Ni siquiera se le había ocurrido pensar en el coche de Joan.

—No sé cuál será el procedimiento —dijo mirando a Rod, que parecía tan desconcertado como ella.

Sam iba de un lado para otro sin rumbo fijo, su mirada reacia a quedarse más de medio segundo en un mismo sitio.

—¿Y Lauren?

—Está arriba.

—¿Se lo habéis contado?

Bonnie asintió con la cabeza.

—¿Y ahora qué? —preguntó Sam.

—No estoy segura —admitió Bonnie—. La policía no tardará en llegar...

—Tengo que irme —anunció Haze al instante, buscando el picaporte de la puerta, como si la policía estuviera ya detrás de él, apuntándolo con sus armas—. Siento mucho lo de tu madre, Sammy. Nos vemos luego, tío. —La puerta principal se abrió y se cerró, y una pizca de fresco aire primaveral luchó con el dulzón aroma de la marihuana.

—No tengo nada que decir a la policía —dijo Sam.

—Creo que a ese respecto no hay alternativa —replicó Rod.

—De todos modos, ¿qué haces aquí? —Sam miró a su padre, luego a Bonnie y de nuevo a su padre—. Te plantas aquí, largas la noticia... Ding dong, se ha muerto la bruja... Nada más tienes que hacer aquí ya, ¿verdad? Entonces vuelve a tu nuevo hogar con tu nueva familia y olvídate de nosotros durante otros siete años.

Bonnie sintió que la escena que estaba presenciando empezaba a deshacerse, como un grueso ovillo. «¿Ding dong, se ha muerto la bruja?»

—¿Sam? —Una tímida vocecilla llamó desde lo alto de la escalera.

Todos los ojos se dirigieron hacia la pálida niña que estaba de pie, temblorosa, en el rellano superior.

—¿Te has enterado de lo ocurrido? —gimoteó Lauren, con los ojos desenfocados, mientras bajaba los escalones muy despacio, como una sonámbula—. ¿Te has enterado de qué le ha pasado a mamá?

—Tardaremos unos cuantos días en recibir el informe definitivo del forense —decía el capitán Mahoney, su voluminoso cuerpo desbordando por completo la delicada butaca tapizada en azul y dorado del salón en que estaba sentado. Sam, impaciente con expresión de aburrimiento, y Lauren, inmóvil y sin apenas respirar, se hallaban sentados frente a él en el sofá de seda rosa; Bonnie descansaba en el borde de una silla del comedor que Rod había llevado al salón. Rod y la detective Kritzic se habían quedado de pie; Rod junto a la gran chimenea de ladrillo, y la detective Kritzic delante de las vidrieras.

—¿Qué quiere preguntarnos? —dijo Sam.

—¿Cúando viste a tu madre por última vez? —dijo el capitán Mahoney.

—Anoche. —Sam se puso un mechón de cabello díscolo detrás de la oreja derecha—. Fui a darle las buenas noches sobre las dos.

—¿Y cómo la encontraste?

—¿Quiere decir si estaba borracha?

—¿Lo estaba?

Sam se encogió de hombros.

—Seguramente.

—¿Y tú, Lauren? —intervino la detective Kritzic con voz dulce y amable.

—Fui a decirle adiós esta mañana antes de irme al colegio.

—Tenía entendido que hoy había R.P. —dijo el capitán Mahoney, mirando a Bonnie.

—Yo voy a una escuela privada —aclaró Lauren.

—¿Te comentó algo tu madre acerca de los planes que tenía para hoy?

—Dijo que por la mañana iba a enseñar una casa, y que no llegaría tarde.

—¿La encontraste nerviosa o preocupada por algo?

—No.

—¿Dijo algo de que pensara reunirse con Bonnie Wheeler esta mañana?

—No.

—¿Dijo algo de que quisiera avisar a Bonnie Wheeler de que ella y su hijita estaban en peligro?

Lauren negó con la cabeza.

—¿Qué clase de peligro?

—¿Tenéis idea de quién querría hacer daño a vuestra madre? —El capitán Mahoney miró alternativamente a los dos adolescentes.

—No —se limitó a decir Sam.

Lauren miró a Bonnie. Aunque no habló, su indiferencia se hizo evidente.

«Mi nueva familia —meditó Bonnie—. Un chico a quien parece importarle un comino que hayan asesinado a su madre, y una chica que piensa que la asesina he sido yo. Fabuloso.» Bueno, por lo menos se tenían el uno al otro, aunque viéndolos allí sentados, juntos, como dos figurillas de cerámica, sin tocarse, con las facciones pétreas, los inexpresivos ojos vueltos hacia otro lado, le pareció improbable que pudieran proporcionarse el mutuo consuelo que necesitarían en las difíciles semanas que tenían por delante. «Y desde luego no van a permitir que yo los consuele —pensó Bonnie, a sabiendas de que semejante gesto no sería tolerado, ni mucho menos apreciado—. Apenas me conocen, pero saben que me odian.»

¿Podía recriminárselo? ¿No había sentido ella lo mismo hacia la mujer con quien su padre se había casado después de divorciarse de su madre? ¿No se había alegrado cuando aquel matrimonio se rompió? Incluso ahora, ¿no eran algo menos que cordiales los sentimientos que tenía hacia la esposa número tres? ¿Y qué había del hermano con el cual no había vuelto a hablar después de la prematura muerte de su madre? ¿Qué consuelo le había proporcionado él?

Bonnie cerró los ojos, conteniendo unas amargas lágrimas. Aquél no era el momento más adecuado para reabrir feas heridas, para sacar viejos esqueletos del armario. Había preocupaciones mucho más inmediatas.

«Tenemos muchas cosas en común —le habría gustado decir a Lauren—. Si me dejas, te ayudaré. A lo mejor la ayuda es mutua.»

Notó movimiento a su alrededor y abrió los ojos. El capitán Mahoney se había puesto en pie y se dirigía hacia el vestíbulo.

—Ahora me gustaría echar un vistazo —dijo.

6

—Jesús, ¿qué ha ocurrido aquí? —Bonnie pronunció esas palabras sin darse cuenta.

—Supongo que no tuvo tiempo de ordenarlo —replicó Lauren a la defensiva.

—Miren bien dónde pisan —les avisó el capitán Mahoney—. Procuren dejarlo todo como está.

Entraron en fila en el dormitorio de Joan, en la planta de arriba: Bonnie, su marido, los hijos de éste, el capitán Mahoney y la detective Kritzic. Caminaban como si el suelo estuviese cubierto de cristales: daban unos pasos exagerados, levantando mucho las rodillas, mientras vigilaban dónde ponían los pies. Nadie hablaba; era un silencio de sorpresa más que de respeto, aunque las expresiones de los rostros de ambos jóvenes no denotaban gran cosa.

—Todavía no había tenido tiempo de ordenarlo —repitió Lauren, que había encontrado un trozo de alfombra vacío junto a la puerta de un armario abierta.

—Siempre está así —dijo Sam, apoyándose contra una pared rosa pálido.

—No esperaba visitas —adujo Lauren.

«¿Visitas?», pensó Bonnie, mientras describía pequeños círculos en el centro de la habitación, intentando superar su repulsión natural, borrar de su rostro todo indicio de crítica. La habitación era una zona catastrófica, una zona de guerra, un basurero, apenas apto para cualquier forma de vida humana, y mucho menos para recibir visitas.

Los ojos de Bonnie barrieron la habitación como una escoba, como si intentara transportar visualmente todo aquel surtido de desperdicios hacia el centro, apilar los periódicos viejos que se acumulaban a lo largo de las paredes como malas hierbas; recoger los diferentes libros y revistas que yacían abiertos y boca abajo sobre la alfombra de color rosa, ordenar toda la ropa caída del armario y esparcida por la habitación como una capa de hojas otoñales, recoger la multitud de platos con costra y tazas de café sin consumir, vaciar los cerca de veinte ceniceros que derramaban sus cenizas por todas partes, incluida la alfombra y las sábanas de la cama, antaño blancas; arreglar la ropa de la cama, que al parecer no había sido hecha en semanas, quizá meses. Sobre la almohada había botellas de licor vacías; un teléfono blanco, con el cordón retorcido y enroscado alrededor de una agenda abierta, yacía en el centro de la cama junto a una hamburguesa a medio comer, con mostaza todavía en el envoltorio de papel. Más botellas vacías asomaban por debajo de la cama. «Botellas de vino», reconoció Bonnie, esforzándose para no mirar con demasiado descaro.

—En el salón todo está muy ordenado —murmuró Bonnie, intentando reconciliar las dos zonas.

—Nadie utiliza el piso de abajo —dijo Sam.

—¿Y la cena? —Bonnie intentó no mirar la media hamburguesa—. ¿Quién la hacía? ¿Dónde cenabais?

—Fuera —contestó Sam—. O pedíamos comida preparada y la tomábamos en nuestras habitaciones. —Lo dijo como si fuese la cosa más normal del mundo que las familias se comportaran de ese modo.

—El negocio inmobiliario no tiene un horario fijo —intervino Lauren—. Es difícil coordinar los horarios de todos. Mi madre hacía las cosas lo mejor que sabía.

—Claro que sí —acordó Bonnie.

—Un poco de desorden no significa el fin del mundo.

—Desde luego.

—¿Quién te ha preguntado? —dijo la niña.

Bonnie se dio cuenta de que el capitán Mahoney estaba de pie junto a la cama, atento a aquel diálogo, sus grandes manos trabajando diligentes para librar la agenda del cable del teléfono. Se sintió débil, el olor a restos de comida y humo de tabaco rancio daba vueltas alrededor de su cabeza, como una densa niebla, y se mezclaba con recuerdos de olores anteriores, todavía más desagradables. El olor a sangre, a carne lacerada y a restos humanos. El olor a muerte violenta e inesperada.

Bonnie sintió los brazos de Rod que la rodeaban con gesto protector, como si hubiera leído sus pensamientos, y notó que su cuerpo oscilaba, y luego se hundía, pegado al de su marido.

Al fin, el capitán Mahoney cogió la agenda abierta, y el cable del teléfono rebotó contra las sábanas como una cinta elástica.

—¿Conoce alguien a Sally Gardiner, Lyle y Caroline Gossett, Linda Giradelli? —leyó. Resultaba evidente que la agenda estaba abierta por la letra G.

—Los Gossett eran amigos nuestros —señaló Rod—. Viven en la acera de enfrente.

—Mi madre tenía muchos amigos —intervino Lauren.

—Amigos de bar —susurró Rod por lo bajo.

—¿Y el doctor Walter Greenspoon?

—¿El psiquiatra? —preguntó Bonnie.

—¿Lo conoce?

—He oído hablar de él. Escribe una columna en el *Globe*.

—Y lo hemos utilizado como asesor en nuestro programa unas cuantas veces —añadió Rod.

—¿Es posible que su ex mujer fuese paciente del doctor Greenspoon?

—No tengo ni idea.

El capitán Mahoney miró hacia Sam y Lauren. Los dos se encogieron de hombros. El policía pasó una hoja.

—¿Qué me dicen de Donna Fisher o Wendy Findlayson?

Rod y Bonnie negaron con la cabeza. Sam y Lauren volvieron a encogerse de hombros.

—¿Josh Freeman?

—En el Instituto Weston Hights hay un profesor que se llama Josh Freeman —dijo Bonnie, sorprendida al oír aquel nombre que le resultaba familiar.

—Es mi profesor de arte —indicó Sam.

—¿Es éste el teléfono de la escuela? —El capitán Mahoney mostró la agenda a Bonnie.

—No —contestó ella, mientras pensaba en aquel viudo alto, de aire algo arisco, que había llegado al instituto aquel año, y se preguntaba por qué tenía Joan su número particular.

El capitán Mahoney entregó la agenda de piel roja a la detective Kritzic, y luego centró de nuevo su atención en la cama. Apartó el teléfono, la hamburguesa medio comida y retiró la sábana.

—¿Qué tenemos aquí? —exclamó, aunque, evidentemente, era una pregunta innecesaria.

Bonnie vio que el policía cogía un enorme álbum, lo abría y lo hojeaba.

—¿Conoce alguien a un tal Scott Dunphy? —preguntó después de una breve pausa.

Bonnie sintió una pequeña y desagradable sacudida, aunque no habría sabido decir por qué. No conocía a nadie que se llamara Scott Dunphy.

—¿Y Nicholas Lonergan?

Bonnie abrió la boca, y la pequeña sacudida se convirtió en un violento calambre en el estómago.

—Observo que ese nombre le resulta familiar —dijo el capitán Mahoney, los ojos entrecerrados mirando a Bonnie.

—Nicholas Lonergan es mi hermano —dijo ella. Notó que se le tensaba la espalda, a pesar de que sus piernas parecían de mantequilla.

—Interesante —murmuró el capitán Mahoney con aire distraído—. Creo que hace unos años se metió en algún lío.— Pasó la hoja.

—No entiendo...

—¿Y un tal Steve Lonergan?

Bonnie tuvo la impresión de que entraba en una especie de extraño lapso temporal, de que las palabras que oía, las palabras que el policía estaba pronunciando, le llegaban de otro sitio y las decía otra persona. —Mi padre —admitió. ¿Qué estaba ocurriendo? ¿Qué hacían su padre y su hermano, dos hombres con los cuales no había hablado desde hacía más de tres años, en aquella habitación, con ella, en ese momento? ¿Por obra de qué perversa fuerza había servido el asesinato de Joan para reunirlos?

—Quizá le interese echar un vistazo a esto —sugirió el capitán Mahoney, dejando caer el álbum de recortes abierto en los brazos de Bonnie. Se sorprendió al encontrarlo tan liviano, teniendo en cuenta que acababa de arrojar todo el peso de su pasado en sus manos.

Bonnie bajó la vista hacia la primera página, temiendo casi lo que pudiera encontrar en ella. Un pequeño recorte de periódico ocupaba el centro de la página, por lo demás vacía. *Bonnie Lonergan y Rod Wheeler contraerán matrimonio el 27 de junio de 1989. La señorita Lauren es profesora de instituto. El señor Wheeler, realizador de informativos de la cadena de televisión WHDH, de Boston. La pareja pasará su luna de miel en las Bahamas.*

«¿Por que conservaba Joan el anuncio de su matrimonio?», se preguntó Bonnie. Pasó la página, consciente de que Rod estaba leyendo por encima de su hombro: notaba su cálido aliento en la nuca. Una pequeña línea de sudor brotó a lo largo de su labio superior mientras leía el segundo recorte, con fecha del 5 de noviembre del mismo año. DOS DETENIDOS POR PRESUNTO FRAUDE INMOBILIARIO, rezaba el titular. *Dos hombres han sido detenidos como sospechosos de estar involucrados en un proyecto para estafar cientos de miles de dólares a los inversores. Scott Dunphy y Nicholas Lonergan, ambos residentes en Boston, sospechosos de haber intentado estafar a cientos de inversores potenciales.*

—¡Dios mío! —susurró Bonnie; se saltó el resto del artículo, que ya conocía de memoria, y pasó a la página siguiente, donde vio una gran fotografía en blanco y negro de su hermano esposado, su actractivo rostro oscurecido por el desaliñado cabello rubio que le llegaba hasta la barbilla. Y en la página siguiente: ABSUELTOS LOS PRESUNTOS AUTORES DE UNA ESTAFA INMOBILIARIA. *El juez aduce falta de pruebas.*

Y luego otro pequeño anuncio en el centro de una página en blanco: *Steve Lonergan y Adeline Sewell contraerán matrimonio el 15 de marzo de 1990. El señor Lonergan es asesor laboral. La señorita Sewell dirige una agencia de viajes. Pasarán su luna de miel en Las Vegas.* No mencionaba que era el tercer matrimonio de ambos.

La página siguiente estaba llena de noticias sobre Rod: una

halagadora descripción que incluía fotografías del famoso realizador de informativos de la cadena WHDH; y la noticia de la creación de *¡Marla!*, con Rod al timón; una fotografía del emprendedor dúo, cogidos del brazo, y un gráfico que mostraba el creciente éxito del programa.

Y luego más desagradables fotografías de su hermano esposado; en ellas parecía un poco más mayor, bastante macilento, con Scott Dunphy a su lado, sonriendo, bajo el espeluznante titular: PAREJA DECLARADA CULPABLE DE CONSPIRACIÓN PARA COMETER ASESINATO.

Bonnie pasó la página deprisa. No deseaba revivir aquellos horribles meses intercalados entre la muerte de su madre y el nacimiento de su hija; noticias ambas registradas también en las siguientes páginas, como Bonnie comprobó con creciente inquietud.

La última página del álbum la ocupaba una fotografía de periódico de su hija Amanda, tomada las últimas Navidades en la tienda de juguetes Toys "R" Us. Un fotógrafo había retratado a la niña de pie con aire pensativo delante de un canguro de peluche gigante, una mano en la boca, el pulgar perdido entre los labios, la otra en la pata del enorme marsupial de peluche. La fotografía había servido para ilustrar la primera página de la sección de sociedad del *Globe*. Bonnie tenía una ampliación enmarcada en su escritorio de casa.

—No lo entiendo —volvió a decir Bonnie, y su voz reflejaba la perplejidad que sentía. Miró a Sam y Lauren—. ¿Cómo es que vuestra madre tenía este álbum de recortes?

Pero ni Sam ni Lauren respondieron, subrayando con su silencio su ignorancia o su desinterés, quizá una combinación de ambos.

—Aquí aparece un tal Nick Lonergan —anunció la detective Kritzic, sosteniendo en alto la agenda de Joan, como si fuera una biblia.

Bonnie notó que se le aceleraba el corazón.

—No puede ser —protestó. Sintió que se hundía en arenas movedizas y se agarró al brazo de Rod en busca de asidero—. Ni siquiera se conocían.

La detective Kritzic leyó el número en voz alta.

Bonnie asintió con la cabeza.

—Es el número de teléfono de mi padre —dijo, y luego se quedó callada. ¿Cuántas veces sería capaz de decir «No lo entiendo»?

—¿Poseía vuestra madre pistola? —preguntó el capitán Mahoney, centrando la atención de su interrogatorio en Sam y Lauren. Si tenía más preguntas acerca de qué hacía el nombre de su hermano en la agenda de Joan, se las estaba reservando.

—Sí —contestó Lauren.

—La guardaba en el primer cajón de su cómoda —añadió Sam, señalando el alto mueble de avellano que había junto a la ventana, en la pared opuesta a la de la puerta del dormitorio; los cajones de abajo estaban abiertos, y varias blusas de vistosos colores asomaban por los lados.

El capitán Mahoney se acercó a la cómoda de dos largas zancadas. Abrió el primer cajón, y pasó la mano por las pertenencias más íntimas de Joan; varios pares de medias escaparon de sus manos, flotaron hasta el suelo y aterrizaron suavemente sobre sus zapatos negros. —¿Qué tipo de pistola era? ¿Lo sabéis?

—No entiendo de armas —dijo Sam.

—Pregunte a mi padre —dijo Lauren—. Era suya.

Todos los ojos se fijaron en Rod, que parecía tan perplejo como Bonnie momentos antes.

—Creía que había dicho que usted no tenía pistola, señor Wheeler —le recordó el capitán Mahoney.

—Tenía un revólver del 38 —balbució Rod después de una pausa—. Francamente, ni siquiera me acordaba. Cuando nos separamos, se lo quedó Joan. Decía que le daba miedo estar sola.

—Aquí no hay ningún arma —declaró el capitán Mahoney cuando hubo mirado uno por uno en todos los cajones—. Pero cuando se marchen llevaremos a cabo un registro más exhaustivo.

—¿Adónde nos vamos? —preguntó Sam.

—Vendréis a casa con nosotros —dijo Bonnie, mirando a Rod en busca de confirmación, pero sólo recibió una mirada de perplejidad como respuesta—. ¿Por qué no cogéis cuatro cosas y las metéis en una bolsa? Más adelante volveremos a recoger el resto.

—¿Y si no queremos ir con vosotros? —preguntó Lauren con pánico en la voz.

—O vais con vuestro padre u os llevo a un centro de acogida para menores —intervino el capitán Mahoney—. Supongo que preferiréis iros con vuestro padre.

Bonnie asintió con la cabeza, agradecida. Sin duda, el hecho de que animara a Sam y Lauren a irse a casa con ellos debía significar que no los consideraba seriamente sospechosos, a ella y a Rod.

Sam y Lauren reflexionaron unos segundos sobre sus opciones; luego dieron media vuelta y salieron en silencio de la habitación. Bonnie y Rod los siguieron azorados.

El dormitorio de Sam se encontraba frente al de su madre; la cama estaba deshecha, la parte superior de su cómoda llena de libros y papeles y cientos de monedas. Había un póster de Axl Rose, la estrella de Guns N' Roses, en calzoncillos, junto a una fotografía de Cindy Crawford en *topless*. Una guitarra acústica, con la superficie llena de arañazos y una cuerda rota, yacía sobre la alfombra marrón junto a una camiseta de franela, de cuyo bolsillo sobresalía un paquete de cigarrillos Camel. En el alféizar de la ventana del dormitorio había un tanque rectangular de vidrio. Una serpiente enorme se enroscaba en su interior.

—¡Santo cielo! —susurró Bonnie—. ¿Qué demonios es eso?

—El *L'il Abner* —respondió Sam con orgullo, más animado por primera vez desde que llegó a casa—. Sólo tiene dieciocho meses, pero ya mide casi metro y medio. Las boas constrictor llegan a alcanzar los tres metros, quizá hasta tres y medio. Si viven en libertad crecen más.

El capitán Mahoney se acercó al terrario, pasando por delante de Bonnie.

—Es muy hermosa —dijo—. ¿De qué se alimenta?

—De ratas vivas —contestó Sam.

Bonnie se apretó el estómago y reprimió las ganas de vomitar. Era increíble que estuvieran en la habitación de un muchacho que acababa de enterarse de que su madre había sido asesinada, oyéndole explicar que alimentaba a su bebé de boa constrictor a base de ratas vivas. No podía ser.

—¿A tu madre no le importaba que tuvieras un animal exótico como éste como mascota? —preguntó el capitán Mahoney.

—Sólo se enfadaba cuando las ratas se escapaban —dijo Sam.

Bonnie miró a su marido y luego al hijo de éste, esforzándose por encontrar algún parecido entre ambos. Lo había, pero muy débil, más en lo abstracto que en lo concreto; se manifestaba más en su porte general que en las facciones individuales: la forma en que los dos inclinaban la cabeza cuando les formulaban una pregunta, el fruncimiento de los labios al sonreír, cómo se frotaban las aletas de la nariz con gesto distraído.

«Quizá se produjo un error», especuló Bonnie. Quizá se produjo uno de esos terribles errores en el hospital de los cuales a veces se oye hablar, y Sam y otro bebé habían sido intercambiados al nacer, y aquél no era en realidad hijo de Rod. El hijo de Rod tenía que ser un chico normal con el cabello castaño y sin aros de oro enganchados en la nariz; un chico que lloraba cuando le comunicaban la muerte de su madre, y a quien gustaban los perros y los peces de colores.

—Ya estoy —anunció Lauren desde el umbral, con un enorme petate a la espalda y una pequeña bolsa en la mano.

—¿Qué pasará con la casa? —inquirió Sam.

—Ahora es demasiado pronto para pensar en eso —contestó Rod.

—Yo no quiero venderla —intervino Lauren.

—Es demasiado pronto para pensar en eso —repitió Rod.

—¿Qué haré para ir al colegio? —El pánico volvió a asomar en los ojos de Lauren.

—Nos olvidaremos del colegio por unos días —dijo Bonnie.

—Te llevaré yo en coche cuando nos devuelvan el de mamá —contestó Sam, volviéndose hacia el capitán Mahoney—. ¿Cuándo me devolverán el coche de mi madre?

Si al capitán Mahoney le sorprendió la pregunta, lo disimuló muy bien.

—Es probable que sea esta misma semana.

La detective Kritzic entró en la habitación con un pequeño archivador en la mano que se apresuró a abrir para que el capitán lo examinara. El capitán Mahoney dedicó unos momentos a revisar su contenido, levantando de vez en cuando la vista para mirar a Rod y a Bonnie.

—¿Por qué no vamos al salón? —sugirió con tono casual cuando hubo acabado de leer.

«Con tono demasiado casual», pensó Bonnie mientras seguía a los detectives fuera del dormitorio.

—¿Ha encontrado algo? —preguntó Rod.

—No nos había dicho que la póliza de seguro de su esposa contenía una cláusula de doble indemnización —declaró el capitán Mahoney.

—¿Doble indemnización? —repitió Bonnie, haciendo rodar las palabras por su lengua, incómoda con el sonido.

—En caso de accidente o asesinato, la indemnización por muerte se dobla —explicó el capitán Mahoney—. Eso significa que la muerte de su ex esposa valdría medio millón de dólares.

—Así es —se limitó a decir Rod.

—¿Hay alguna otra póliza de seguros de la cual yo no tenga constancia, señor Wheeler? —preguntó el capitán de la policía.

—Tengo pólizas de seguro de vida de toda mi familia —respondió Rod.

—¿Incluidos su esposa actual y sus hijos? —El capitán Mahoney extrajo el bloc de notas del bolsillo trasero del pantalón.

Bonnie tensó la espalda al oír la palabra «actual», como si su posición fuese sólo transitoria y factible de ser modificada en cualquier momento.

—De todos —contestó Rod.

—¿Con doble indemnización? —preguntó el capitán Mahoney.

Rod asintió con la cabeza.

—Eso creo.

Sam apareció en el pasillo, la guitarra colgada al hombro y la enorme serpiente enroscada alrededor de cuello y brazos como una estola de piel, con su viperina lengua moviéndose amenazadora en el aire.

—Necesitaré ayuda para transportar el terrario —dijo.

7

Bonnie, de pie junto a su cama, se quedó un rato mirando el teléfono antes de levantar el auricular; entonces vaciló de nuevo antes de marcar los números.

—Que esté, por favor —susurró—. Es más de medianoche. Me encuentro tan cansada. ¿Dónde has estado toda la noche?

Cuando el teléfono iba por el sexto timbrazo contestaron.

—¿Sí? —dijo con claridad una voz de mujer. No respondió «Diga», sino «¿Sí?». Casi como si esperase que Bonnie llamara.

—Adeline... —dijo Bonnie.

—¿Eres tú, Bonnie?

Bonnie sintió un arrebato de pánico. Le sorprendió que la mujer la hubiera reconocido tan deprisa, y comprendió que ya era demasiado tarde para volverse atrás.

—Necesito hablar con mi padre.

—¿Te ocurre algo?

—No, pero necesito hablar con él.

—Me temo que ahora no puede ponerse al teléfono. Tiene problemas con el estómago. ¿Quieres que le diga de qué se trata?

—En realidad con quien necesito hablar es con Nick. ¿Está ahí?

Hubo un silencio.

—Adeline, ¿está mi hermano ahí? Contéstame.

—No está aquí.

Bonnie inspiró profundamente.

—Sabes que nunca habría llamado si no fuese muy importante.

—Ya me lo imagino. Es la primera vez que telefoneas en más de tres años.

Bonnie cerró los ojos. Estaba demasido cansada para pasar por todo aquello ahora.

—Mira, lo que necesito es localizar a Nick.

—Lo único que puedo hacer es decirle que has llamado —contestó Adeline.

Bonnie se imaginó a la mujer al otro extremo de la línea: menuda, apenas metro cincuenta, ojos azul claro, cabello corto y canoso, y una voluntad de hierro. Contaba casi setenta años de edad, y todavía tenía un poder formidable, incluso por teléfono. Bonnie no era rival para ella, nunca lo había sido, lo reconocía. Sonrió con tristeza a Rod, que acababa de entrar en la habitación, mirando cómo se desabrochaba la camisa.

—Está bien. Di a mi padre que he llamado —dijo Bonnie—. Y que es de suma importancia que hable con Nick cuanto antes.

—Le daré tu mensaje.

—Gracias —dijo Bonnie, pero la mujer había colgado ya—. Dime que esto es una pesadilla —pidió a su marido cuando se le acercó para abrazarla.

—Es una pesadilla —obedeció Rod besándole la frente. Le quitó el auricular de la mano y lo puso en su sitio.

—¿Se han acostado los niños?

—Más o menos. —La besó en la mejilla.

—Voy a darles las buenas noches.

—Yo los dejaría en paz —aconsejó Rod, y su voz se enroscó a sus tobillos, como la cadena de un ancla, clavándola donde estaba.

—Sólo quiero que sepan que pueden contar conmigo.

—Ya lo saben —dijo él—. Y reaccionarán. Dales un margen de tiempo, un poco de espacio.

Bonnie asintió con la cabeza; esperaba que él tuviera razón.

—Vamos a la cama.

—Mi padre podría llamar...

—No he dicho que vayamos a dormir. —Rod acercó sus labios provocativamente hacia los de Bonnie.

—¿Quieres hacer el amor ahora? —preguntó ella con incredulidad. Acababa de pasar el peor día de su vida. Había descubierto el cuerpo asesinado de la ex mujer de su marido; había sido conducida a la comisaría para ser sometida a interrogatorio; había heredado dos hijastros hostiles, por no mencionar la cría de boa constrictor de metro y medio; había recibido dos palizas y la habían vencido, primero su hijastra y luego su madrastra. Se sentía desconcertada, furiosa y agotada. Y su marido estaba... ¿cómo? Su marido estaba cariñoso.

—Cuidado con mi labio —le previno al besarla él de nuevo con más ímpetu esa vez, deslizando las manos por la parte delantera de su vestido. «Bueno, ¿por qué no?», pensó, devolviéndole las caricias a pesar de la fatiga. ¿Tenía ella una idea mejor?

—¡Mami! —La voz de Amanda hendió el aire, como un guijarro dando botes imprecisos sobre el asfalto hacia su objetivo—. ¡Mami!

Bonnie se liberó sin prisas del abrazo de su marido.

—Supongo que han sido demasiadas emociones para una sola noche.

—¡Mami!

—Ya voy, cariño. —Bonnie corrió por el pasillo, pasó por delante de la habitación de invitados, ocupada por Lauren, y de su pequeño despacho en que Sam y su serpiente estaban instalados—. ¿Qué ocurre, cielo? —preguntó al entrar en el dormitorio de Amanda.

Amanda estaba sentada en el centro de su pequeña cama con cuatro columnas, rodeadas de un verdadero zoo de animales de peluche: un gigantesco oso panda rosa, un gatito blanco, un perro marrón de tamaño medio, dos ositos blancos y negros en miniatura, y la rana *Gustavo*. El inmenso canguro de peluche del que se había enamorado en el Toys "R" Us estaba de pie en el suelo, a los pies de su cama, con los brazos extendidos, como si quisiera protegerla de los malos espíritus.

—No puedo dormir —se quejó Amanda.

—Ya lo sé. Es normal. —Bonnie se acercó a la cama y vio cómo la redonda carita de Amanda se iba haciendo cada vez más visible en la oscuridad, igual que si se le iluminara por dentro. Y quizá era eso lo que hacía, pensó Bonnie, admirada de que ella hubiera participado en la creación de algo tan hermoso, tan absolutamente perfecto. Amanda Lindsay Wheeler, repitió para sus adentros, toda ricitos rubios y mejillas regordetas, enormes ojos azul oscuro y una diminuta nariz respingona. «Dulces y saladas y preciosas. Así son las niñitas.» Bonnie se tocó el labio, le dolía.

«Y luego crecen», pensó.

Pronto las regordetas mejillas adelgazarían y se alisarían; los ojos perderían aquella expresión de curiosidad, se volverían más desconfiados; los labios se estrecharían de sonrisa a puchero. La piel de bebé había cambiado ya para dar paso a la niñita. Ya rondaba la adolescente dormida, amenanzando con salir de un momento a otro de su capullo.

—¿Crees que Lauren es guapa? —preguntó Amanda de pronto, cogiendo a Bonnie desprevenida.

—Sí —contestó Bonnie—. ¿Y tú?

Amanda asintió con un vigoroso movimiento de cabeza.

—¿Y ahora va a ser mi hermana?

—¿Te gustaría?

Amanda volvió a asentir con la cabeza, alzando los brazos para dar mayor énfasis a su muda respuesta.

—Ahora duerme un poco, cariño. —La besó en la frente, la arropó bien, y se encamino hacia la puerta.

—Te quiero —dijo Amanda.

—Yo también, cariño.

—Yo te quiero más.

Bonnie se detuvo, sonrió ante lo que se estaba convirtiendo en un ritual nocturno. —Es imposible que me quieras más que yo a ti.

—De acuerdo —dijo Amanda con una risita—. Nos queremos exactamente igual.

—De acuerdo —aceptó Bonnie, dirigiéndose hacia la puerta—. Nos queremos exactamente igual.

—Pero yo te quiero más.

Bonnie mandó un beso a su hija desde el umbral, y vio cómo Amanda lo cazaba en el aire y se lo pegaba a la mejilla. Entonces salió al pasillo.

Delante de su estudio, la luz que salía por debajo de la puerta cerrada atrajo a Bonnie. Vaciló, y luego llamó flojito. Como Sam no contestaba, empujó la puerta, cautelosa.

Sam estaba echado en el sofá-cama, con sólo sus holgados pantalones marrones y un cigarrillo encendido colgando de sus labios; la ceniza le caía sobre el torso desnudo. Al ver a Bonnie se incorporó de un brinco, y la ceniza cayó en la moqueta gris oscuro.

—Ya sé que no debería fumar dentro de la casa —dijo rápidamente, mientras miraba alrededor en busca de un sitio donde apagar su cigarrillo, que apagó finalmente con los dedos.

Bonnie, desvalida, echó un vistazo al pequeño estudio, concebido en un principio como su santuario privado, una habitación a la cual retirarse para corregir ejercicios y exámenes, preparar clases, leer, relajarse. En ese momento había ropa colgada del televisor, una guitarra apoyada contra la pared verde pálido, cenizas grises mezcladas con el estampado de flores amarillas y verdes del sofá-cama, y un enorme tanque de vidrio que, invadiendo su majestuoso escritorio de roble, había desplazado hacia un lado sin miramientos la fotografía enmarcada de Amanda y relegado su ordenador al suelo. Se quedó inmóvil.

—¿Dónde está la serpiente? —preguntó al registrar de pronto su cerebro que el terrario se hallaba vacío.

Sam levantó uno de sus largos y delgaduchos brazos y señaló hacia la ventana.

—Ahí, en el alféizar. Se cree un gato.

Bonnie dirigió la mirada de mala gana hacia la ventana que había al fondo de la habitación. Las cortinas verde menta estaban entreabiertas y detrás de ellas se vislumbraba el enroscado cuerpo de la serpiente.

—¿Te importaría tenerla en el terrario mientras los demás estemos en casa? —preguntó Bonnie con un hilo de voz, debatiéndose con la necesidad casi imperiosa de echar a correr dando gritos por el pasillo.

—Como tú digas. —Pero no se movió.

Bonnie se detuvo en el umbral.

—¿Estás bien? —preguntó—. ¿Te gustaría que habláramos?

—¿De qué? —preguntó el chico.

Bonnie no sabía qué contestarle. «¿Del tiempo? ¿De los Red Sox? ¿Del hecho de que tu madre haya sido asesinada esta mañana?», así que nada dijo. Esperó, intentando traspasar las opacas facciones del muchacho. Resultaba irónico que los chicos se parecieran casi siempre a sus madres, mientras que las niñas tendían a asemejarse más a sus padres. Por lo menos ése era el caso de Sam y Lauren. Y también el de Bonnie y Nick.

—Buenas noches Sam —dijo, y se preguntó si su hermano la llamaría por teléfono—. Hasta mañana.

Bonnie salió del estudio y cerró tras ella al tiempo que se abría la puerta de la habitación de invitados y Lauren salía al pasillo. Instintivamente, Bonnie dio un paso atrás.

—Voy al lavabo. —Lauren se encaminó hacia el cuarto de baño pequeño.

—Encontrarás toallas limpias y una pastilla de jabón sin estrenar —le dijo Bonnie cuando pasó por su lado—. Si necesitas algo más... —Lauren entró en el cuarto de baño y cerró la puerta— sólo tienes que decírmelo —terminó Bonnie—. «Dale tiempo y espacio» —se recordó, y volvió a su dormitorio, donde encontró a Rod acostado.

—Enseguida estoy —dijo; se sacó el vestido por la cabeza, lo dejó caer al suelo, se quitó la ropa interior y se metió en la cama junto a su marido, en busca del placer de sus brazos. Quizá Rod tuviera razón. Siempre había sabido con exactitud cómo y dónde tocarla. Cuando se acurrucó contra él notó el rítmico subir y bajar de su torso desnudo.

Bonnie sonrió al darse cuenta de que estaba dormido. Pasó la mano por su cálida piel, y puso un delicado beso en sus labios entreabiertos. «Parece un niño», pensó contemplando las arrugas alrededor de los ojos y la boca, suavizadas por el sueño.

En aquel mismo momento supo que no podría dormir. Se levantó y se encaminó al cuarto de baño; allí se lavó los dientes y se refrescó el rostro con agua y jabón, con cuidado de no frotar demasiado fuerte alrededor del labio hinchado. Tenía la mente demasiado llena de sonidos e imágenes inquietantes: la voz de Joan por teléfono aquella mañana; su cuerpo apoyado contra la mesa en la cocina de Lombard Street; el agujero abierto en el centro de su pecho; su dormitorio; el álbum de recortes; el nombre de su hermano en la agenda; el seguro de vida con su maldita cláusula de doble indemnización; una vida brutalmente extinguida; dos niños huérfanos. ¿Por qué? ¿Qué significaba todo aquello?

—Voy a pasarme toda la noche en vela —gimoteó Bonnie. Se metió de nuevo en la cama y cerró los ojos. Al cabo de un segundo estaba dormida.

En su sueño Bonnie se hallaba de pie en su clase del instituto, a punto de entregar los exámenes finales.

—El examen es difícil —decía a sus alumnos, escrutando sus desconcertados rostros—, de modo que espero que estéis preparados.

Se movió por entre las filas de pupitres, dejando un examen delante de cada alumno, oyendo todo tipo de gruñidos y risitas. Levantó la vista y vio que alguien había decorado el aula para Halloween, como si se tratase de una clase de parvulario, con enormes brujas de papel montadas en escobas; siluetas de gatos negros con el lomo arqueado; calabazas con caras espantosas, cuyos ojos eran unos enormes agujeros negros vacíos.

—Podéis empezar en cuanto termine de entregaros los exámenes —dijo a sus alumnos, concentrándose en la tarea que estaba realizando. Oyó una fuerte risotada. —¿Quiere explicarme alguien qué encuentra tan gracioso? —preguntó en su sueño.

Haze se apartó de su pupitre y avanzó a grandes zancadas hacia ella.

—Tengo un mensaje de su padre para usted. —Un cigarrillo liado a mano cayó del bolsillo de su camisa al suelo.

—En esta aula no se fuma —le recordó Bonnie.

—Dice que es usted una niña mala. —Haze miraba hacia la ventana; los ojos de Bonnie siguieron su mirada, y vio el enorme recorte de una boa constrictor colgada en las anticuadas y gruesas persianas venecianas.

—No —protestó Bonnie—. Yo soy buena.

De pronto, en su sueño sonó la alarma de incendios, y los

alumnos se abalanzaron hacia la puerta, derribando a Bonnie en su huida, pisoteándola con sus pesadas botas.

—Que alguien me ayude —gritó ella, herida y ensangrentada; entonces, el recorte de la serpiente cayó al suelo, cobró vida y se dirigió hacia ella, abriendo la boca en un ángulo espantoso de ciento ochenta grados; entre tanto, la alarma de incendios seguía con su estrepitoso sonido.

Bonnie se incorporó en el suelo, con los brazos extendidos hacia adelante para protegerse, mientras la alarma resonaba en sus oídos.

Era el teléfono.

—¡Dios mío! —exclamó, e intentó apaciguar el rápido latido de su corazón con una serie de inspiraciones profundas. Tendió la mano por encima de su marido, que dormía, y descolgó el auricular. Se fijó en la hora que marcaba el despertador: casi las dos de la madrugada.

—¿Diga? —El ronco tono de su voz se hallaba entre el pánico y la indignación.

—Tengo entendido que has preguntado por mí.

—¿Nick? —Bonnie se apoyó contra el cabezal de la cama y notó un ligero mareo. Sin darse cuenta tiró del hilo del teléfono por encima del rostro de su marido. Rod se movió y abrió los ojos.

—¿En qué puedo ayudarte, Bonnie?

«O no sabía que era madrugada o no le importaba», pensó Bonnie, y se imaginó a su hermano pequeño mientras él hablaba, su rubio cabello sucio tapándole los verdes ojos juntos y la pequeña y delicada nariz, una nariz que no encajaba en el resto de su rostro de tipo duro. Su voz era la misma de siempre: una mezcla de encanto e indecencia. Bonnie recordó cómo la hacía reír, y se preguntó en qué momento había cesado la risa.

—No sabía que hubieras salido de la cárcel.

—Deberías llamar por teléfono más a menudo.

—¿Estás viviendo con papá?

—Es una de las condiciones para mi libertad condicional. ¿Qué sentido tiene esta conversación?

—Hoy han asesinado a Joan Wheeler —dijo Bonnie, y esperó su respuesta.

—¿Y debe significar algo para mí esa noticia? —preguntó su hermano tras una larga pausa.

—Dímelo tú, Nick. La policía encontró tu nombre en la agenda de Joan.

El teléfono enmudeció de pronto.

—¿Nick? ¿Nick? —Meneó la cabeza y le entregó el auricular a Rod—. Ha cortado la comunicación.

Rod se incorporó, se atusó con mano cansada el cabello despeinado, y colgó el auricular.

—¿Crees que quizá haya tenido algo que ver con la muerte de Joan?

—Ella me llama por teléfono a primera hora de la mañana para avisarme de que Amanda y yo estamos en peligro —dijo Bonnie pensando en voz alta—. Pocas horas más tarde la encuentro muerta, y el nombre de mi hermano aparece en su agenda. No sé qué pensar.

—Debemos dejar que la policía se encargue de la investigación.

—La policía cree que fui yo —le recordó Bonnie.

Rod rodeó a su esposa con un brazo, y la estrechó con fuerza.

—Te equivocas. Creen que fui yo. Soy quien tiene los seguros de vida de todos vosotros. Doble indemnización, ¿recuerdas?

—Gracias.

—De nada. —Volvieron a tumbarse en la cama, de lado, Bonnie de espaldas a su marido, y éste pegado a ella con todo el cuerpo.

—Claro que también está Josh Freeman —dijo ella al cabo de unos segundos.

—¿Quién?

—Josh Freeman, el profesor de arte de Sam. También aparece en la agenda de Joan, y es otro vínculo entre nosotros.

—Duerme un poco, Nancy Drew.

—Te quiero —susurró Bonnie.

—Y yo a ti.

—Yo te quiero más —dijo Bonnie, y esperó. Pero Rod, que se limitó a apretarle el brazo, nada replicó.

8

El funeral de Joan se celebró al final de esa misma semana.

Bonnie estaba sentada en la primera fila de la pequeña capilla, junto a Rod y los dos chicos, asombrada de la gran cantidad de asistentes, intentando averiguar quién era cada uno, determinar qué relación habría entre cada uno, si es que la había, y la difunta.

Rod había dicho que Joan no tenía amigos, sólo «amigos de bar». Sin embargo, la capilla estaba llena, más de cien personas apiñadas en los estrechos bancos y apretujadas contra las paredes, y todos no podían ser conocidos con quienes Joan hubiera compartido unas cuantas copas de vino. Tampoco eran todos compañeros de trabajo, aunque la camarilla de mujeres de la última fila, impecablemente vestidas, sin un solo cabello fuera de sitio, eran inconfundibles cohortes de Joan en la inmobiliaria Ellen Marx. Cierto, seguramente había varias personas allí que ni siquiera conocían a Joan, que habían acudido por pura y morbosa curiosidad, intrigadas por las informaciones de los periódicos y la televisión, atraídas por el espectro de la muerte súbita y violenta en medio de su comunidad, por lo general pacífica.

Bonnie recorrió la capilla con la mirada, como si fuese una cinta elástica, reuniendo a todos los presentes en su campo de visión, y luego soltándolos de uno en uno. El capitán Mahoney y la detective Kritzic estaban de pie junto a la puerta trasera. El capitán vestía de azul oscuro; la detective, de gris claro. Los ojos alerta para detectar cualquier movimiento que pareciera, aunque ligeramente, fuera de lugar. Había varios agentes de paisano, y, al igual que las empleadas de la inmobiliaria Ellen Marx, eran bastante fáciles de localizar; el joven de cabello castaño claro y la corbata azul a rayas que, sentado cerca del fondo de la capilla, seguía a todo el mundo con sus insulsos ojos marrones; los dos calvos con ropa informal, de pie cerca de la puerta trasera, susurrándose cosas al oído con desenvoltura. ¿Quién podían ser, sino policías?

Pero, ¿qué sucedía con los demás hombres y mujeres con lágrimas en los ojos y un nudo en la garganta? ¿Quién era la pareja de mediana edad que se consolaba mutuamente en la tercera fila, al otro lado del pasillo central? ¿Quiénes eran los que tenía a su espalda, compartiendo silenciosos recuerdos de la querida amiga que habían perdido? ¿Era posible que hablaran de Joan? Bonnie se apoyó contra el respaldo del banco, haciendo todo lo posible para captar parte de su conversación, pero de pronto se callaron, como si hubiesen percibido su interés.

Joan no tenía parientes vivos, con excepción de sus hijos, que lloraran su muerte. Era hija única. «Qué suerte», pensó Bonnie, mirando con disimulo por encima del hombro, como preparándose para ver la entrada de su hermano bailando por la puerta, algo que sería capaz de hacer, aunque sólo fuera por el perverso placer de ver la conmoción en el rostro de Bonnie. Se preguntó de pasada si la policía habría hablado con él; pero lo apartó de su mente para concentrarse en los presentes. Sonrió a su amiga Diana, que estaba allí, ofreciéndole su apoyo moral. Saludó con la cabeza a Marla Brenzelle, sentada detrás de Diana, ataviada con un modelito rosa intenso que le hacía parecer más la madre de la novia que un deudo en un funeral. Pero Marla tenía la vista fija más allá de Bonnie, y posaba con aire dramáticamente solemne para los diversos fotógrafos que rondaban por allí. ¿Se reducía todo a una oportunidad publicitaria para aquella mujer?, se preguntaba Bonnie, en el momento en que Josh Freeman entró en su campo de visión; contuvo la respiración. ¿Por qué no se había fijado antes en él?

Su aspecto era el mismo que tenía en el instituto, pensó: atractivo, con un aire un poco desenfadado, como si su atractivo fuese en cierto modo un inconveniente, un hecho que había aprendido a aceptar pero con el cual nunca se había sentido cómodo en realidad. Su primera aparición en la sala de profesores del Instituto Weston Hights había levantado un inmediato murmullo entre el personal femenino; todo el mundo quería saber algo más sobre aquel viudo de voz dulce de Nueva York. Pero Josh Freeman había demostrado ser tan inaccesible como atractivo; casi siempre iba solo y no solía hablar con los otros profesores, aunque siempre se había mostrado agradable y educado cuando Bonnie se le había acercado. «¿Qué hacía allí? —se preguntó—. ¿Qué relación había tenido con Joan?»

—Ha venido el señor Freeman —susurró a Sam por detrás de Rod; el chico volvió la cabeza y saludó a su profesor de arte, sin darle importancia, como quien divisa a un amigo en un partido de baloncesto.

Una mujer se aproximó despacio, con paso vacilante, los ojos hinchados de llorar.

—Lauren —dijo, cogiendo las manos a la niña. Era difícil determinar cuál de las dos temblaba más—. Sam —añadió, intentando sonreír, pero sus labios empezaron a temblar de una forma incontrolada, y tuvo que llevarse la palma de la mano a la boca para dominarlos—. Lyle y yo lamentamos mucho lo de vuestra madre —consiguió susurrar—. Aún nos resulta imposible creer que haya ocurrido una cosa así.

Bonnie se fijó en un hombre bajo y corpulento que estaba de pie detrás de la mujer, alta y rubia, con una mano protectora puesta sobre el hombro de ella.

—Era una persona maravillosa —prosiguió la mujer—. Yo no estaría donde me encuentro hoy de no haber sido por vuestra madre, y por todo cuanto hizo por mí. No puedo creer que nos haya dejado. Ni que alguien quisiera hacerle daño. Era una gran señora, verdad. —Un sonoro sollozo escapó de sus labios. El marido le apretó más el hombro, arrugando la delicada seda del vestido azul marino.

¿Una gran señora? ¿Una persona maravillosa? ¿De quién demonios hablaba? Bonnie miró a Rod, que contemplaba a la mujer con abstraída indiferencia.

Lauren se levantó y abrazó con fuerza a su interlocutora.

—Yo soy quien debería consolarte —dijo la mujer, apartándose para enjugarse las obstinadas lágrimas.

—Estoy bien —aseguró Lauren.

La mujer acarició cariñosamente la mejilla de Lauren.

—Claro que sí. —De nuevo intentó sonreír, esta vez con un poco más de éxito—. Tu madre te quería tanto, Lauren. Se pasaba la vida hablando de ti. Lauren esto y Lauren lo otro. Mi Lauren, decía, mi preciosa Lauren. Estaba tan orgullosa de ti... de los dos —añadió mirando a Sam e incluyéndole con cierto retraso.

Sam asintió con la cabeza y apartó la vista.

—En fin, si puedo hacer algo por vosotros... —concluyó la mujer mientras Lauren se sentaba de nuevo— ya sabéis dónde estamos.

La mujer echó un rápido vistazo a Bonnie, y fijó la mirada en Rod.

Él se puso rápidamente en pie.

—Hola, Caroline —dijo tendiendo la mano—. Lamento que hayamos de volver a vernos en circunstancias tan tristes. Hola, Lyle.

—Hola, Rod —replicó el hombre con tono frío.

—Hola —dijo la mujer sin estrecharle la mano—. Tienes buen aspecto.

—Lo dices como si te molestara.

—Supongo que sigo esperando que se haga justicia.

Bonnie contuvo la respiración, y dirigió la mirada alternadamente a los dos evidentes adversarios. ¿Quiénes eran? ¿A qué venía aquella hostilidad hacia su marido?

—Gracias por venir —dijo Rod en voz muy baja, casi inaudible.

La mujer fijó su atención en Bonnie.

—Tú debes de ser Bonnie. Joan hablaba muy bien de ti.

—¿Ah, sí?

—Cuida a los niños —instó la mujer antes de dar media vuelta sobre sus zapatos de tacón de charol azul marino y desfilar pasillo arriba, con su marido detrás.

Bonnie se volvió de inmediato hacia su marido.

—¿Qué significa todo eso? ¿Quiénes son?

—Los Gossett —explicó Rod mientras volvía a sentarse y cruzaba los brazos.

Bonnie recordó rápidamente que había visto sus nombres en la agenda de Joan. Lyle y Caroline Gossett. Vivían en la misma calle que Joan. «Viejos amigos», así los había descrito Rod.

—Por lo visto no os llevabais demasiado bien.

—No se puede complacer a todo el mundo —respondió Rod con tranquilidad.

«¿Qué pasó?», iba a preguntar Bonnie, pero se lo pensó mejor. Aquél no era momento ni lugar para rescatar y explorar viejas heridas, y decidió preguntar a Rod sobre ello más tarde.

Bonnie oyó unos sollozos, se asomó por detrás de Sam y miró a Lauren, que parecía perdida dentro de su holgado y largo vestido azul.

—¿Estás bien? —le preguntó, pero la niña no respondió, y siguió retorciéndose las manos sobre el regazo—. ¿Quieres un pañuelo? —dijo Bonnie tendiéndole uno, pero ella ni siquiera lo miró.

Bonnie deslizó su mano entre las de Rod. «Ayúdame —suplicó en silencio—. Ayúdame a conocer a tus hijos. Dime cómo llegar hasta ellos.»

¿Cómo iba a ayudarla Rod? Si él apenas los conocía.

Los niños se habían negado a poner el pie en la nueva casa de su padre, a formar parte de su nueva vida. Con los años, los horarios incompatibles y las lealtades cada vez más divididas habían supeditado las visitas semanales de Rod a sus hijos al azar del trabajo. No era culpa de Rod. No era culpa de los niños. No era culpa de nadie. Por desgracia, las cosas eran así.

Había sido una semana difícil. Resultaba evidente que Bonnie seguía siendo sospechosa. La policía había vuelto varias veces para hacerle nuevas preguntas, y para hablar con Sam y Lauren. Bonnie no estaba al tanto de esas conversaciones, y ni Sam ni Lauren habían mostrado interés por compartir los contenidos de esas conversaciones con ella ni con su padre. De hecho, nunca decían gran cosa sobre nada, nada explicaban voluntariamente, se retiraban cada vez que Bonnie se les acercaba. Sólo salían de sus habitaciones para comer, e incluso eso lo hacían de mala gana.

Después de varios días así, Rod volvió al trabajo. Bonnie se sintió tentada de hacer lo mismo, sobre todo porque su presencia en la casa era menos que apreciada. Pero sintió que no podía dejar solos a Sam y a Lauren en una casa extraña. Todavía no. Tenía que estar allí por si la necesitaban. Por lo menos hasta después del funeral.

«Eres tan buena», oía decir a su madre, y se le llenaban los ojos de lágrimas al recordar a otra mujer que había muerto demasiado pronto. Qué ironía que, de todos modos, estuviera perdiendo una semana de clases, aunque aquello no fueran las románticas vacaciones que se había imaginado. «Qué niña tan buena tengo», repetía el recuerdo de su madre mientras Bonnie miraba por encima del hombro, preguntándose si su hermano se encontraría entre los acompañantes.

—¿Qué ocurre? —preguntó Rod, rodeando sus hombros con el brazo y acercándola a él.

Bonnie meneó la cabeza, y dirigió de nuevo la mirada hacia el ataúd cubierto de flores que había en el centro de la capilla. Se arregló el cuello de la blusa de seda gris y se alisó los pliegues de la falda negra, aunque las dos prendas estaban perfectas. Oyó un arrastrar de pies, levantó la vista y vio a Haze, el amigo de Sam, que se abría paso entre un grupo de mujeres al otro lado del pasillo.

—Hola, señora Wheeler —dijo—. ¿Cómo va?

Un hombre alto de cabello gris subió al podio de la parte delantera de la capilla.

—Nos hemos reunido hoy aquí, con profunda tristeza y dolor —empezó con voz queda— para llorar la muerte de Joan Wheeler. Y el hecho de que tantos de vosotros hayáis venido dice mucho del alto concepto en que teníamos a Joan. Su amabilidad, su energía, su dedicación, su sentido del humor —continuó, y Bonnie se preguntó de nuevo a quién estaba elogiando en realidad— son virtudes que nunca perdió, pese a otras trágicas pérdidas.

El hombre continuó con su panegírico: enumeró con orgullo los éxitos de Joan, puso por las nubes el amor que sentía por sus hijos, aludiendo sólo de pasada a las circunstancias de la muerte de su hija menor, proporcionó adecuados eufemismos para la posterior caída de Joan en el alcoholismo, mencionando que en los días inmediatamente anteriores a su muerte Joan se había hecho el firme propósito de cambiar, le había dicho que estaba decidida a dejar el alcohol, a poner orden en la casa.

«No habría sido tarea fácil», pensó Bonnie recordando el estado del dormitorio de Joan. Escuchó distraída el resto del elogio, incapaz de relacionar las cosas que Rod le había contado sobre Joan con las palabras que oía en esos momentos. Unos tímidos sollozos llenaban la abarrotada capilla. ¿Quién era esa mujer que tantos lloraban? Miró a Sam. ¿Y por qué tenía su hijo los ojos tan secos?

Entonces terminó la ceremonia y los portadores del féretro se acercaron al ataúd, cargándolo sobre sus hombros. Rod y sus hijos lo siguieron. Bonnie se quedó un poco rezagada, con la mirada al frente, negándose a establecer contacto visual con nadie, casi temerosa de a quién pudiera ver. Las puertas del fondo de la pequeña capilla se abrieron para revelar el intenso y cegador sol de la tarde, aunque el aire era frío. «Tendría que haberme puesto una chaqueta», pensó Bonnie, casi tiritando, mientras miraba cómo metían el ataúd en el coche fúnebre.

De pronto fue consciente de los ruidos: el de los vehículos que circulaban por Commonwealth Avenue, el de la gente que se arremolinaba alrededor. Se preguntó distraída cuántos de ellos irían hasta el cementerio. Antes del funeral habría asegurado que ninguno. Ahora pensó que seguramente todos.

Vislumbró a Josh Freeman con el rabillo del ojo.

—Señor Freeman —llamó Bonnie. Se abrió paso entre los asistentes y se preguntó por qué se dirigía a su colega por el apellido—. Perdóneme, señor Freeman. Josh...

Freeman se paró y se volvió.

—Señora Wheeler —la saludó él, y su mirada adoptó una ligera expresión de desconcierto. ¿Se asombraba de verla allí? ¿Acaso no sabía que era la madrastra de Sam?

—Ignoraba que conociera usted a Joan —dijo Bonnie, sin saber con exactitud adónde quería llegar.

—Sam es alumno mío.

—Sí, ya lo sé. —Bonnie esperó a que él dijera algo más, pero no fue así. Notó una mano en su codo, se volvió y vio a Diana junto a ella.

—Te llamaré más tarde por teléfono —dijo Diana, y le dio un rápido beso en la mejilla antes de dirigirse hacia el aparcamiento.

Bonnie centró de nuevo su atención en Josh Freeman, fijándose en sus ojos marrones, más claros que los de Rod. Tenía el cabello ondulado y algo despeinado, como si hubiese luchado contra él y hubiera perdido la batalla, pero le sentaba bien a la maliciosa curva de sus labios y a la línea algo torcida de su nariz.

—¿Era amigo de Joan? —preguntó intentando no mirarlo con demasiada atención.

—Sí —contestó él. Y se calló.

—¿Le importaría que un día quedáramos para hablar de ella? ¿Por qué le había preguntado eso? ¿De qué quería hablar?

—No sé de qué quiere que hablemos —repuso Freeman, como si le hubiese leído el pensamiento.

—Por favor.

Freeman asintió con la cabeza.

—¿Piensa volver pronto a la escuela?

—El lunes.

—Entonces, allí nos veremos.

—¿No os ha parecido un panegírico maravilloso? —preguntó Marla Brenzelle en voz alta. Bonnie se volvió hacia donde sonaba la voz mientras Marla, que parecía una enorme nube de algodón de azúcar, tendía sus brazos hacia los hijos de Rod—. Vosotros debéis de ser Lorne y Samantha.

—Sam y Lauren —la corrigió Bonnie, y se volvió hacia Josh Freeman. Pero éste se había marchado ya.

—Os acompaño en el sentimiento —continuó Marla, impasible.

—Gracias —dijo Lauren.

—Por fin tuve ocasión de conocer a tu hermano hace unas semanas —añadió Marla.

Bonnie tardó un momento en darse cuenta de que Marla no hablaba con Lauren, sino con ella.

—Perdona. ¿Qué has dicho?

—¿Puedes firmar un autógrafo a mi amigo? —preguntó Sam de pronto.

El rostro de Marla resplandeció, como si alguien acabara de iluminarlo con un foco.

—Por supuesto.

Bonnie miró a Haze, que estaba de pie, sonriente, con el rotulador en la mano.

—Puedes firmar aquí mismo —dijo entregando el rotulador a Marla y levantando su brazo tatuado. CHUPA, rezaba el tatuaje sobre el dibujo de un castor. COÑOS, ponía debajo.

—Haze —repitió Marla después de preguntarle cómo se llamaba y cómo se deletreaba—. Qué nombre tan interesante.

«¿Qué está pasando aquí?», se preguntó Bonnie, esperando con impaciencia mientras Marla añadía las letras le que transformaban Brenzel en Brenzelle, con una exagerada floritura.

—¿Qué quieres decir con eso de que conociste a mi hermano?

Marla le dedicó una sonrisa de dientes de fundas perfectas.

—Bueno, en el instituto no llegué a conocerlo. Yo ya me había graduado cuando él llegó. Pero recuerdo haber oído historias de lo interesante que era, de lo cachondo que era, como dirían los chicos de hoy. Y siempre había despertado mi curiosidad, sobre todo porque vosotros dos siempre habéis sido tal para cual.

Bonnie ignoró el desaire, intencionado o no.

—¿Cómo conociste a mi hermano?

—Pasó por la emisora para hablar con tu marido. ¿No te lo dijo?

Bonnie se volvió buscando a Rod, pero éste se hallaba hablando con uno de los portadores del féretro junto a la puerta de la capilla. Rod se había encontrado con su hermano sin decírselo. ¿Por qué?

—Al parecer se le había ocurrido una idea disparatada para una serie de televisión —prosiguió Marla en contestación a la silenciosa pregunta de Bonnie—. Rod le dijo que no pitaría; creo que debería haberlo convencido para que apareciera en uno de nuestros programas. Pienso que sería un invitado fabuloso, ¿no crees? Es tan guapo, y tan encantador.

—Mi hermano es un ladrón y un estafador —dijo Bonnie con

tono frío. Lo único que quería era librarse de aquella mujer cuanto antes.

—A eso me refería precisamente.

—Tengo que irme —dijo Bonnie; y se apartó de su lado. Luego añadió lanzando las palabras por encima del hombro como si fuesen un trozo de papel arrugado—: Gracias por venir.

—Espero que la próxima vez que nos veamos sea en circunstancias más agradables —dijo Marla cuando Bonnie ya se alejaba.

«No estés tan segura», pensó Bonnie.

—¿Por qué no me dijiste que habías visto a Nick? —preguntó Bonnie a su marido mientras éste esparcía numerosos paquetes de comida china por la blanca mesa redonda de la cocina. La habitación era más larga que ancha, y se comunicaba con un comedor situado en la parte delantera de la casa, con ventanas a la calle. Los armarios eran de roble blanqueado, las baldosas del suelo y los electrodomésticos color almendra, las paredes blancas. En una pared, una litografía de Chagall de una vaca suspendida del revés encima de un tejado; en otra, un cuadro hecho por Amanda de un grupo de gente con la cabeza cuadrada.

—Has hablado con Marla —dijo él con voz tranquila, imperturbable.

—No lo entiendo, Rod.

Él dejó el último paquete sobre la mesa y se chupó los dedos con aire distraído.

—Es muy sencillo, cariño. Tu hermano pasó por la emisora hace varias semanas, sin cita previa, por supuesto. Quería proponerme una idea disparatada para una serie. Me vi obligado a decirle que no funcionaría.

—Pitaría —corrigió Bonnie.

—¿Cómo?

—Marla me contó que tú le dijiste que no pitaría —dijo Bonnie malhumorada, con lágrimas de rabia en los ojos. ¿Cómo había sido capaz de no decírselo?

Rod se acercó a ella, de pie y apoyada contra la puerta caliente del horno.

—Vamos, corazón. No era nada del otro mundo. No te lo conté porque sabía cuánto te disgustarías.

—¿Y crees que ahora no estoy disgustada?

Él agachó la cabeza.

—Fue una estupidez no contártelo. Lo siento.

—Así que tú ya le habías visto cuando la policía encontró su nombre en la agenda de Joan. —Bonnie intentaba ordenar los hechos en su mente—. ¿Por qué no lo dijiste entonces?

—¿Qué querías que dijera? «¿Ah, por cierto, tu hermano vino a verme la semana pasada?» No me pareció relevante.

—¿Y después, cuando yo intentaba ponerme en contacto con él?

—Pensé en decírtelo.

—Pero no lo hiciste. Ni siquiera después de que yo hablara con él.

—No veía de qué serviría. Todo estaba complicándose mucho. Y sigo diciendo que si Nick tiene algo que ver con la muerte de Joan, deberíamos dejar que la policía se encargara de investigarlo.

—No se trata de eso —gritó Bonnie.

—¿Pues de qué entonces? —preguntó Rod mirando hacia el vestíbulo, evidentemente preocupado porque sus hijos lo oyeran.

Bonnie bajó la voz al instante.

—De que deberías habérmelo contado.

—De acuerdo —replicó él—. Pero no lo hice. No sé por qué. Tal vez intentaba evitar el tipo de escena que tenemos montada en este momento.

Hubo un silencio.

—La comida se enfría —dijo Rod.

—¿Sabías que estaba viviendo en casa de mi padre? —preguntó Bonnie, como si su marido no hubiese dicho nada.

—No. No se lo pregunté, y él no me lo dijo.

—¿Hablasteis de Joan?

—¿Por qué demonios íbamos a hablar de ella?

—¿Por qué estaba su nombre en la agenda de Joan?

—Insisto —dijo Rod. Apretó su cuadrada mandíbula y casi mordió el final de sus palabras cuando añadió—: dejemos que la policía se encargue de ello.

—¿Sabías que esa estúpida le ha pedido que participe en tu programa como invitado? —preguntó Bonnie cambiando de tema.

—¿Marla? —Rod se echó a reír.

—¿Lo encuentras divertido?

—Nick no aceptará.

—Por supuesto que aceptará. Aunque sólo sea para fastidiarme.

—Pues no lo permitas. —Rod la besó en la punta de la nariz—. Vamos, cariño. No cedas ante sus provocaciones. Perdóname por no habértelo contado. Lo siento, de verdad.

Sam entró con aire desenfadado en la cocina; su hermana lo hizo tras él.

—¿Crees que Marla Brenzelle es una estúpida? —preguntó, arrastrando los cordones de sus zapatillas por las baldosas de cerámica del suelo.

Bonnie se preguntó cuánto habrían oído de la conversación.

—Digamos que tiene un sentido de la ironía poco definido.

—¿Qué es eso? —Sam dobló su largo cuerpo en una de las altas sillas de mimbre.

—¿La ironía?

—Eso. —Sam señaló uno de los paquetes de plástico.

—Pollo al limón —contestó Rod—. Sírvete tu mismo.

—Yo creo que es una enrollada —opinó Lauren, sentándose y sirviéndose una abundante ración de arroz frito.

—¿Ah, sí? —Bonnie no hizo esfuerzos por contener su sorpresa—. ¿Y qué es lo que tiene de enrollada?

Lauren se encogió de hombros.

—Pues que ayuda a la gente.

—¿Que ayuda? ¿Cómo? ¿Explotando a sus invitados ante millones de espectadores?

—¿Cómo los explota? —preguntó Lauren.

—¿Me pasas el *chow mein*? —dijo Sam.

—Los explota porque les hace creer que si confiesan sus problemas ante millones de personas, los resolverán. Ofrece consejos de treinta segundos como soluciones. Y proporciona un foro para todos los chalados y exhibicionistas del país. Legitimiza su comportamiento, de lo más cuestionable por otra parte, consiguiendo que parezca la norma, lo que sin duda no es. —Bonnie hizo una pausa. Todavía estaba como aturdida a causa de su anterior confrontación con Rod, y la rabia alimentaba sus palabras—. ¿Cuántas lesbianas gemelas hay que han seducido al novio de su madre? ¡Por todos los santos! ¿Cuántos mirones que se han casado con su prima después de espiarla haciendo el amor con su padre? ¿Ves eso normal? ¿Crees que llevando a esa gente a su programa Marla Brenzelle, a la que yo conocí como Marlene Brenzel, por cierto, está interesada en ayudar a alguien que no sea a sí misma y sus preciosos índices de audiencia? A ver, ¿adónde ha ido a parar la discreción? ¿Qué ha ocurrido con el sentido común?

Su inesperado arrebato produjo un cargado silencio en la cocina.

—Un gran discurso —murmuró Rod.

—Lo siento —se disculpó Bonnie de inmediato—. No sé por qué me he puesto así. No pretendía que sonara tan...

—¿Despectiva? —propuso Rod con sorna.

—Lo siento. Te prometo que no quería...

—No sabía que tuvieras sentimientos tan fuertes acerca de mi trabajo diario —añadió Rod.

—¿De qué conoces a Marla Brenzelle? —preguntó Sam.

—Fuimos juntas al colegio —respondió Bonnie sin apartar su mirada de Rod.

—¡Qué guay! —exclamó Sam.

—Mira —dijo Bonnie a su marido—, yo no pretendía denigrar lo que haces...

—Me alegro de que no lo pretendieras —dijo él.

—Marla me preguntó si me gustaría ir al programa algún día —intervino Lauren, metiéndose un tenedor lleno de largos fideos amarillos en la boca—. Dijo que quizá hablar me ayudara a superar lo sucedido.

—Sí, desde luego, hablar con alguien te ayudaría —reconoció Bonnie enseguida—. Pero habla con tu padre. Con un psicólogo. Habla conmigo —sugirió.

—¿Por qué querría yo hablar contigo? —preguntó Lauren.

—Lauren —advirtió Rod—. Tranquila.

—Bueno —dijo Bonnie; las palabras emergían dolorosamente, arañándole la garganta—, yo sé lo que se siente al perder a una madre que quieres.

—Yo no he perdido a mi madre. La asesinaron. ¿A la tuya también? —preguntó Lauren con tono provocador.

—No —contestó Bonnie. «No exactamente», pensó.

—Entonces no lo sabes. —Lauren apartó la silla de la mesa—. No tengo mucho apetito. ¿Me perdonáis? —Al instante había desaparecido.

Rod tendió la mano por encima de la mesa para acariciar la de Bonnie.

—Lo siento, cariño. No te mereces eso. —Dejó el tenedor sobre la mesa y miró por la ventana hacia la calle tranquila—. Todos hemos tenido un día horrible. —Se atusó el cabello, luego apartó el plato—. Yo tampoco tengo apetito. —Se levantó y se desperezó—. De hecho estoy un poco nervioso. ¿Te importa que salga un rato?

—¿Ahora? Son más de las nueve.

—Sólo daré una vuelta con el coche. No tardaré —dijo mientras salía de la cocina. Bonnie lo siguió hasta el vestíbulo—. Sólo necesito un poco de tiempo para aclarar mis ideas —añadió cuando estaba ya en la puerta principal.

—Lo siento, Rod —dijo Bonnie—. Sabes que no pretendía criticarte.

—No tienes de qué disculparte. —La besó con cariño en la boca mientras abría la puerta—. ¿Quieres venir conmigo? —propuso de pronto.

—¿Cómo quieres que deje sola a Amanda? —Bonnie se imaginó a su hija dormida en la cama.

—Están Sam y Lauren con ella —le recordó Rod.

Bonnie miró hacia la escalera, pensó en Sam, que seguía en la cocina, y en Lauren, que había subido a su habitación. «Ni se te ocurra utilizar a mis hijos como niñeras. No están aquí para tu comodidad», la había regañado Joan una memorable tarde, poco después del nacimiento de Amanda.

—Será mejor que me quede —dijo Bonnie, y pensó que Joan había hecho todo lo posible para impedir que Sam y Lauren conocieran a su medio hermana. Qué despreciable, mala y cruel había sido. Desde luego el parecido con el dechado de virtudes que Bonnie había oído elogiar aquella tarde era mera coincidencia.

—Volveré enseguida —dijo Rod, y cerró la puerta tras de sí.

Cuando Bonnie volvió a la cocina, Sam seguía sentado a la mesa, inclinado sobre su plato, la luz de la lámpara que colgaba del techo iluminaba el negro azulado de su cabello.

—Me alegro de que alguien tenga apetito —dijo ella.

Sam volvió la cabeza; tenía los labios cubiertos de una salsa naranja, como un pastoso lápiz de labios, del mismo tono que su madre solía llevar, el mismo tono que, de hecho, Joan llevaba cuando murió.

Bonnie dio un involuntario paso atrás, como si hubiese visto un fantasma. Sam sonrió; algo colgaba de su mano derecha, como un reloj de bolsillo con una cadena, pero no era una cadena, advirtió Bonnie sujetándose el estómago. Era una cola.

—¡Cielo Santo! —exclamó—. Dime que eso no es lo que creo.

—Sí, es una rata blanca —repuso Sam con una sonrisa—. Le he dejado mordisquear un poco de cerdo agridulce. Es como su último banquete antes de que se la dé a *L'il Abner.* —Se levantó y Bonnie intentó no mirar el ligero halo naranja alrededor de las inquietas boca y nariz de la condenada rata—. ¿Quieres verlo?

—No, gracias —susurró Bonnie mientras Sam salía de la cocina. Luego se desplomó en una de las sillas, frente al fantasma de Joan, y esperó a que Rod regresara a casa.

9

El lunes siguiente, Bonnie estacionó el coche en el aparcamiento del personal, delante del Instituto Weston Hights, a las siete veintinueve de la mañana. «El reloj de mi coche es digital», recordó haber dicho a la policía no hacía mucho. Y luego se había echado a reír. No muy fuerte, ni con una risa muy prolongada, sólo lo bastante para incrementar su curiosidad, y con la suficiente fuerza para aumentar sus sospechas. Habían vuelto durante el fin de semana para interrogarla de nuevo, cubriendo el mismo territorio ya familiar, tal vez con la esperanza de que se contradijera, que confesara algo incriminatorio, lo suficiente para justificar que el capitán Mahoney le enmanillara las muñecas con aquel siniestro par de esposas que colgaban de su cinturón y se la llevara. No parecía preocuparles el presunto peligro en que ella y su hija pudieran estar, el peligro contra el cual Joan la había avisado. «Quizá piensan que me lo inventé», elucubró Bonnie, frustrada por lo poco que la policía había revelado de su investigación, aparte de la conclusión del forense de que a Joan la había matado una bala de un revólver calibre 38, tal vez el que seguía registrado a nombre de Rod.

—Eh, señora Wheeler —dijo una voz cuando Bonnie llegó a la puerta principal del edificio de ladrillo rojizo—. Déjeme que la ayude.

Bonnie se volvió y vio a Haze, que corría hacia ella. Bueno, no corría en realidad, advirtió mientras lo observaba, hipnotizada por la desenvuelta insolencia de sus andares, más bien andaba con paso largo. Un impecable y musculoso semental blanco, vestido de negro de pies a cabeza, y sintonizado a la perfección con los ritmos de su propio cuerpo.

—Hoy está francamente guapa, señora Wheeler —dijo él mientras empujaba la pesada puerta y se hacía a un lado para que Bonnie entrara primero—. Me alegro de volver a verla —añadió cuando entraron en la cafetería.

Bonnie sonrió.

—¿Y en qué puedo ayudarte, Haze?

Haze agachó la cabeza y habló en voz tan baja que Bonnie tuvo que acercarse a él para oírlo.

—¿No querrá que le entregue aquel trabajo hoy, verdad? —preguntó.

Bonnie casi se echó a reír, lo habría hecho de no ser por la súbita tensión que observó en el rostro del chico, la patente rigidez de su sonrisa.

—Me temo que sí —dijo Bonnie, acosada por los ruidos y olores de la sala—. Has tenido más de un mes para hacerlo.

Haze no replicó. La rígida sonrisa se transformó en otra de afectación; a paso lento se unió a un grupo de estudiantes que andaba por allí. Bonnie lo vio desaparecer, como la rata engullida por una serpiente gigantesca, y su encuentro la dejó algo inquieta, aunque no hubiera sabido decir la razón. Salió de la cafetería, saludando con la cabeza a varios chicos que armaban jaleo en un rincón, y anduvo por el pasillo con paso apresurado. Una larga lámpara fluorescente corría por el centro del alto techo, como un único carril en una autopista, proyectando sombras en las paredes de ladrillo amarillas, iluminando con un resplandor fantasmal la enorme fotografía enmarcada de anteriores graduados, las sonrientes cabezas recortadas y montadas en una serie de pequeños y pulcros óvalos, que colgaba en la parte exterior de la sala de profesores. Bonnie abrió la puerta y fue directamente hacia la cafetera que goteaba en el mármol. Se sirvió una taza.

—Hola a todos —dijo sin saludar a nadie en particular, y se dirigió hacia una butaca junto a la larga pared de ventanas. La vista (un pequeño patio interior con un solo árbol) no era demasiado espectacular.

Había quizá media docena de profesores esparcidos por la habitación, azul y beige, varios de ellos agrupados alrededor del refrigerador de agua, hablando, otros enfrascados en la lectura del periódico, todos en una actitud de perfecta y fría indiferencia. Varios «Hola» distraídos llegaron a sus oídos. Alguien le preguntó cómo estaba; Bonnie respondió que bien.

—Me alegro de haber vuelto —comentó Bonnie; entonces advirtió que Josh Freeman no se encontraba en la sala.

—Debe de haber sido horrible —dijo Maureen Templeton, una profesora de ciencias con el cabello rubio y rizado y la mandíbula muy pronunciada. Todos los demás asintieron con la cabeza, sin que fueran necesarios más adornos.

—Sí, ha sido horrible —reconoció Bonnie.

—¿Os ha dicho la policía...?

—Todavía no saben nada —dijo Bonnie.

—¿Una semana difícil? —preguntó Tom O'Brian, el profesor de arte dramático, de aspecto típicamente meditabundo.

—Espantosa.

—Bueno, si podemos hacer algo para ayudarte... —se ofreció Maureen Templeton mientras el resto asentía con la cabeza.

—Gracias.

—Sam está en mi clase de tercera hora —comentó Tom O'Brian—. Tiene verdadero talento, es un actor nato. ¿Cómo se encuentra?

—Mejor de cuanto sería de esperar —contestó Bonnie, que todavía no sabía cómo interpretar el comportamiento de Sam. La policía les había devuelto el coche de Joan, y Sam se había ofrecido alegremente a llevar y recoger a su hermana al colegio de Newton durante el resto del curso escolar—. ¿Conocías a su madre?

—La conocí en noviembre, en las entrevistas con los padres. Parecía bastante agradable. —Tom O'Brian meneó la cabeza—. Qué suceso tan tremendo. Cuesta de creer.

No parecía que hubiera algo más que decir, y la habitación quedó en silencio. Poco a poco, todos volvieron a lo que estaban haciendo antes de la entrada de Bonnie. Ella cogió una parte del *The Boston Globe* que había sobre la mesa de café, enfrente de su butaca, y se puso a hojear el periódico, aliviada al ver que su nombre no aparecía ya en él. Otros asesinatos, más sangrientos, más sensacionales, habían convertido su caso en una noticia pasada: un suicidio-asesinato en Waltham; un tiroteo efectuado desde un coche en Newbury Street; una pareja apuñalada mientras tomaba el postre en una cafetería de moda.

Bonnie hojeó rápidamente la sección de sociedad, leyendo por encima las recetas de bizcochos de chocolate y nueces *light* y compota de manzana rica en fibra, ignorando un artículo sobre el sexo en la tercera edad, y centrando su atención en los «Apuntes Domésticos», una columna de consejos que compartían dos médicos: la doctora Rita Wertman, especialista en medicina general, y el doctor Walter Greenspoon, psicólogo familiar.

¿Qué hacía el nombre del doctor Greenspoon en la agenda de Joan Wheeler?

Querido doctor Greenspoon —empezaba la primera carta—. *Tengo una hija de siete años hiperactiva que nos está volviendo locos a mi marido y a mí. Se niega a levantarse por la mañana, grita cuando la llevo al colegio y no quiere cenar ni irse a la cama. Mi marido y yo estamos agotados, y nos peleamos constantemente. Me temo que nuestro matrimonio no soportará esta situación mucho más, y no sé qué hacer.*

Querida madre frustrada —empezaba la respuesta del doctor Greenspoon—. *Su marido y usted necesitan aprender a actuar como unidad...*

—Disculpe, señora Wheeler —la interrumpió una voz.

Bonnie levantó la vista, dejando el periódico en su regazo. Josh Freeman estaba de pie delante de ella, alto y delgado, con una tímida sonrisa en los labios y un aire asombrosamente juvenil, aunque había algo en su porte que le recomendaba no acercarse demasiado.

—Hola, señor Freeman —lo saludó Bonnie con torpeza.

—Dijo que le gustaría hablar conmigo.

—En efecto, si no le importa. —Bonnie señaló la butaca que tenía a su lado. Josh Freeman vaciló y luego se sentó—. ¿Qué le parece el instituto Weston? —preguntó Bonnie, sin saber cómo empezar; se sentía tan incómoda como si aquélla fuera su primera cita. ¿Qué estaba haciendo? ¿Por qué le había pedido que hablaran? ¿De qué quería hablar con él en realidad?

—Me gusta mucho —contestó Josh Freeman—. Hay muchos niños con talento, muy creativos. No necesito hacer gran cosa para motivarlos. Pero no creo que ése sea el tema que quería tratar conmigo, ¿verdad?

«Así que no es de esos que les van los cotilleos», pensó Bonnie, y aquél era un rasgo que ella admiraba.

—Me sorprendió verlo en el funeral de Joan Wheeler —se atrevió por fin a decir.

Josh Freeman no contestó.

—No sabía que ustedes fueran amigos.

Él seguía sin responder.

—No me dice nada —se quejó Bonnie contemplando sus labios, casi temerosa de mirarlo a los ojos.

—No me ha preguntado nada —replicó él.

Bonnie sonrió, comprendiendo que tendría que ser más concreta si quería enterarse de algo, aunque no sabía muy bien de qué, y eso la desconcertaba.

—¿Conocía bien a Joan?

—Nos conocimos en noviembre, en una reunión de padres. Después de eso hablamos unas cuantas veces.

—Ella tenía su número de teléfono particular en la agenda.

—Sí, en efecto.

Bonnie inspiró hondo, se obligó a mirarlo a los ojos, y quedó impresionada por su claridad, por la intensidad con que él le devolvió la mirada.

—No me lo está poniendo muy fácil.

—Tampoco lo pretendo —replicó Freeman—. No estoy seguro de adónde quiere ir a parar.

—¿Ha hablado con la policía?

—Sí.

—¿Puedo preguntarle acerca de qué?

—No, no puede —dijo él, imperturbable.

Bonnie notó que se ruborizaba.

—¿Conocía usted mi relación con Joan? —preguntó.

—Sé que usted está casada con su ex marido.

—¿Se lo dijo Joan, o ha sido la policía?

—Me lo dijo Joan.

—¿Qué relación tenía usted con Joan exactamente?

—No creo que eso sea asunto suyo —dijo Josh Freeman mirando hacia el enorme reloj de pared—. El timbre está a punto de sonar. Tengo que irme.

—Nos quedan cinco minutos.

—¿Qué quiere saber acerca de mi relación con Joan?

—Así que había una relación —sentenció Bonnie.

Freeman no replicó.

—¿Le habló alguna vez de mí? —preguntó Bonnie—. ¿O de mi hija? ¿Le dijo alguna vez que creía que estábamos en peligro?

Una mirada de preocupación apareció en los ojos de Josh Freeman, y luego desapareció.

—No sé adónde quiere llegar —dijo poniéndose en pie—, y esta conversación empieza a resultarme muy incómoda. Tengo que irme a mi clase, de verdad.

Bonnie se levantó también.

—¿Podemos hablar después de las clases?

—Creo que no.

—Por favor.

—Ya veremos —dijo Freeman, claramente herido. Antes de que Bonnie tuviera tiempo de protestar, él se había marchado.

Bonnie respiró hondo y abrió la puerta de su aula. Los alumnos que todavía estaban agrupados delante de la larga ventana lateral corrieron a ocupar sus asientos. Formaban un grupo variopinto: melenas y tejanos y miembros con aros; un número casi igual de chicos y chicas de familias relativamente acaudaladas, decididos a parecer todo lo miserable que fuera posible, sus inexpresivos ojos reflejando un cinismo colectivo poco acorde con su edad. «¿Qué había ocurrido con los maravillosos dieciséis años?», se preguntaba Bonnie.

Hubo algunas risitas, y muchas miradas nerviosas, mientras Bonnie escrutaba los rostros de los veinticuatro alumnos de su clase de lengua de primera hora. Desde el fondo del aula, Haze guiñaba los ojos y movía la cabeza arriba y abajo, como un muñeco de ventrílocuo. Bonnie se acercó a su escritorio, en la parte delantera del aula, y se sentó en el borde de la silla, revisándolo rápidamente para asegurarse de que todo se encontraba como ella lo había dejado. La pizarra estaba limpia; el tablón de anuncios de la pared este seguía igual, surtido de mapas, letreros y carteles. «LITERATURA A TRAVÉS DE LOS TIEMPOS, 1400-1850», rezaba uno de los letreros. Junto a él había varios carteles dibujados por los alumnos que ilustraban algunos de los temas de estudio de las clases: *El guardián entre el centeno, Sé por qué canta el pájaro enjaulado, Cyrano de Bergerac, Macbeth.*

—¿Qué hicisteis la semana pasada con mi sustituto? —preguntó levantando su ejemplar de *Macbeth* de la mesa.

—Nada del otro mundo —dijo alguien, y se echó a reír.

—*Out out, damned spot* —bramó Haze. Más risas.

—Era bastante incompetente —dijo una de las chicas desde la primera fila—. La mayor parte del tiempo se limitaba a hacernos trabajar solos.

—Perfecto. Entonces no tendréis excusas para no entregarme los trabajos hoy —recordó Bonnie a una serie de sonoros gruñidos—. Mientras tanto, buscad la página setenta y dos.

Una mano se levantó y se agitó en el aire.

—Dime, Katie.

—¿Qué se siente al descubrir un cadáver? —preguntó la chica con aire de timidez.

Hubo un momento de silenciosa perplejidad. Bueno, era normal que sintieran curiosidad, admitió Bonnie. Lo habían leído en los periódicos, se habían enterado del asesinato de Joan, sabían que ella había descubierto el cadáver.

—Horrible —contestó Bonnie a la chica—. Es horrible.

—¿Estaba frío el cadáver? —preguntó otra alumna.

—Sí, estaba frío —contestó Bonnie.

—¿Lo hizo usted? —era una voz masculina y deliberadamente provocativa. Bonnie supo que pertenecía a Haze sin necesidad de mirarlo.

—Lamento mucho decepcionarte —dijo Bonnie, bregando

para mantener un tono de voz calmado—, pero la respuesta es no. Ahora creo que deberíamos buscar la página setenta y dos. —Pasó las hojas del pequeño texto, con manos temblorosas—. El monólogo de *Macbeth*, al principio de la página.

Echó una ojeada por la ventana, contenta con el avance de la primavera. Pese a la temperatura, todavía fría para esa época del año, los árboles estaban echando brotes, algunos incluso ya en flor. Parecía como si alguien hubiese pasado el dedo por un dibujo a tiza, pensó, emborronando los bordes de las ramas para sumirlas en una suave neblina verdosa. Bonnie reconoció que era su estación favorita mientras contemplaba a varias niñas que corrían por el extenso campo de atrás; sin duda llegaban tarde a clase. A una de ellas se le cayó una libreta y tuvo que retroceder para recogerla; Bonnie la siguió con la mirada, vio cómo la niña se inclinaba y se le subía la corta falda negra que llevaba, descubriendo unos pantalones cortos de cuadros. Bonnie sonrió, y cuando se disponía a centrar de nuevo su atención en el texto otra cosa llamó su atención: había un hombre de pie en el extremo del campo, semioculto entre los árboles. «¿Estaba observando a las niñas?, —se preguntó Bonnie—. ¿O alguna otra cosa?»

Se acercó a la ventana, se inclinó hasta casi pegar la nariz al cristal. El hombre, como si hubiese notado que era observado, se apartó de los árboles y salió de las sombras, lo que permitió a Bonnie tener una visión más clara de él. Llevaba cazadora marrón y pantalones tejanos, y unas grandes gafas de sol que le tapaban gran parte del rostro. Gafas de espejo, comprobó Bonnie. Contuvo la respiración y dio un paso atrás, tropezando con el pupitre de uno de sus alumnos.

—¿Se encuentra bien, señora Wheeler? —preguntó alguien.

—Tracey, sustitúyeme hasta que yo vuelva —dijo Bonnie, que ya se encaminaba hacia la puerta—. Podéis repasar vuestras redacciones —sugirió.

—¿Qué ocurre? —susurró alguien.

—¿Quién es ese tipo? —preguntó otro.

Bonnie caminó deprisa por el pasillo, observando el letrero que prohibía correr dentro del instituto, hasta que llegó a la puerta principal. La abrió y echó a correr por el campo hacia los árboles donde había visto al hombre.

Ya no estaba allí.

Bonnie se detuvo, se volvió, dio otra media vuelta. «¡Maldita sea», pensó, con lágrimas de rabia corriéndole por las mejillas. No estaba dispuesta a permitir que le hiciera esto. No pensaba aceptar que empezara con ese tipo de bromas.

—¡Nick! —gritó, y el viento transportó su voz por el campo, como un balón de fútbol americano atrapado bajo el brazo de un *quarterback*—. ¿Dónde estás, Nick? Sé que estás aquí. Te he visto.

Oyó unos pasos. Bonnie se volvió, entrecerró los ojos para protegerse del sol y vio a un hombre que caminaba con paso perezoso hacia ella. Haciendo visera con la mano, se esforzó para vislumbrar el rostro de aquel hombre.

—¿Le ocurre algo? —preguntó el individuo.

Bonnie supo que no era Nick antes incluso de verle. La voz no encajaba. Sonaba amable y solícita, dos adjetivos que jamás aplicaría a su hermano.

Bonnie se le acercó. Era moreno, de mediana edad, e iba vestido con el uniforme gris de vigilante del centro.

—¿Ha visto a un hombre merodeando por aquí? —Señaló hacia los árboles—. Alto, rubio, con gafas de espejo —continuó, convencida de aquello de las gafas, aunque en realidad no estaba muy segura. A Nick siempre le habían gustado las gafas así. De esa forma, no se le veían los ojos. «Que son el espejo del alma», pensó. Sólo que su hermano carecía de alma.

El vigilante meneó la cabeza.

—No, lo siento. No lo he visto. Pero le aseguro que no me gusta la idea de que alguien ande rondando por aquí. Tendré los ojos bien abiertos. Se lo aseguro.

Bonnie echó un último vistazo, y luego regresó de mala gana al instituto, consciente de que sus alumnos la observaban desde las ventanas del aula. Quizá se había equivocado. Tal vez no era Nick. ¿Qué iba a hacer él allí? No, seguro que había sido una jugarreta de su imaginación. Una sombra que ella había convertido en una silueta humana, como un trozo de arcilla. En realidad no había nadie allí. Pero algunos de sus alumnos también lo habían visto. Recordaba muy bien a uno de ellos preguntando: «¿Quién es ese tipo?»

—Se largó en cuanto usted salió —dijo Haze al entrar Bonnie en el aula.

—¿Viste adónde iba? —preguntó Bonnie.

—Hacia el aparcamiento —contestó alguien.

—¿Quién era? —preguntaron varias voces al unísono.

Bonnie levantó las dos manos.

—Alguien que creí reconocer. En fin, no importa. Volvamos a la página setenta y dos, por favor, y empecemos con ese monólogo.

Finalizada la clase, Haze se le acercó sin prisa, con una mano en uno de los bolsillos delanteros de sus tejanos negros, y en la otra una carpeta de la que sobresalían unas hojas de papel en blanco. Se detuvo a sólo unos centímetros de su rostro, con el olor omnipresente de la marihuana cubriéndolo como una segunda piel.

—Mire, señora Wheeler —dijo—, todavía no he podido hacer esa redacción, y necesito un poco de tiempo.

—Has tenido más que suficiente —le recordó Bonnie.

—Verá, la pasada semana fue un poco ajetreada, con el asesinato y todo eso —dijo.

Bonnie abrió la boca para hablar, pero la cerró de inmediato. ¿De verdad estaba utilizando el asesinato de la madre de su amigo como excusa para no haber terminado su trabajo de lengua a tiempo? ¿Y de verdad se sentía sorprendida por ello?

—Me parece que no te entiendo.

—Necesito más tiempo.

—Ya conoces las normas, Haze. Por cada día que te retrasas en entregar el trabajo, te rebajo un punto.

—Mire, necesito aprobar este curso como sea.

—Entonces empieza a trabajar como sea.

—No sea tan coñazo —murmuró Haze entre dientes.

—¿Cómo has dicho?

—La madre de Sam era un coñazo —prosiguió Haze mirándola fijamente—. Y mire lo que le ha sucedido.

Por un momento, Bonnie se quedó demasiado atónita para contestar.

—¿Qué intentas decirme? —preguntó al fin.

—Necesito aprobar este curso como sea —repitió él, y salió del aula.

Al final de la larga jornada, Bonnie se sentó en la sala de profesores. Se bebió la tercera taza de café e intentó relajarse. No estaba hecha para toda aquella intriga. Le gustaban las cosas sencillas y directas. Nada de andarse por las ramas, nada de ambigüedades. Era una de las razones por las cuales siempre había tenido problemas con los poemas. «¿Por qué no dicen lo que quieren decir y basta?», se preguntaba a menudo, lo mismo que se planteaba en ese momento. Pensó en Josh Freeman, y en su negativa a confiar en ella; en su hermano, escondido entre los arbustos como un supuesto pervertidor de menores, y en Haze, con sus veladas amenazas.

Seguro que debería llamar a la policía, informarles de aquellos extraños comentarios, aunque dudaba de conseguir algo con eso. La policía había dejado claro que ella todavía era su principal sospechosa. «¿Qué hay del peligro de que Joan me habló? —les preguntaba Bonnie sin cesar—. El peligro que corríamos mi hija y yo.» A eso no respondían. ¿Nadie podía proporcionarle alguna respuesta satisfactoria?

Consultó su reloj. Eran más de las tres. ¿Dónde estaba Josh Freeman? ¿No había accedido a hablar otra vez con ella después de las clases?

En realidad, no; tenía que admitirlo. No había accedido a nada por el estilo. De hecho, se había mostrado reacio a hablar de nuevo con ella, y al presionarlo Bonnie, se había limitado a ofrecer un socorrido «Ya veremos» poco entusiasta.

Bonnie echó un vistazo a la habitación; el sol de la tarde arrojaba su luz sobre las espantosas cortinas azul y beige recogidas a ambos lados de la larga ventana. Anthony Higuera, el profesor de español, estaba sentado en un rincón corrigiendo ejercicios; Robert Chaplin, profesor de química, leía el periódico y meneaba la cabeza. No vio a Josh Freeman por parte alguna.

«Era un hombre interesante», pensó Bonnie; un enigma, agradable pero reservado, aunque había algo en sus ojos que le hacía creer que no siempre había sido así. Desde su llegada a Weston Hights apenas se había relacionado con nadie, como si le diese miedo dejar que la gente se le acercara demasiado. Bonnie recordaba que alguien comentó que su esposa había muerto en un accidente horrible; pero, por lo que sabía, él nunca hablaba con nadie de eso, ni de ningún otro aspecto de su vida privada «¿Qué parte de su vida privada —se preguntó—, había compartido él con Joan?»

Quizá la estuviera esperando en su aula, especuló Bonnie; se puso en pie de un brinco, con tal ímpetu que estuvo a punto de derribar la silla. Desde luego valía la pena mirar; abandonó la sala de profesores y echó a andar por el pasillo hacia la escalera de la parte trasera de la escuela. Aunque no estuviera esperándola, quizá se lo encontrara por el camino...

—Señora Wheeler —llamó una voz. Bonnie se detuvo y volvió la cabeza, una de las secretarias, una joven rolliza vestida de rojo de pies a cabeza, corría detrás de ella. «Un tomate con piernas», pensó Bonnie. La mujer se le acercó, con la mano puesta sobre el corazón para calmar su agitada respiración—. Suerte que la he encontrado.

—¿Ocurre algo?

—Han llamado por teléfono de la guardería de su hija. Quieren que les llame cuanto antes. Dicen...

Bonnie no dio ocasión a que la fatigada joven terminara su frase. Echó a correr hacia la oficina en busca del teléfono más cercano.

—¿Hay algún problema? —preguntó Ron Mosher, que salía de su despacho a la sala de espera.

—Con Claire Appleby, por favor —dijo Bonnie por el auricular agradeciendo el interés del director con un ligero movimiento de hombros—. Dígale que soy Bonnie Wheeler.

—Hola, señora Wheeler —dijo la voz de Claire Appleby un segundo más tarde—. Gracias por llamar pronto.

—¿Qué sucede? ¿Y Amanda?

—Ahora ya está bien. No quiero que se alarme.

—¿Qué quiere decir con eso de que ahora ya está bien?

—Se ha producido un incidente.

—¿Un incidente?

—Tranquilícese, su hija no ha sufrido daño...

Si la mujer dijo algo más, Bonnie no llegó a oírlo: Había soltado el auricular y corría hacia el pasillo para ir a por su coche.

10

La escuela en que se encontraba la guardería de Amanda era un edificio de ladrillo rojo de dos plantas con muchas ventanas, situado en School Street. Por lo general, Bonnie tardaba dos minutos en coche para llegar desde Weston Hights; llegó en menos de sesenta segundos.

Entró por el largo camino que conducía hasta el edificio, estacionó con un frenazo en el aparcamiento que había junto a la escuela y luego corrió por el pequeño callejón, al que llamaban Calle del Alfabeto, hasta llegar a la guardería, situada en la parte trasera de la escuela, junto al parque infantil.

Bonnie, que divisó de inmediato a su hija a través de una ventana abrió la puerta de vidrio con bastante más fuerza de la necesaria, de tal forma que estuvo a punto de caerse en la gran sala. Amanda, sentada a una mesa en miniatura, jugando con un montón de bloques de construcción de colores, levantó la vista.

—¡Mami! —gritó la niña, con la voz rebosante de placer.

Amanda tenía puestos unos pantalones con peto azules y un jersey rojo que Bonnie no reconoció, y el rubio cabello recogido y sujeto con dos pasadores rojos. ¿No le había puesto ella un mono verde de algodón aquella mañana? ¿De quién era la ropa que Amanda llevaba?

Una de las empleadas de la guardería, una joven de oscuro cabello rizado y con un vestido amarillo canario, estaba sentada en una sillita junto a Amanda. Bonnie exprimió su memoria para recordar el nombre de aquella mujer, y acudió a su mente en el momento en que Amanda se le acercaba dando brincos.

—¿Qué ha ocurrido Sue? —preguntó Bonnie a la mujer mientras abrazaba a Amanda y examinaba el rostro y el cuerpo de la niña en busca de alguna señal o magulladura, palpando aquella ropa extraña.

—Un señor malo me ha tirado una cosa —se anticipó Amanda.

—¿Cómo dices? ¿Quién te ha tirado una cosa? ¿Qué te ha tirado?

—Voy a buscar a la señora Appleby —se ofreció la empleada de la guardería—. Dijo que la avisáramos en cuanto usted llegara.

—¿Estás bien? —pregunto Bonnie a su hija, acariciando con mano temblorosa las delicadas líneas del rostro de la niña, con el corazón latiéndole a toda velocidad en el pecho. Debía tranquilizarse. Tenía que conservar la calma, por lo menos hasta enterarse de qué había pasado exactamente.

Alguien había tirado algo a su hija. Alguién había intentado hacer daño a su inocente niñita. No, eso era imposible. Tenía que tratarse de un accidente. ¿Por qué iba a querer alguien lastimar a una niña de tres años?

«Estáis en peligro —la había avisado Joan—. Tú y Amanda.»

—No —susurró al tiempo que se erguía. No podía ser.

—¿Qué, mami?

—Hola, señora Wheeler —dijo Claire Appleby, y Bonnie se asustó, pues no la había visto ni oído llegar—. Lamento mucho lo ocurrido. —Claire Appleby era una mujer de mediana edad, alta, con el pecho plano y anchas caderas. Llevaba un sencillo vestido camisero azul pálido que por desgracia acentuaba ambas cosas.

—¿Qué ha ocurrido? —Bonnie se fijó en una cosa pegajosa que cubría unos pocos cabellos detrás de la oreja izquierda de Amanda.

—Quizá sería conveniente que Sue se llevara a Amanda fuera —sugirió Claire Appleby con delicadeza.

Amanda se agarró con más fuerza al cuello de su madre, amenazando con cortarle el suministro de aire. «Como una boa constrictor», pensó Bonnie, inquieta, soltando con suavidad los brazos de la niña.

—No pasa nada, cariño —dijo a Amanda, bajándola al suelo—. Serán sólo unos minutos. Luego iremos a comprar un helado.

—¿De fresa?

—De lo que tú quieras.

—Un señor malo me ha tirado sangre por encima.

—¿Qué?

—Sue —dijo Claire Appleby, que atusó con mano nerviosa su cabello rubio—, llévate a Amanda al parque, por favor.

—Quiero ir a los columpios —especificó Amanda.

—Te echo una carrera —dijo Sue.

El parque infantil estaba equipado con un enorme laberinto, tres toboganes de diferentes formas y tamaños, un cajón de arena gigantesco y varios columpios. Bonnie vio que Sue sujetaba bien a su hija en uno de los columpios más pequeños; entonces cayó en la cuenta de que estaba conteniendo la respiración, y notó una dolorosa tensión en el pecho. Quería exigir respuesta para todas las preguntas que le aporreaban el cerebro, pero se había quedado muda. Las lágrimas corrían ya por sus mejillas, le bajaban por el cuello y desaparecían bajo el cuello de su blusa blanca. «¡No llores! —se exhortó a sí misma—. No es momento de lágrimas.»

—No ha sido tan grave como parece —le aseguró Claire Appleby de inmediato.

—¿Qué es exactamente lo que ha ocurrido? —susurró Bonnie, como si cada palabra fuera un cuchillo que se le clavara en la garganta.

—Ya sabe que vigilamos muy atentamente a los niños...

—Eso ya lo sé. Por ello no comprendo...

—Lo lamento mucho, señora Wheeler. Me doy cuenta de lo disgustada que está. Sé que ha pasado unos días espantosos. Lo he leído en los periódicos...

—Dígame qué es exactamente lo que ha ocurrido, por favor —la interrumpió Bonnie.

—Los niños estaban fuera, en el parque infantil —empezó Claire Appleby sin más demora—. Sue y Darlene se encontraban con ellos. Por lo visto, Amanda se acercó hasta el callejón. Después explicó a Sue que alguien la había llamado por su nombre.

—¿Que alguien la había llamado?

—Eso aseguró.

—¿Dijo quién?

—No lo sabía. Al parecer, quienquiera que fuese llevaba una capucha o algo parecido, y en cuanto Amanda se le acercó lo suficiente, le vació un balde en la cabeza.

—¿Un cubo lleno de... sangre? —preguntó Bonnie con incredulidad.

—Creemos que era sangre —dijo Claire Appleby con tono pausado. No estamos seguras. Era un líquido rojo oscuro, y al principio creímos que se trataba de pintura, pero... —No terminó la frase.

—¿Pero?

—No era pintura. Sue estuvo a punto de desmayarse al ver a Amanda, porque pensó que se había caído y se había abierto la cabeza. No nos dimos cuenta de que en realidad no se había hecho daño hasta que terminamos de lavarla. Tenía el rostro y la ropa manchados. Hemos guardado la ropa en una bolsa de plástico —añadió Claire Appleby.

—Espere un momento —pidió Bonnie, que necesitaba ordenar los hechos en su mente—. ¿Está diciéndome que había un extraño en el callejón con una capucha y un cubo lleno de sangre y que nadie lo vio?

—Me temo que sí —reconoció Claire Appleby.

Bonnie notó que le flaqueaban las piernas; pensó que se caía y buscó algo en que sujetarse. No lo encontró. Se tambaleó y tropezó con una de las mesitas.

—¿Por qué no se sienta? —Claire Appleby la ayudó a sentarse en una de aquellas sillas en miniatura e intentó ella lo mismo, pero su amplio trasero se negó a entrar en el pequeño asiento.

—Amanda se encuentra bien —repitió—. Sólo se asustó.

Desconsolada, Bonnie echó un vistazo a la sala, observando distraída los diversos y originales móviles que colgaban del techo, las grandes letras del abecedario de papel que recorrían las paredes, los llamativos pósters de animales salvajes, las cajas de juguetes, las series de sencillos dibujos hechos con pintura de dedos, pegados en la pared del fondo.

—¿Cuánto hace que ha ocurrido?

Claire Appleby consultó su reloj.

—No mucho. Unos veinte minutos. Media hora como máximo. La hemos avisado por teléfono en cuanto hemos terminado de lavar a Amanda.

—¿Han llamado a la policía?

Claire Appleby vaciló.

—Decidimos hablar primero con usted. Redactaremos un informe, por supuesto.

—Creo que deberíamos llamar a la policía —declaró Bonnie, mirando a través de la ventana a su hija, que se reía y chillaba de alegría mientras se balanceaba en el aire, el desagradable incidente desterrado y olvidado.

—¿Tiene idea de quién puede haber sido? —preguntó el capitán Mahoney. Detrás de él estaba su amigo, el detective Haver de la policía de Weston. Según el capitán Mahoney, como aquel último incidente había ocurrido en Weston, y no en Newton, técnicamente estaba fuera de su jurisdicción.

Bonnie negó con la cabeza. ¿Por qué se lo preguntaba? ¿Cómo iba a saber ella quién podía haber hecho una cosa tan espantosa?

—¿Cree que deberíamos llevarla al hospital para que le hicieran un análisis de sida? —preguntó Bonnie.

—¿Por qué no esperamos a que analicen la sangre? —sugirió el capitán Mahoney con amabilidad—. Lo más probable es que no sea humana.

—¿Qué quiere decir?

—En esta zona hay muchas granjas, señora Wheeler —le recordó el detective Haver, un hombre robusto, de mediana estatura y la piel color chocolate oscuro—. En Easton hay varias granjas donde incluso sacrifican su propio ganado.

—¿En Easton? —repitió Bonnie, perpleja.

—Su padre vive en Easton, ¿no es así? —comentó con aire distraído el capitán Mahoney.

«Demasiado distraído», observó Bonnie, y se estremeció

cuando recordó a su hermano, escondido entre los árboles detrás del colegio, pocas horas antes.

—¿Han hablado con él? —preguntó Bonnie.

—Unas palabras.

—¿Y con mi hermano?

—Sí, también hemos hablado con él.

—¿Les han dicho algo interesante?

—¿Por qué no se lo pregunta a su hermano?

Bonnie tragó saliva, miró a su hija, que se había colgado boca abajo en una de las altas barras del laberinto, mientras la empleada de la guardería, nerviosa, no se apartaba de ella con los brazos como red.

—Mi hermano y yo no nos llevamos muy bien, capitán —dijo Bonnie.

—¿Puedo preguntar por qué razón?

—Ya vio el álbum de recortes de Joan —le recordó Bonnie—. Yo diría que la respuesta es evidente.

—¿Cree que él tuvo algo que ver con la muerte de Joan Wheeler?

—¿Y usted?

—Su hermano tiene una coartada para la hora en que Joan Wheeler fue asesinada —dijo el capitán.

—¿Ah, sí?

—Parece sorprendida.

—De mi hermano nada me sorprende.

—Y ahora parece disgustada.

—Creo que será mejor que cierre el pico —dijo Bonnie contemplando la sonrisa del capitán Mahoney. «Quiere que le caiga bien —pensó Bonnie—. Quiere creer que yo no tuve nada que ver con la muerte de Joan.»

—¿Tiene usted algún motivo para pensar que él pudiera estar involucrado en lo que ha ocurrido aquí esta tarde?

—¿Por qué querría Nick hacer daño a mi hija? Ni siquiera la conoce —dijo Bonnie, hablando más para sí misma que para los policías. Y sin embargo, esa misma mañana había estado a pocas manzanas de allí. ¿Sería él aquel peligro del cual Joan intentó avisarla?

¿Qué le hacía resistirse a comunicar aquella información a la policía? ¿Acaso todavía intentaba proteger a su hermano pequeño?

«Eres tan buena», oyó susurrar a su madre. Bonnie se libró de aquella voz agitando la cabeza.

—¿Cree que lo ocurrido a Amanda podría no ser más que una estúpida broma de adolescentes? —preguntó Bonnie esperanzada, dejando la lógica de lado por completo.

El capitán Mahoney se aflojó la corbata de rayas rojas y negras, y se soltó el cuello de la camisa blanca separándolo de su prominente nuez.

—Tal vez alguien ha leído sobre usted en los periódicos y ha decidido divertirse un poco a su costa —dijo el capitán Mahoney, pensando en voz alta—. Hay muchos chalados sueltos, incluso en un refugio que se supone tan seguro como Weston.

Bonnie asintió con la cabeza. Era innegable que tenía razón. Ya no había un sitio verdaderamente seguro, ni siquiera un «refugio seguro» como Weston, adonde se habían mudado al quedarse Bonnie embarazada. Quizá Boston no era el mejor sitio para criar una familia, habían decidido ella y Rod con pesar, y eligieron Weston porque, pese a encontrarse tan cerca de la ciudad, allí se sentía más la proximidad del campo. Cada casa contaba con media hectárea de terreno, había muchos árboles y estanques y el aire no estaba contaminado. El lugar ideal para criar una familia. A sólo quince minutos del centro. A la vuelta de la esquina de sus amigos Diana y Greg. Lo bastante lejos de Newton y de Joan. Y más lejos aún de Easton y de lo que quedaba de la familia de Bonnie.

Pero Diana y Greg se divorciaron poco después del nacimiento de Amanda, y Diana pasaba la mayor parte del tiempo en la ciudad. Y por lo visto nada estaba demasiado lejos de sus parientes ni de la ex mujer de Rod. «El pasado está siempre más cerca de lo que uno cree», reflexionó Bonnie.

—Perdone, ¿me ha preguntado algo? —dijo Bonnie al darse cuenta de que no estaba prestando atención.

—Le he preguntado si es usted una profesora popular —repitió el capitán.

—¿Popular?

—¿Cae bien a sus alumnos, señora Wheeler?

—Eso... creo —tartamudeó—. Al menos es lo que deseo creer —especificó de inmediato, y se acordó de Haze. Se lo imaginó avanzando hacia ella, deteniéndose a unos pocos centímetros de su rostro. ¿Sería el responsable del ataque a su hija? ¿Tendría algo que ver con la muerte de Joan? ¿Sería Haze el peligro que Joan decía?

—Hay un alumno —prosiguió al cabo de unos segundos—: Harold Gleason. Todos lo llaman Haze. Va a mi clase de primero de lengua. De un tiempo a esta parte me ha causado algunos problemas, y conocía a Joan. Es amigo de Sam, mi hijastro —añadió, y la palabra se resistió a adaptarse a su lengua. Contó al capitán qué le había dicho Haze esa misma mañana, y vio como el policía anotaba aquella última información, con el rostro vacío de toda expresión, para mayor frustración de Bonnie.

—¿Sabe la dirección de Harold Gleason? —preguntó.

Bonnie cerró los ojos e intentó visualizar la dirección escrita en la ficha del alumno.

—Marsh Lane, número dieciocho —dijo por fin, respirando entrecortadamente—. Easton.

11

Bonnie llevaba más de una hora conduciendo por las amplias y tortuosas calles de Easton. Muchas de ellas se llamaban igual que las de Weston: Glen Road, Beach Road, Country Lane, Concord Street, entre otras. Las conocía todas. No habían cambiado en aquellos tres años largos que no iba por allí; de hecho, apenas habían cambiado desde que ella era niña. ¿Qué hacía allí? No tardaría en anochecer. Debería marcharse a casa. ¿Qué esperaba conseguir yendo hasta allí?

La policía le había dicho que se encargaría de Haze, que ella se preocupara de su hija, que le comprara el cucurucho de helado que le había prometido. Bonnie siguió sus consejos, y a continuación llevó a Amanda a su médico de cabecera, quien la examinó a conciencia y concluyó que se encontraba en perfecto estado de salud; además aconsejó a Bonnie que no sometiera a la pequeña a un análisis, de momento. La niña había visto ya suficiente sangre, opinó el médico. Así que la llevó a casa.

Al abrir la puerta principal se sintió como una intrusa inoportuna, recibida por una hostil música rap a todo volumen procedente de los dormitorios de la planta superior. Intentó hablar por teléfono con Rod, pero le dijeron que estaba grabando una promoción y que no se le podía interrumpir, así que entretuvo a Amanda en la mesa de la cocina con unas hojas de papel y una caja de lápices, e intentó pensar qué les gustaría, a Sam y Lauren, para cenar. Se decidió por unos macarrones caseros con queso. «A todos los niños les encantan los macarrones», pensó, y se preguntó si el camino que lleva al corazón de un niño sería tan claro como el que lleva al corazón de un hombre.

Rod telefoneó justo cuando se sentaban a cenar y le dijo que llegaría tarde, que se comería un bocadillo en el estudio; después le preguntó si no le importaba quedarse sola con los niños. Bonnie oyó que Amanda reía, se volvió y vio a Sam haciendo muecas a los macarrones, mientras Lauren sonreía con aire indulgente. Al cabo de un segundo, los tres hacían muecas a los macarrones, una situación que habría horrorizado a la madre de Bonnie, pero que a ella le hizo sentir algo muy cercano al orgullo: su cena había sido un éxito. No, dijo a Rod, no habría problemas.

Después de cenar, Bonnie acostó a Amanda. Luego llamó por teléfono a Mira Gerstein, una anciana que vivía en la misma calle, para pedirle que hiciera de canguro. No tardaría mucho, le dijo la señora Gerstein, y se preguntó adónde pensaba ir, qué iba hacer. «Manténte al margen», oyó la recomendación de Rod mientras subía a su coche y salía del camino hacia Winter Street. Pero ¿cómo quedarse sentada en casa sin hacer nada cuando su hija estaba en peligro? ¿Acaso podrá reconstruir su familia sin haber proporcionado descanso al fantasma de Joan, descubriendo a su asesino? Sólo entonces podrían seguir adelante; sólo entonces estarían seguros.

—A ver, ¿qué se supone que estás haciendo? —se preguntó Bonnie en voz alta, torciendo de nuevo hacia Marsh Lane, conduciendo a poca velocidad por delante de las viejas casas de madera que interrumpían el paisaje de forma irregular, con la mirada atenta por si aparecía el número 18.

Era la casa más vieja de aquella corta calle, o por lo menos lo parecía; el abandono la cubría como una segunda capa de pintura. Haze vivía en aquella casa con sus abuelos maternos; su madre lo había abandonado después de ser abandonada a su vez por su marido. Bonnie aminoró aún más la velocidad hasta circular al paso de un hombre, e intentó vislumbrar el interior de la casa de una sola planta a través de las ventanas sin cortinas; no parecía que hubiera nadie dentro, aunque en el camino había un viejo Buick azul. «¿Qué coche lleva Haze?», se preguntó. Detuvo el vehículo y reflexionó sobre si debía bajar, llamar a la puerta y hablar con los abuelos de Haze, a quienes no recordaba haber conocido.

«¿Y qué conseguiría yo con eso?», se preguntó. Entonces pisó de nuevo el acelerador. ¿Qué quería preguntarles? ¿Adónde iba su nieto al salir del instituto? ¿Si habían notado algo raro en su comportamiento últimamente? ¿Si lo creían capaz de haber cometido un asesinato?

Sí, mujer. Fantástico. Era una excelente detective. «Deja que se encargue la policía», le había aconsejado Rod, y tenía razón. Ella había cumplido con su obligación diciéndoles cuanto sabía.

Sólo que no les había dicho todo lo que sabía.

Torció por Spruce Street, luego de nuevo por Elm Street, y de nuevo por Cherry. No les había contado la visita de su hermano al instituto. Torció de nuevo por Meadow Road, y detuvo el coche al final de la larga calle.

Otras dos manzanas a la derecha y otra a la izquierda, y llegó a la vieja casa de ladrillo en que había crecido, la casa que su madre había legado a su hermano. Nick le dio la vuelta al testamento y vendió la casa a su padre.

Un giro más a la derecha, luego otro, y después uno más a la izquierda, y habría llegado. Bonnie decidió no ir, pero sabía que estaba en camino, que era hacia aquella casa, aquella casa encantada, llena de esqueletos y fantasmas, hacia donde se dirigía desde el principio.

Puso el coche en marcha y condujo como si llevara piloto automático, sin apenas tocar el volante con los dedos. No había vuelto a aquella casa desde la muerte de su madre, y hasta se resistía a pensar en ella a nivel consciente, aunque a veces, cuando cerraba los ojos antes de dormirse, reaparecían las oscuras paredes de su infancia, cerniéndose sobre ella, como una losa sepulcral. Y entonces era cuando veía el abigarrado papel pintado con motivos florales al que siempre había culpado del olor ligeramente empalagoso que impregnaba las habitaciones.

«¿Qué hago aquí?», se preguntó Bonnie al detener el coche delante del número 422 de Maple Road, y por un momento pensó que se había equivocado, que había torcido por otra calle. «¿Qué han hecho?», preguntó. Bajó del coche, y sus pies vacilaron al pisar la calzada.

Habían pintado el ladrillo rojo exterior de color gris, y había postigos blancos en todas las ventanas. Había pensamientos de llamativos colores en dos grandes macetas de barro a ambos lados de la puerta principal, blanca, y también en una larga jardinera colgada en la ventana de la cocina. El aroma de la hierba recién cortada flotaba hacia su nariz mientras Bonnie avanzaba lentamente hacia el camino del jardín. «¿Qué hago aquí?», se preguntó una vez más, y pensó que todavía estaba a tiempo de dar media vuelta, que nadie la había visto, que podía meterse en el coche y marcharse sin que nadie se enterara.

De pronto, la puerta principal se abrió y una mujer apareció en el rellano exterior, observando a Bonnie, como si se hubiese percatado de su presencia hacía rato.

—Dios santo —dijo la mujer—. Pero si eres tú.

—Hola, Adeline —la saludó Bonnie, asombrada de que su voz sonara tan fuerte. Se paró, y sus pies echaron raíces.

—Me ha parecido que eras tú cuando he visto el coche. Y le he dicho a Steve: «Creo que tenemos visita. Me parece que es Bonnie.»

—¿Y qué ha dicho él? —preguntó Bonnie.

La mujer se encogió de hombros

—Ya conoces a tu padre. No habla mucho.

Bonnie asintió con la cabeza, sin saber si debía quedarse donde estaba o seguir subiendo por el camino. Se dio cuenta de que sus pies no daban señales de estar dispuestos a cooperar.

—Después de tu llamada pensé que quizá vendrías a vernos —continuó Adeline—. Se lo dije a Steve: «Estoy segura de que Bonnie vendrá a vernos.»

—Aquí estoy —concedió Bonnie.

—Ya lo veo.

—Esto no es fácil para mí —dijo Bonnie.

—No ha de ser tan difícil.

—¿Está mi hermano?

—En este momento, no.

Bonnie notó que se le caían los hombros, aunque no estaba segura de si era de decepción o de alivio.

—¿Por qué no entras y hablas un momento con tu padre? —prosiguió la mujer—. Ya que has venido hasta aquí...

«¿Lo decía con sarcasmo?», se preguntó Bonnie mientras luchaba contra el impulso de dar media vuelta y largarse. Lo cierto era que no conocía demasiado bien a la última mujer de su padre. La había visto de vez en cuando desde su boda, y sólo había hablado con ella cuando no había tenido más alternativa. Igual que el trato que ella recibía de los hijos de Rod. «Quien siembra recoge», pensó Bonnie.

—No mordemos —añadió Adeline Lonergan, revelando al sonreír sus dos hileras de dientes.

Bonnie estaba a punto de decir que no, pero sus pies, en lugar de retroceder hacia la calle, la impulsaron hacia adelante.

—Veo que habéis hecho algunos cambios —comentó Bonnie mientras se acercaba a la puerta principal.

—Ya era hora, ¿no te parece? —Los azules ojos de Adeline casi centelleaban bajo su flequillo gris.

Bonnie estaba demasiado entretenida contemplando el interior de la casa, y no contestó. El abigarrado papel floreado que antes cubría todas las paredes había sido blanqueado. Había paredes blancas por todas partes: los pasillos, la cocina, el salón, el comedor. Unas finas telas verde pálido habían sustituido a las oscuras cortinas de terciopelo en las habitaciones principales, y había pesados muebles de caoba en lugar de los ligeros de arce. El burdeos y el negro habían dejado paso a blancos, amarillos y verdes.

—¿Te gusta? —preguntó Adeline, que invitó a Bonnie al salón, y le indicó que se sentara en el sofá amarillo pálido.

—Es diferente, desde luego —concedió Bonnie, la única concesión que estaba dispuesta a hacer. De hecho, se le había disparado el corazón. Se sentía mareada, atolondrada, como si fuera Dorothy recién aparecida en el mundo tecnicolor de Oz.

—Aquellos colores oscuros eran demasiado opresivos. Y deprimentes —añadió Adeline, acomodándose en una butaca verde menta—. ¿Cómo te va?

Bonnie esperó un segundo para calmarse.

—Muy bien —dijo, sin saber qué le había preguntado.

—Espero que estéis todos bien.

—Sí, gracias. —Bonnie se removió en su asiento. Vio una biblia sobre la mesa del salón, junto a la última edición de *Vanity Fair*—. ¿Y mi padre? —Bonnie miró hacia el pasillo, con la cabeza dándole vueltas, el cerebro incapaz de asimilar los cambios que percibían sus ojos. Sintió que su cuerpo se tambaleaba, se sujetó al brazo del sofá.

—Sabe que estás aquí. Bajará enseguida, supongo. Las vejigas flojas son uno más de los encantos de la tercera edad.

Bonnie asintió con la cabeza, arrepentida ya de haber entrado.

—Tienes muy buen aspecto.

—Vigilo lo que como y procuro no engordar. Tengo una cinta de Debbie Reynolds y con ella hago ejercicio unas cuantas veces por semana; además, tu padre y yo damos largos paseos todos los días.

Bonnie se levantó, se dirigió hacia la ventana y miró hacia fuera, intentando imaginarse a su padre paseando con su madre, pero la imagen se resistía. Él había estado siempre demasiado ocupado para pasear con su madre.

—¿Y tu agencia de viajes?

—Ah, mis hijas se hicieron cargo del negocio hace unos años. Ahora tu hermano trabaja allí.

Bonnie volvió la cabeza hacia la tercera esposa de su padre.

—¿En serio? ¿Y cómo le va?

—Muy bien, por lo que dicen mis hijas. Nick ha cambiado mucho en estos últimos dieciocho meses.

—Espero que tengas razón. —Bonnie consultó su reloj. Eran casi las siete y media—. Mira, he de irme. ¿Querrás decir a mi padre...?

—¿Decirme qué? —preguntó una voz desde el umbral.

Bonnie se volvió de golpe hacia allí.

—Hola, Bonnie.

—Hola, papá —lo saludó Bonnie, y la palabra le pesó en la lengua, como una bola de algodón.

Steve Lonergan cruzó los brazos y echó los hombros hacia atrás, un gesto que Bonnie recordaba de su niñez, y que siempre le había producido ansiedad. Incluso en ese instante notó que se le aceleraba el pulso, a pesar de que el anciano casi delicado que estaba de pie ante ella, con el cabello canoso ya muy escaso y la piel extrañamente transparente, no era una figura que inspirara temor. La edad le estaba haciendo menguar, observó Bonnie, y el sentido común le dijo que en realidad nunca había sido tan alto como ella recordaba; pero, de todos modos, le sorprendió la evidente mortalidad de su padre. Su rostro lucía todavía un delgado barniz de dureza, pero en sus ojos color avellana claro había una dulzura que Bonnie no recordaba haber visto antes.

—¿Qué te ha traído hasta aquí? —Su padre entró en el salón, se acomodó en un sillón de orejas a rayas verdes y amarillas e hizo señas a Bonnie para que se sentara otra vez en el sofá.

—Hay un alumno mío que vive por aquí, y tenía que dejarle una cosa en su casa —contestó Bonnie, asombrada, y sintió que los blandos cojines del sofá empezaban a hundirse.

Su padre chascó la lengua.

—Nunca has sabido mentir.

Bonnie se ruborizó intensamente. ¿Mentía mal porque detestaba mentir, o detestaba mentir porque mentía mal?

—Tengo un alumno que vive por aquí... —repitió—, y quería hablar con Nick —reconoció tras una breve pausa.

—Nick no está —dijo su padre.

—Ya lo sé.

—Adeline le dio tu mensaje. ¿No te ha llamado?

—Sí.

—Pareces un poco cansada —dijo su padre de pronto, y Bonnie notó que se le llenaban los ojos de lágrimas—. ¿Has tenido mucho trabajo últimamente?

—Hombre —respondió ella—, han sido unos días bastante ajetreados.

—Ya me lo ha contado la policía. Supongo que ahora tengo ya tres nietos a quienes nunca he visto.

Bonnie se quedó sin habla unos instantes.

—¿Cómo está mi nieta? —preguntó su padre.

—Muy bien —susurró Bonnie; sus palabras temblaron en el aire, y luego cayeron al suelo. «Alguien le ha vaciado un cubo de sangre en la cabeza esta tarde», estuvo a punto de gritar, pero se contuvo. Hubiese querido levantarse de su asiento y salir corriendo de la habitación, de aquella casa donde sólo había conocido la desdicha, de las opresivas flores oscuras que amenazaban con brotar de nuevo en la blancura de las paredes, pero no podía moverse. Unas ligaduras imaginarias se le habían liado en tobillos y muñecas, la ataban al sofá, la sujetaban a su pasado, negándose a dejarla libre.

—¿Cuántos años tiene? ¿Tres? ¿Cuatro?

—Sabes cuántos años tiene —le recordó Bonnie.

Steve Lonergan asintió con la cabeza.

—Veamos. Nació dos meses después de morir tu madre...

—No quiero hablar de mamá.

—¿Ah, no? Yo creía que habías venido por eso.

—He venido para ver a Nick.

—Nick no está.

Bonnie cerró los ojos. Aquello era una estupidez. ¿Por qué había ido? Intentó una vez más levantarse del sofá, pero su cuerpo se negó a cooperar.

—¿Te ha dicho Nick algo sobre su relación con la ex mujer de mi marido? —se atrevió a preguntar.

—Tiene una coartada para la hora de su muerte, si es ahí a donde quieres llegar.

—¿Tú? —se mofó Bonnie.

—Era su día libre —intervino Adeline—, y se quedó en casa ayudándonos.

—¿Sois vosotros su coartada? —repitió Bonnie, incrédula.

—¿Por qué íbamos a mentir? —preguntó Adeline.

—¿Y hoy? —inquirió Bonnie, ignorando la pregunta—. ¿También tiene el día libre?

—Sí, creo que sí. Varía cada semana, por lo que tengo entendido. Pero no sé adónde ha ido. Ya se había marchado cuando nosotros nos levantamos.

—Muy bien —dijo Bonnie, utilizando las manos para levantar su cuerpo del sofá, y poniéndose en pie con dificultad—. Yo sé dónde ha estado hoy. —Se encaminó a la puerta principal, negándose a mirar hacia la escalera, a reconocer a los fantasmas que esperaban justo detrás de la puerta del dormitorio—. Decidle que se aleje de mi hija. —Bonnie abrió bruscamente la puerta principal y echó a correr por el camino del jardín hacia su coche antes de que uno de ellos dijera algo.

¿Qué le estaba pasando? Bonnie se miró en el espejo retrovisor del coche. Sus ojos le devolvieron una expresión llena de reproche; todavía estaban húmedos de lágrimas, y los párpados empezaban a hincharse: «No llores —se dijo—. No te atrevas a llorar.» ¿Qué la había poseído haciendo que volviera a aquella casa? ¿Qué esperaba conseguir enfrentándose a su padre y a la esposa de éste? ¿Esperaba que su padre se arrojara a sus pies y le implorara perdón? Perdóname por haber sido tan mal padre para ti y por el daño que hice a tu madre; no puedo seguir viviendo con la culpa de su muerte. ¿Era eso lo que esperaba oír?

¿Que hacía su padre viviendo en aquella casa? ¿No había deseado siempre marcharse? ¿No se había ido al fin, abandonando a su esposa con dos criaturas? ¿Con qué derecho había vuelto allí? ¿A ser feliz? ¿Cómo se sentiría su madre si lo supiera?

«No he debido ir. Soy una estúpida. Una estúpida —Bonnie se golpeó la cabeza con la mano derecha—. Necesito un psiquiatra. Eso es lo que necesito. ¿Cómo he vuelto?»

¿Qué había dicho su padre? ¿Que creía que había ido para hablar de su madre? ¿Por qué creía eso? ¿Qué se imaginaba que tenía ella que decirle? ¿Qué se imaginaba que quería ella oírle decir?

—Lo único que me importa es que des mi mensaje a Nick —dijo en voz alta, suspirando de alivio al ver el letrero que anunciaba que se encontraba de nuevo en Weston.

Cabía la posibilidad de que Nick no tuviera nada que ver con lo ocurrido a Amanda, por supuesto. Al fin y al cabo, ¿qué motivo tenía para hacer daño a la niña? ¿Qué obtendría con ello?

«La única persona que ganaría algo si les sucedía algo a Amanda o a ella era Rod», pensó Bonnie. Contuvo la respiración y, sin darse cuenta, pisó el freno de pronto, parando el coche. El coche se caló.

—Ahora sí que estás pensando estupideces —dijo, y puso el

motor en marcha, dando gracias por que ningún otro coche hubiera ido detrás—. No hace falta que me maten. Voy a matarme yo sola.

¿Qué ocurría? Rod era el hombre más bueno y cariñoso del mundo, a pesar de cuanto pensaran unos pocos amigos y vecinos de Joan. Pero, ¿qué había querido dar a entender Caroline Gossett en el funeral de Joan? «Sigo esperando que se haga justicia», había dicho. ¿Qué significaban aquellas palabras?

¿Y qué si Rod tenía hecho un seguro de vida de ella y de cada uno de sus hijos? Muchos hombres lo hacían.

¿De sus hijos?, preguntó una vocecilla. ¿Doble indemnización?

Rod no tenía coartada para la hora de la muerte de Joan, prosiguió la vocecilla. Se había visto con su hermano sin decírselo a ella.

Cuando mataron a su ex mujer, Rod estaba durmiendo en su despacho, pensó Bonnie. Su hermano había ido a verlo y le había propuesto una idea disparatada para una serie. Rod no se lo había contado porque no quería disgustarla.

Pero y si Nick hubiese ido a la televisión por otro motivo. Quizá los dos hombres tenían asuntos de que hablar.

¿Como cuáles?

Como un asesinato, dijo la vocecilla.

Bonnie volvió a pisar el freno. Esta vez sonaron furiosos bocinazos a su alrededor. Bonnie miró por el espejo retrovisor y vio al hombre que iba en el coche de detrás haciéndole un ademán obsceno, y le leyó los labios, que gritaban «¡Mujeres!»

—Gracias —dijo Bonnie—. Muchísimas gracias.

No te olvides de Haze, continuó la vocecilla en cuanto Bonnie pisó el acelerador.

—Haze no tenía motivo para matar a Joan —dijo Bonnie—. Es posible que fuera un coñazo, pero no creo que sea motivo suficiente para un asesinato. Y tal vez Haze no me considere buena profesora, pero aunque me mate no conseguirá el aprobado.

A no ser que también él esperara obtener algún beneficio económico de la muerte de Joan. ¿Y si alguien le hubiera ofrecido una parte de futuras ganancias? Quizá un amigo a quien importaba más el Mercedes de su madre que la bala que le habían disparado en el corazón. ¡Ding dong, la bruja ha muerto!

—¡Santo cielo! —exclamó Bonnie. ¿Verdaderamente estaba pensando esas cosas? ¿Era posible que sospechara de su marido y de su hijastro?

Bonnie torció por Winter Street y su casa apareció, como un espejismo, después de la segunda curva de la calle. El coche de Rod estaba en el camino. Bonnie aparcó el suyo junto al otro y apagó el motor.

«Hogar, dulce hogar», pensó.

12

Al día siguiente fue a ver a Caroline Gossett.

El moderno bungalow estaba pintado de amarillo, con tablillas grises en el tejado y toldos negros. Se extendía por el terreno como un bostezo de pereza, abierto y torciéndose en extrañas e inesperadas direcciones. «Como mi vida», pensó Bonnie mientras avanzaba por el sinuoso camino de piedra hacia la negra puerta principal, con cuidado de no mirar por encima del hombro hacia la casa de Joan, situada al otro lado de la calle.

—¿Qué hago aquí? —se preguntó en voz alta; al parecer últimamente se estaba formulando esa misma pregunta con una frecuencia alarmante—. Debo de estar chalada.

Bonnie apretó el timbre de la puerta dos veces en rápida sucesión, lo oyó responder con los primeros compases de *London Bridge is falling down*. A ambos lados de la puerta principal había sendos paneles largos y estrechos de vidrio, y Bonnie intentó escudriñar el interior, pero las finas cortinas recogidas que caían a lo largo de las ventanas como una gruesa película entorpecían su visión. Lo que alcanzó a ver del interior de la casa le pareció elegante y lujoso: suelos de parqué oscuro, un piano de cola, donde seguramente sería el salón, en la parte de atrás; una alta escultura de bronce que representaba a una mujer desnuda.

Comprendió que debería haber llamado antes por teléfono y preguntado si podía ser bien recibida, y qué hora era la más conveniente para que pasara. Eso habría sido lo razonable, lo educado. Pero se había limitado a obedecer un repentino y desafortunado impulso y se había dirigido hacia allí después de las clases. Ni siquiera sabía si encontraría a Caroline Gossett en casa. Eran poco más de las tres de la tarde. Quizá la señora Gossett estaba todavía en el trabajo. Si trabajaba. Bonnie no tenía ni idea de qué hacía Caroline Gossett con su tiempo, ignoraba si era una atareada ejecutiva o una ama de casa, si hacía trabajos voluntarios o si se pasaba ocho horas diarias en el gimnasio del barrio. No sabía nada en absoluto sobre Caroline Gossett, salvo que vivía delante de la ex mujer de su marido y que, evidentemente, tenía a Joan en gran estima.

Cada vez que Bonnie había intentado abordar el tema de Caroline Gossett con Rod, éste se había desentendido de sus preguntas frunciendo el entrecejo y haciendo un ademán de impaciencia. No le interesaba hablar del pasado, le había dicho. Caroline Gossett era una mujer frívola y superficial, con las lealtades mal distribuidas. No la soportaba cuando estaba casado con Joan y, desde luego, tampoco ahora.

Entonces, ¿qué hacía ahí?, volvió a preguntarse Bonnie, evitando el timbre y golpeando con fuerza la puerta con los nudillos. «Joan hablaba muy bien de ti», recordaba haber oído decir a Caroline en el funeral. ¿Por qué hablaba Joan de ella?

—Para el carro —dijo una voz desde el interior, y Bonnie oyó pasos que se acercaban. Un rostro de mujer apareció detrás de la suave cortina de uno de los paneles laterales, apartándola de pronto, sus azules ojos evidentemente sorprendidos por lo que acababan de ver.

—Eres la mujer de Rod —dijo Caroline Gossett; abrió la puerta y se quedó mirando a Bonnie sin disimular su curiosidad.

Caroline Gossett era todo lo alta que Bonnie recordaba, pero más delgada, menos imponente con tejanos, sin aquel vestido de seda azul marino. Llevaba el cabello rubio recogido en una cola de caballo, y su camisa de algodón rosa colgaba sobre las caderas. No iba maquillada. Aun así, conservaba cierta elegancia.

—Me preguntaba si podríamos hablar un momento —dijo Bonnie, asombrada de sí misma.

—Por supuesto que sí —repuso la mujer con naturalidad, retrocediendo hacia el vestíbulo—. Pasa.

Bonnie entró en la casa.

—Gracias. Ya sé que debería haber llamado...

—No, ha sido mejor que no lo hicieras. El factor sorpresa y demás. —Caroline Gossett cerró la puerta principal y avanzó hacia la cocina—. ¿Te apetece un poco de limonada? Acabo de preparar una jarra.

«No, no debería», pensó Bonnie.

—Sí, gracias —dijo—. Tomaré un poco.

—Por aquí.

Bonnie siguió a Caroline Gossett hasta la gran cocina, una habitación cuadrada, blanca y amarilla, con baldosas mejicanas de tonos terrosos en el suelo, y una serie de dibujos al carbón de mujeres y niños enmarcados en las paredes; resultaba evidente que eran obra del mismo artista que había pintado los cuadros del salón de Joan. O aquellas dos mujeres tenían gustos muy similares, o había habido rebajas en una galería del barrio.

—Qué bonitos —observó Bonnie, examinando primero el dibujo de una madre sosteniendo a su bebé recién nacido en sus brazos, y después otro de una mujer de mediana edad meciendo a una anciana, seguramente su madre.

—Gracias.

—No me gustaría molestarte... —se atrevió a decir Bonnie, pensando que debía decirlo, aunque no fuera lo que estaba pensando.

—De hecho agradezco este descanso. Me estaba quedando bizca. —Caroline Gossett abrió la nevera, extrajo una gran jarra de limonada y sirvió dos vasos.

—¿Bizca?

—Estoy trabajando en un boceto para un nuevo cuadro.

—¿Un boceto? Así pues, estos dibujos son tuyos. —Bonnie examinó otra vez las paredes con renovado interés. La mujer que había realizado aquellos notables dibujos era, sin duda, una hábil artista y una mujer muy sensible. No le parecía lo más adecuado describirla como frívola y superficial.

—¿No te dijo Rod que soy pintora? —preguntó Caroline.

—No, la verdad es que no.

—Entonces, él ignora que estás aquí —añadió Caroline con

aquella forma suya de hablar, tan desconcertante, afirmando todas sus preguntas.

—Ni siquiera yo sabía que vendría.

—¡Qué interesante! —Caroline entregó a Bonnie un vaso largo lleno de limonada.

Bonnie bebió un trago y frunció los labios en un gesto involuntario.

—¿Demasiado amarga?

—No, no. Está muy buena. —Bonnie se llevó de nuevo el vaso a los labios, pero no bebió.

Caroline sonrió.

—¿Te han dicho alguna vez que no sabes mentir?

—Muchas veces.

Caroline amplió su sonrisa. Estaba muy guapa cuando sonreía, pensó Bonnie. Casi infantil.

—Joan se quejaba siempre de que mi limonada tenía poca azúcar. Era muy golosa. Igual que tú.

—Yo no soy golosa —dijo Bonnie, molesta por ser comparada en cualquier aspecto con la ex mujer de Rod.

—Es lo que ella decía. —Sonrió—. ¿Cómo están los niños?

Bonnie respiró hondo.

—No estoy segura. La verdad es que no me han confiado sus sentimientos.

—Dales tiempo. Tienen que hacer una adaptación tremenda.

—¿Estaban muy unidos a su madre?

Caroline meditó un momento antes de responder.

—No tanto como Joan habría querido —dijo por fin—. Sam era un poco extravagante, se mostraba muy reservado, y Lauren siempre había tenido preferencia por su padre. Joan se esforzaba, pero... ¿qué se puede hacer?

Bonnie siguió a Caroline Gossett fuera de la cocina hasta el salón lleno de obras de arte. Además del gran desnudo de bronce, había otras esculturas: un torso de mujer, una cabeza de niño, la estatuilla de una bailarina. Había cuadros por todas partes: óleos, pasteles, dibujos a pluma y a carbón...

—¿Los has hecho tú?

—Casi todos.

—Son muy bonitos —dijo Bonnie—. El que más me gusta es éste. —Bonnie señaló un cuadro al óleo de una mujer contemplando un espejo en que encontraba su reflejo envejecido en tonos azules y violetas.

—Sí, ya me lo imaginaba. También era el favorito de Joan.

Bonnie se apartó al instante del cuadro, y dio en el piano de cola con la espalda.

—¿Sabes tocar?

—No muy bien. —Caroline se desplomó pesadamente en el centro del sofá blanco—. ¿Por qué no te sientas y me dices en qué puedo ayudarte?

Bonnie se sentó en el borde de una butaca blanca.

—Sentía curiosidad acerca de unas cosas que dijiste en el funeral.

—Si no me refrescas la memoria...

—Estabas hablando con Rod, y comentaste que tenía buen aspecto. Él dijo que eso parecía molestarte.

—Ah, sí. Recuerdo que pensé que debía de haber un cuadro muy feo de tu marido escondido en el fondo del armario de alguien —dijo Caroline, dándose golpecitos en el labio superior con el dedo índice de la mano derecha.

—Mi marido no es precisamente Dorian Gray —dijo Bonnie. ¿Estaba insinuando aquella mujer que su marido había hecho una especie de pacto con el diablo?— Comentaste: «Supongo que sigo esperando que se haga justicia.» ¿Qué quisiste decir con eso?

Caroline se llevó el vaso a los labios y bebió la mitad de la limonada de un solo trago.

—¿Qué no entiendes?

—Por qué no te cae bien mi marido —contestó Bonnie con sinceridad.

Caroline meneó la cabeza; con ese movimiento su cabello se soltó de la cinta que lo sujetaba y se esparció alrededor de su rostro.

—¿Qué importancia tiene lo que yo piense de Rod?

—Ninguna —dijo Bonnie rápidamente; bajó la vista hacia el suelo para ocultar su mentira, pero la levantó de inmediato—. No estoy segura de qué importancia tiene —se corrigió—. Pero no he podido quitármelo de la cabeza desde el día del funeral. No cesaba de preguntarme qué había ocurrido entre vosotros dos para que le tuvieras tanta manía.

—No se lo preguntaste —afirmó Caroline.

Bonnie no respondió.

—A ver si acierto. —Caroline se colocó los cabellos sueltos detrás de las orejas y miró hacia el techo—. Te dijo que yo era una estúpida entrometida que formaba parte de un pasado desafortunado en el cual él no quería volver a pensar. —Miró a Bonnie a los ojos—. ¿Me equivoco?

—No mucho.

Caroline se echó a reír.

—Me caes bien. Pero no me sorprende, claro. Rod siempre tuvo muy buen gusto con las mujeres.

—¿Qué ocurrió entre tú y Rod? —repitió Bonnie.

—¿Entre nosotros dos? Nada.

—Entonces, ¿a qué viene tanta manía?

Caroline se terminó el resto de la limonada, y dejó el vaso sobre la mesa roja y negra, pintada a mano, junto al sofá.

—¿Estás segura de que quieres oírlo?

—No —admitió Bonnie—. Pero cuéntamelo de todos modos.

Caroline inspiró hondo.

—¿Cómo expresarlo con suavidad? —Hizo una pausa, evidentemente para buscar las palabras más adecuadas—. Tu marido es un calavera libertino e insensible. ¿Qué te parece?

Bonnie hizo una mueca de disgusto; pensó en marcharse, pero no se movió.

—¿Puedes concretar un poco más? —Estuvo a punto de echarse a reír. La mujer que tenía sentada delante acababa de llamar calavera libertino e insensible a su marido, y la reacción de Bonnie era pedirle que concretara un poco más. Muy buena, como diría Diana.

—Quieres ejemplos —dijo Caroline.

—Te lo agradecería.

—Yo no estoy tan segura.

—Dímelo de todas formas.

—No, dímelo tú. ¿Qué historia te ha contado todos estos

años? ¿Que era el sacrificado marido de una borracha irracional?

Bonnie intentó no reflejar sus emociones, pero no pudo.

—Lo suponía. Es la historia que cuenta a todo el mundo. Puede que hasta se la crea. ¿Quién sabe? ¿Qué más da? —Se levantó, se acerco al piano, se paró—. ¿Por casualidad te mencionó que una de las razones por las cuales Joan bebía era que él nunca estaba en casa? ¿Que era un marido irresponsable y un padre indiferente? ¿Que estaba demasiado ocupado divirtiéndose con otras mujeres para ser buen padre o buen marido? No, por tu expresión veo que olvidó mencionarte eso.

—Eso te lo contó Joan —afirmó Bonnie, adoptando la costumbre de la otra mujer de hacer preguntas en forma afirmativa.

—Si lo que insinúas es que yo creía todo cuanto Joan decía te equivocas. Yo misma vi a Superman una noche cuando se suponía que él estaba trabajando. Lyle y yo estábamos cenando en el Copley Square Hotel, y allí se encontraba él, dos mesas más allá, mordisqueando la oreja de una morena despampanante.

—Por el amor de Dios, seguro que se trataba de una cena de negocios. Mi marido es realizador de televisión. Trata con mujeres preciosas cada día.

—Y cada noche —añadió Caroline con una tranquilidad exasperante—. Créeme, aquello nada tenía que ver con los negocios.

—Sea como sea —dijo Bonnie—, mi marido no abandonó a Joan por otra mujer.

—Y, según él, ¿por qué la abandonó?

Bonnie bebió otro sorbo de limonada, notó su sabor amargo en la lengua.

—Me dijo que cuando el bebé murió...

—Sigue.

—Ya no soportaba estar cerca de Joan.

—Sí, Rod fue de gran ayuda después de la muerte de Kelly —dijo Caroline.

—Estás siendo muy crítica.

—Creía que eso era lo que querías.

—¿Cómo sabes qué sentía mi marido? ¿Cómo puedes saber cuánto estaba pasando?

—Sé lo que vi.

—¿Y qué viste?

—A un hombre que engañaba a su esposa cada vez que tenía ocasión, a un hombre que nunca estaba cuando ella lo necesitaba, a un hombre que la dejó plantada cuando ella más lo necesitaba.

—No podía quedarse —intentó explicar Bonnie—. Cada vez que miraba a Joan, veía a su hijita muerta.

—Pues entonces la vio más que cuando estaba viva —soltó Caroline, y las dos mujeres se quedaron mudas un momento—. Lo siento —se disculpó Caroline tras una larga pausa—. Eso ha sido una grosería, incluso tratándose de mí. Desde luego, tu marido me saca de mis casillas.

Bonnie se sentía peligrosamente cerca de las lágrimas. Hizo todo lo posible por contenerlas.

—No conoces muy bien a mi marido.

—Quizá eres tú quien no lo conoce —replicó Caroline.

—No fue mi marido el que dejó que una niña de catorce meses se ahogara en la bañera —le recordó Bonnie.

—Ahora eres tú la crítica —observó Caroline.

—Los hechos son los hechos.

—Y a veces se producen accidentes. Y la gente comete errores. Y si tienen suerte, obtienen un poco de ayuda y comprensión de sus seres queridos. El día que Kelly se ahogó murieron dos personas —dijo Caroline con voz queda—. Sólo que el funeral de Joan se retrasó un poco. —Las lágrimas asomaron a sus ojos.

—En el funeral dijiste algo más —prosiguió Bonnie.

Caroline se encogió de hombros, y esperó a que Bonnie continuara.

—Dijiste que hoy no estarías donde estás, de no ser por Joan. ¿Qué significaban tus palabras?

—Yo también pasé momentos difíciles hace unos años —respondió Caroline, hablando en voz más baja que antes—. Te ahorraré los detalles desagradables, pero me enteré de que nunca podría tener hijos.

—Lo siento —dijo Bonnie con sinceridad.

—Joan no se apartó de mi lado ni un momento. Se aseguró de que comiera, saliera, tuviera alguien con quien hablar... No me dijo que todo se arreglaría. No me dijo que lo superaría, que po-

134

dría adoptar un niño, que era la voluntad de Dios, que era mejor así. Ella sabía lo inútiles y lo dolorosos que son esos cómodos clichés. Ella también los había oído. Sabía que yo necesitaba a alguien con quien hablar, una persona que me abrazara y me escuchara mientras yo lloraba y me lamentaba y protestaba y renegaba de mi suerte. Y no importaba que repitiera las mismas cosas día tras día. Ella estaba siempre dispuesta a escucharme, reconociendo que era injusto y una desgracia. No intentaba minimizar mis sentimientos ni ignorar mi rabia. Ni siquiera me abandonó pasados varios meses, cuando mis hermanas y todos los demás me decían que ya era hora de que reanudara mi vida normal. Joan me dijo que la reanudaría cuando estuviera recuperada y preparada.

—Era una buena amiga —admitió Bonnie.

—Sí, lo era. Yo no habría superado aquellos meses sin ella. —Caroline respiró hondo, esbozó una sonrisa forzada—. Aún hay más —añadió.

—¿Más?

—Justo cuando empezaba a recobrarme, mi madre se cayó y se rompió la cadera, entonces hubo que hospitalizarla. Mi padre está muerto; mis dos hermanas viven fuera de la ciudad. Tuve que encargarme de todo. Mi madre fue ingresada en un hospital para convalecientes, y luego en un asilo, porque ya no podía cuidar de sí misma. Joan se encargó de todo. Habló con los médicos, hizo los trámites, se aseguró de que mi madre recibía la mejor atención. Era increíble. Supongo, una vez más, que fue cuanto ella había pasado con su madre tras la muerte de Kelly.

Bonnie sintió un súbito escalofrío.

—¿Qué quieres decir?

—No sabes lo de la madre de Joan. —Otra pregunta disfrazada de afirmación.

—Sólo sé que está muerta.

—¿Muerta? —Caroline parecía perpleja—. ¿Quién te ha dicho que la madre de Joan está muerta?

—¿No lo está?

—Que yo sepa, no.

Bonnie se dio cuenta de que estaba conteniendo la respiración. Intentó soltar el aire, pero no salió. Era como si no respirara en absoluto.

—¿Qué ocurrió tras la muerte de Kelly?

—Su madre empezó a comportarse de forma muy extraña. Olvidaba las cosas y salía en ropa interior, cosas así, y decía muchas tonterías. Hacía años que tenía problemas con el alcohol. Se puso peor. Joan no tuvo más remedio que internarla. Más sentimientos de culpa. Por supuesto, su guapo marido nunca aparecía por ninguna parte.

—¿Sabes dónde está ahora?

—En el Centro de Salud Mental Melrose, en Sudbury. Es una institución privada, bastante agradable para ser un manicomio.

—¿Quién lo pagó?

—La herencia de Joan —contestó Caroline con sarcasmo—. Por lo menos eso era lo que decía Rod.

—¿Crees que la madre de Joan sabe que su hija ha muerto?

—No creo que sepa nada de nada. Por lo que Joan me contó, se refugió en su pequeño mundo privado.

—¿Sabes cómo se llama? —preguntó Bonnie, sorprendida de su propio interés.

—Elsa —contestó Caroline—. Elsa Langer. ¿Por qué?

—No lo sé —dijo Bonnie con sinceridad. La verdad era que no estaba segura de nada—. ¿Puedo preguntarte una cosa más?

—Dispara. —Las dos mujeres se quedaron atónitas—. Lo siento. Una desafortunada elección de palabra.

—En el funeral dijiste que Joan hablaba muy bien de mí.

—Sí.

—¿Qué decía?

Caroline levantó la vista hacia el techo.

—Déjame pensar... que eras una persona muy agradable, que eras una buena madre, que te admiraba.

—¿Te pareció que estuviera obsesionada?

—¿Obsesionada?

Bonnie contó a Caroline lo del álbum de recortes que la policía encontró en el dormitorio de Joan.

—¿En serio? Nunca me imaginé que fuera tan organizada.

—¿Recuerdas algo más?

—Recuerdo una cosa, sí —dijo Caroline después de una pausa.

—¿Sí? —preguntó Bonnie, esperando, su curiosidad en aumento.

—Dijo que le dabas lástima.

A Bonnie se le llenaron los ojos de lágrimas. «No llores —se reprendió en silencio—. Aquí no. Ahora no.»

—Tengo que irme.

—Ha sido una tarde interesante para ti —comentó Caroline, acompañándola hasta el vestíbulo.

—Gracias por tu tiempo —dijo Bonnie mientras abría la puerta principal, agradeciendo la ráfaga de viento que le sopló en la cara. Abrió la boca y tragó aire, como si fuera agua.

—¿Quién es? —preguntó Caroline mientras salía de la casa y señalaba hacia el otro lado de la calle.

Bonnie dirigió la vista, de mala gana, hacia la casa de Joan, y vio un coche verde oscuro que entraba en el camino y se paraba. Se abrió la portezuela y un par de piernas bien moldeadas bajaron del coche, mientras unas manos ajustaban el borde de la estrecha falda beige de lino antes de bajar a la calzada. La mujer tenía el cabello beige, a juego con la falda, chaqueta y zapatos beige. Miró a su alrededor, consciente de que la observaban, y dedicó una amable sonrisa a Bonnie antes de dirigirse hacia la casa.

—Ahí no hay nadie —gritó Caroline.

—Ya lo sé —contestó ella, sin siquiera volverse—. Tengo llave. —Se la mostró agitándola en el aire.

Bonnie cruzó la calle, y Caroline la siguió.

—Perdone —insistió Bonnie—, pero no puede entrar ahí.

La mujer se volvió. El maquillaje que llevaba era del mismo color que el resto de su atuendo. Si la pusieran delante de un fondo beige, pensó Bonnie, seguro que desaparecía.

—Lo siento. ¿Hay algún problema? —preguntó la mujer beige.

—La persona que vivía aquí ha muerto —dijo Bonnie, sin saber qué más decir. Aquella mujer le resultaba familiar. Bonnie la había visto antes en algún sitio.

—Sí, ya lo sé. Iré con mucho cuidado para no tocar nada.

—¿Quién es usted? —preguntó Bonnie. Su instinto le decía que no era de la policía.

—Me llamo Gail Ruddick. —La mujer tendió la mano, mostrando una pequeña tarjeta blanca.

Bonnie cogió la tarjeta de visita de entre las pulidas uñas beige de la mujer, consciente de que Caroline la leería por encima de su hombro.

—Agencia Inmobiliria Ellen Marx —leyó Bonnie. A su espalda, Caroline produjo un débil sonido silbante—. La vi en el funeral de Joan —comentó Bonnie, que de pronto había comprendido por qué le resultaba familiar aquella mujer—. En la fila del fondo —recordó.

—Exacto. —Gail Ruddick se sentía claramente incómoda—. Lo que ha ocurrido ha sido espantoso. Espantoso. —Se volvió hacia la casa, pero giró sobre sus talones, como si estuviese en una plataforma giratoria—. Nos han pedido que echáramos un vistazo para determinar el valor de la casa.

—¿Se lo ha pedido la policía? —inquirió Bonnie.

—No —contestó Gail Ruddick—. La policía no. —Era evidente su reticencia a ofrecer más información.

—¿Quién entonces? —insistió Bonnie.

—Lo siento —dijo la mujer—. Me parece que no debería hablar de este tema con extraños.

—Yo no soy una extraña —aclaró Bonnie—. Esta casa pertenece a mis hijastros. Y a mi marido —añadió, con un importuno cosquilleo en la garganta que hizo que las palabras temblaran al tomar contacto con el aire.

Gail Ruddick liberó una amplia sonrisa, y el blanco de sus dientes fue como una conmoción en medio de todo aquel beige.

—Bien, entonces no hay problema. Ha sido su marido el que me ha pedido que echara un vistazo. De hecho, me ha dado la llave. Si se espera un segundo, abriré la puerta y se la devolveré a usted enseguida. Así me ahorraré volver después. —Se acercó a la puerta principal, la abrió y le entregó la llave. Bonnie la metió en su llavero, mientras intentaba evitar que las manos le temblaran—. Diga a su marido que le llamaré por teléfono para ofrecerle un cálculo aproximado tan pronto como me sea posible.

Bonnie asintió con la cabeza, y la mujer empujó la puerta.

—Caroline —dijo Bonnie por encima del hombro, sin apartar la vista de la mujer de la inmobiliaria Ellen Marx—, ¿te dijo Joan alguna vez que creía que mi hija y yo estábamos en peligro?

—No —contestó Caroline—. ¿Crees que lo estáis?

Bonnie no dijo nada.

—Ten cuidado —la advirtió—. Si necesitas hablar con alguien, recuerda que estoy a tu disposición.

Bonnie vio como Gail Ruddick desaparecía en la casa de Joan. A su espalda oyó los pasos de Caroline, que se marchaba; se volvió y la vio cerrando la puerta principal de su casa. Bonnie se quedó de pie, sola, en la acera, una niñita perdida, esperando a que alguien la cogiera de la mano y le mostrara el camino de regreso a casa.

13

El Centro de Salud Mental Melrose estaba situado en un terreno de más de cuarenta hectáreas en el barrio contiguo de Sudbury, cerca del río Sudbury y a escasa distancia por la carretera 20 de Weston Secondary School. Bonnie condujo hasta allí directamente al día siguiente por la tarde, después del trabajo.

—¿Qué haces? —se preguntó en voz alta; era una breve variación del más habitual. «¿Qué hago aquí?»

—Intento averiguar qué ocurre. Trato de obtener algunas respuestas —dijo a la mujer de aspecto asustado del espejo retrovisor. ¿Por qué nadie le había dicho que Elsa Langer vivía todavía?

Bonnie metió el coche por el largo camino que conducía al majestuoso edificio blanco que con cierto aire sureño, y sus enormes columnas, tenía un aire de distinción algo decadente. Hacía un hermoso día, un suave viento agitaba las hojas de los árboles y la temperatura era agradable. Había gente paseando por los jardines del centro, en parejas y en grupos de tres. Bonnie dedujo que serían pacientes, y respondió con una inclinación de cabeza al amistoso saludo que alguien le hizo con la mano. «¿Conocería a aquella persona?», se preguntó, pero descartó de inmediato esa posibilidad. Seguro que se trataba de una pobre alma extraviada que había reconocido a un espíritu gemelo.

Dejó su coche en el amplio aparcamiento para visitantes. ¿Cuándo había empezado a pensar en sí misma como una pobre alma extraviada?

Abrió la portezuela del coche y sacó las piernas; en ese instante recordó el movimiento similar de Gail Ruddick la tarde anterior.

«Bien, entonces no hay problema. Ha sido su marido el que me ha pedido que echara un vistazo. De hecho, me ha dado la llave.»

Bonnie rememoró lo ocurrido el día anterior. Cuando regresó a casa después de su visita a Caroline, se quedó esperando a Rod para hablar con él, pero su marido la llamó por teléfono a la hora de la cena para decir que llegaría tarde, que estaban trabajando mucho preparando las cosas para la convención de Miami, y que se comería un bocadillo en la emisora, que no lo esperara.

De todas formas, Bonnie lo aguardó levantada; pero en cuanto su marido entró por la puerta principal, supo, por su expresión, que aquél no era el mejor momento para enfrentarse a él. Tampoco era que quisiera enfrentársele en realidad. Sólo deseaba hacerle unas cuantas preguntas. ¿Por qué había enviado a una agente inmobiliaria a la casa de Joan aquella tarde? ¿Por qué nunca le había dicho que la madre de Joan vivía todavía? ¿Era cierto lo que Caroline había dicho sobre sus numerosas aventuras extramatrimoniales?

Se había pasado toda la tarde ensayando aquellas preguntas, intentando que sonaran tan inocentes, tan ingenuas como fuera posible. No quería que Rod pensara que lo acusaba. Al fin y al cabo, no era el caso. Sólo sentía curiosidad. Su vida se había convertido en un caos, en lugar de empezar a organizarse con el tiempo, y parecía peligrosamente cerca de asegurarse en aquella posición para siempre, con ella haciendo equilibrios sobre su cabeza y girando igual que una peonza, y si las cosas iban a ser así a partir de entonces, pues bueno, ella quería hacer unas cuantas preguntas. ¿Era pedir demasiado?

—¿Podemos hablar? —preguntó Bonnie mientras Rod se metía en la cama y se tapaba con las mantas.

—¿No puedes esperar hasta mañana? He tenido un día agotador.

—Ya me lo imagino.

Rod se volvió hacia ella rápidamente y la besó en el hombro derecho.

—Lo siento, corazón. Esto no es justo. ¿Te lo están haciendo pasar mal mis hijos?

—No son los niños.

—Entonces, ¿qué es? ¿Has tenido un mal día en el instituto?

Bonnie meneó la cabeza.

—He ido a ver a Caroline Gossett.

Rod se apoyó en los codos, y las sábanas resbalaron por su torso desnudo.

—¿Por qué lo has hecho?

—No lo sé. Supongo que estaba aturdida por las cosas que te dijo en el funeral.

Rod inspiró hondo; luego cerró los ojos.

—Y ahora... A ver si lo adivino: estás más aturdida que antes.

Bonnie sonrió.

—¿Cómo lo sabes?

—Caroline suele producir ese efecto en las personas.

—Parece una mujer muy agradable.

—Las cosas no son siempre lo que parecen. —Rod volvió a apoyar la cabeza en la almohada, se puso el brazo izquierdo sobre la frente, la mano caída tapando su hermoso rostro—. Bien, ¿qué te ha dicho? ¿Que arrastré a mi ex mujer a la bebida porque nunca estaba con ella, que me hallaba demasiado ocupado pasándomelo bien con otras mujeres para dedicarle la atención que ella precisaba, que la abandoné cuando ella más me necesitaba?

—Da la impresión de que ya lo hubieras oído antes.

—Lleva años cantando el mismo tema.

—¿Es verdad que salías con otras mujeres? —preguntó Bonnie titubeante.

Rod se apartó la mano del rostro y miró a Bonnie a los ojos.

—No —dijo—. Aunque desde luego tenía muchas oportunidades. Te aseguro que lo pensé muy a menudo. ¿Me convierte eso en culpable?

Bonnie se inclinó y lo besó con suavidad en los labios como respuesta.

—¿Puedo dormir ya? —preguntó cuando estaba a punto de darse la vuelta.

—¿Sabías que la madre de Joan vive todavía?

—¿Que Elsa vive todavía? No, no lo sabía.

—Está en un centro de salud mental de Sudbury.

Rod no dijo nada, se acomodó en su lado de la cama y puso el brazo de Bonnie alrededor de su cintura.

—Esté donde esté, ya no es asunto mío —murmuró.

—¿Han dicho los niños alguna vez algo sobre ella?

—A mí, no. ¿Por qué no hablamos mañana de todo esto?

Bonnie se quedó callada.

—Te quiero —susurró después de una breve pausa.

—Yo también, cariño. Lo siento. Mañana tendré más energía.

—¿Puedo preguntarte una cosa más?

—Claro. —Su voz sonó amortiguada, haciendo equilibrios en los límites del sueño.

—No me dijiste que habías encargado a una agente inmobiliaria que examinara la casa de Joan.

Rod no respondió. Pero Bonnie, que seguía con el brazo sobre la cintura de su marido, notó que se le tensaba el cuerpo.

—La agente de la inmobiliaria llegó cuando yo me marchaba de casa de Caroline —explicó.

—¿Cuál es la pregunta? —La voz de Rod fue tan tensa como los músculos que Bonnie tenía debajo de sus dedos.

—Me preguntaba por qué has pedido que examinen la casa...

—¿Y por qué no?

—Es que parece un poco... prematuro —se aventuró Bonnie.

Rod se incorporó, apartó las sábanas con impaciencia y se levantó de la cama.

—¿Prematuro? La casa es mía, por todos los santos. Llevo más de diez años pagando la hipoteca. Nos pertenece a mis hijos y a mí. Hablamos de su futuro, y yo quiero lo mejor para ellos. ¿Hay algo malo en eso? ¿No te parece que me conviene saber qué valor tiene la casa y cuáles son mis opciones?

—Es que me preocupaba que la policía pensara...

—Me importa un rábano lo que piense la policía. Me preocupa mucho más qué piensas tú.

—Sólo me preguntaba por qué no me lo habías comentado, nada más.

—Tal vez porque he estado trabajando como un condenado

144

para preparar esa maldita conferencia en Miami, y no he tenido ni dos minutos para pensar, y mucho menos aún para ponerte al día de cada detalle insignificante de lo que pasaba en mi vida. —Levantó las manos en el aire y comenzó a pasear arriba y abajo enfrente de la cama, desnudo con excepción de unos calzoncillos de satén azul pálido—. ¿Quieres detalles? Muy bien, allá van los detalles: estoy de trabajo hasta las orejas, Marla está cabreada por algo, y recibo una llamada de no sé qué agente inmobiliaria que dice que tendría que pensar en vender la casa ahora que el mercado se ha recuperado, porque nadie sabe cuánto va a durar esa recuperación. ¿Tienes bastante o quieres más detalles?

—Rod...

—Respondí que era demasiado pronto para pensar en vender, y ella me preguntó qué mal había en ir y echar un vistazo; así me daría una idea de lo que podrían pagarme por la casa. Dije que sonaba razonable, pero ¿qué sé yo? No soy más que un calavera hijoputa que abandonó a su esposa y sus hijos. —Dejó de pasearse y miró a Bonnie—. Incluso es posible que hiciera matar a mi ex mujer. —Hizo una pausa—. ¿Es eso lo que piensas, Bonnie? ¿Es eso lo que me estás preguntando en realidad?

Bonnie no dijo nada. ¿Tenía razón? ¿Sería eso lo que ella había pensado?

De pronto, las facciones de Rod se suavizaron, se entristecieron. Su voz se arrastraba tras él, como un niño pequeño buscando la mano de un adulto.

—Contéstame, Bonnie. ¿Crees sinceramente que pude haber tenido algo que ver con la muerte de Joan? Porque si lo crees... No sé, ¿quieres decirme qué hacemos aquí? ¿Cómo soportas estar en la misma habitación conmigo, y mucho menos en la misma cama?

«Tiene razón», pensó Bonnie. Le daba vueltas la cabeza. ¿Qué le ocurría? ¿No se había dado cuenta de cómo serían interpretadas sus preguntas? ¿De qué otro modo podían interpretarse, por todos los santos?

—Lo siento mucho, Rod —dijo Bonnie; quería tocarle, pero temía que él la rechazara—. No sé qué decir. Por supuesto que no tuviste que ver con la muerte de Joan. Nunca he querido insinuar...

Rod meneó lentamente la cabeza.

—Está bien, está bien. No pasa nada. No pasa nada —repitió, como si fuese un mantra, como si repitiendo aquellas palabras tuvieran que cumplirse—. Vamos a dormir un poco. —Se metió de nuevo en la cama—. Estoy cansado. No pienso con claridad. Tal vez exagero. Lamento haberte gritado. No pasa nada. Mañana estaré mejor. Lo único que necesito es dormir. Ya hablaremos por la mañana.

Pero cuando Bonnie salió de la ducha, él se había marchado al trabajo. La nota que había sobre la mesa de la cocina decía que llegaría tarde de nuevo, que no lo esperara levantada.

«¿Y qué pretendo conseguir? —se preguntó Bonnie mientras caminaba hacia las amplias instalaciones del Centro de Salud Mental Melrose—. ¿Quiero limpiar mi nombre, recomponer esta familia? ¿Qué espero averiguar de una pobre anciana borracha que vive refugiada en su pequeño mundo?» Lo que faltaba: ahora hablaba sola.

«Es el sitio idóneo para mí.»

Una anciana que estaba sentada cerca, en un banco, le hizo señas con la mano.

—Te conozco —declaró la mujer al acercársele Bonnie, que intentaba situar el arrugado rostro de la mujer—. Eres esa actriz tan famosa. La que se murió.

«Fantástico», pensó Bonnie. Giró sobre sus tacones, que se hundían en la hierba, y se encaminó hacia la entrada principal.

En su interior, el centro tenía ese aire de forzada jovialidad común a la mayor parte de ese tipo de instituciones. Pasillos anchos, paredes color melocotón, litografías de Picasso de flores y arlequines, y una atractiva mujer de mediana edad detrás de un enorme mostrador de color marfil en la espaciosa y bien iluminada zona de recepción. Bonnie se aproximó al mostrador con cautela.

—Dígame —dijo la mujer, su amplia sonrisa revelando toda su encía superior—, ¿en qué puedo ayudarla?

«Puede decirme cómo dar la vuelta y marcharme a mi casa», pensó Bonnie. Escrutó los ojos color violeta de la mujer, y se preguntó si serían auténticos o lentillas. Nunca se sabía. Las cosas no eran siempre lo que parecían. ¿No era eso lo que Rod había dicho?

—¿Dónde puedo encontrar a Elsa Langer? —preguntó Bonnie.

La recepcionista acudió a su ordenador.

—¿Ha dicho Langer?

—Sí, Elsa Langer.

—Elsa Langer. Sí, aquí está. Habitación 312, en el ala sur. Los ascensores están allí. —Señaló hacia su derecha.

—Gracias. —Bonnie no se movió.

—Ya puede subir.

Bonnie asintió con la cabeza, esperando que sus piernas se movieran. Pero no lo hicieron.

—¿Ocurre algo?

—No, sólo que hace mucho tiempo que no veo a la señora Langer —mintió Bonnie, preguntándose si la recepcionista la descubriría con la misma facilidad con que la había descubierto Caroline Gossett—, y no sé exactamente con qué me voy a encontrar. —Por lo menos eso era verdad.

Bonnie salió del ascensor en la tercera planta y miró sin prisas a su alrededor. Las paredes eran azules: Matisse había sustituido a Picasso como pintor elegido. Había una sala para visitantes, a unos pocos pasos a la derecha, situada enfrente del control de enfermeras. En el mostrador, varios ramos de flores esperaban a ser entregados. Quizá debería haber llevado unas flores a Elsa Langer. Escondió las dos revistas que acababa de comprar bajo el brazo. *Vogue* y *Bazaar*. Lo último en moda de primavera. Justo lo que aquella mujer necesitaba.

Bonnie se acercó al control, donde había varias enfermeras charlando. Levantaron la vista, se fijaron en ella y reanudaron su conversación. Al parecer, el servicio al cliente no era la más alta prioridad. Bonnie esperó, miró hacia la sala de espera, se fijó en una joven que estaba sentada en silencio entre un hombre y una mujer, ambos de mediana edad, seguramente sus padres; la madre lloraba, el padre tenía la mirada perdida, como si no acabase de creer que aquello le estuviera pasando a él. Había otra mujer sentada rodeando con el brazo a un joven que se quitaba con ferocidad una pelusa invisible de la ropa.

—Ya, ya —murmuraba la mujer—. Ya, ya.

Bonnie se volvió hacia las enfermeras.

—Perdonen, ¿pueden indicarme dónde está la habitación 312?

—Por ahí —señaló una de las enfermeras, sin molestarse en mirarla siquiera.

—Gracias.

Pasados unos segundos, Bonnie estaba de pie ante la puerta cerrada de la habitación 312. ¿Qué se suponía que debía hacer? ¿Llamar a la puerta? ¿Entrar sin llamar? ¿Y si daba media vuelta y se iba a casa?

—Pase —dijo una voz antes de que Bonnie tuviera tiempo de decidirse.

Había una mujer sentada en una silla de ruedas junto a la ventana. Llevaba el cabello teñido de castaño oscuro, aunque se veía por lo menos un centímetro de raíces blancas, y tenía la piel salpicada de las típicas manchas de los ancianos. Unas piernas, sin forma, como dos enormes piezas de madera, sobresalían por debajo de una bata rosa a cuadros. Incluso estando sentada, era una figura imponente. «De tal palo, tal astilla», pensó Bonnie con inquietud; pero ningún otro parecido encontró entre aquella mujer y Joan.

—¿Cómo ha sabido que estaba aquí? —preguntó Bonnie al entrar en la habitación, mientras la puerta se cerraba a su espalda con un susurro. ¿Había notado su presencia la mujer? ¿Sabía de antemano que iría a visitarla?

—He oído pasos que se han detenido delante de la puerta —contestó la mujer.

Bonnie se echó a reír. Así de sencillo era. «Qué poco nos cuesta pasar por alto lo evidente», se dijo.

—¿Es usted Elsa Langer?

—Quizá. —La mujer se alisó la bata sobre sus anchas rodillas—. ¿Quién lo pregunta?

—Bonnie... Bonnie Wheeler.

La mujer frunció sus estrechas cejas, que casi se juntaron sobre su ancha nariz.

—Le he traído una cosa. —Bonnie avanzó varios pasos vacilantes hacia la mujer y le dejó las revistas sobre el regazo.

La mujer las contempló, luego volvió a levantar la mirada.

—Gracias. ¿Cómo ha dicho que se llama?

—Bonnie. Bonnie Wheeler —contestó Bonnie, poniendo énfasis en su apellido, con la esperanza de que despertara la memoria de la mujer; pero, al no obtener respuesta, continuó—: Conocía a Joan.

—¿Ah, sí?

—Sí. —Bonnie no sabía qué decir a continuación. ¿Sabía la madre de Joan que su hija había muerto? ¿Se lo había dicho alguien?

—Yo también conocí a Joan una vez.

Bonnie asintió con la cabeza.

La mujer empezó a hacer extraños movimientos con la boca, como si luchara con un trozo de comida perdido, torciendo los labios de un lado a otro, dentro y fuera; entonces expulsó de la boca la parte superior de una dentadura postiza, la sostuvo en la punta de la lengua, y luego se la colocó de nuevo en su lugar con un agudo chasquido.

—¿Alguien le ha hablado de Joan últimamente? —se aventuró Bonnie, procurando no mirar a la anciana, que de nuevo intentaba expulsar la dentadura.

—Joan está muerta —dijo la mujer articulando las palabras con dificultad mientras luchaba con su dentadura.

—Sí —dijo Bonnie, observando distraída las paredes azules, el pequeño aparador, las camas gemelas de hospital. Una de las camas estaba recién hecha, y la otra estaba por hacer, la colcha arrugada y abultada en el centro, como si todavía hubiera alguien acostado.

—Dios mío, hay alguien ahí —dijo Bonnie acercándose más a la cama; el bulto informe que había en su centro fue adoptando forma humana. Bonnie contuvo la respiración, mientras intentaba no recordar a su madre en los días anteriores a su muerte, temiendo mirar demasiado de cerca a la inmóvil figura que yacía en medio de la cama.

La mujer tenía la piel y el cabello gris ceniza, las mejillas hundidas, los ojos marrones abiertos e inexpresivos, como si fuese ciega. Por un instante, Bonnie creyó que la anciana estaba muerta, pero de pronto emitió un extraño y débil sonido, un murmullo angustiado que desapareció al contacto con el aire.

—Ésta es la señora Langer, ¿verdad? —preguntó Bonnie a la mujer de la silla de ruedas.

—Quizá —dijo la mujer—. ¿Quién lo pregunta?

—Bonnie —repitió Bonnie—. Bonnie Wheeler. ¿Conoce ese nombre, señora Langer? —preguntó a la mujer que yacía en la cama.

—No hablará con usted —aseguró la mujer de la silla de ruedas—. No quiere hablar con nadie desde que le dijeron que su hija ha muerto.

—Siento mucho lo de su hija —prosiguió Bonnie, acariciando suavemente el hombro de Elsa Langer.

—Venía a visitarla una vez al mes. Ahora, nadie viene.

—¿Puede oírme, señora Langer?

—No hablará con usted. —Bonnie oyó de nuevo el ruido de la dentadura entrando y saliendo.

Bonnie se arrodilló junto a la cama hasta que sus ojos quedaron a la altura de los de Elsa Langer.

—Soy Bonnie Wheeler —dijo—. La mujer de Rod. —Los ojos de la anciana parpadearon varias veces. Bonnie acercó su cuerpo al de la anciana un poco más—. ¿Le habló Joan alguna vez de mí?

—Joan está muerta —declaró la mujer de la silla de ruedas.

—Joan estaba preocupada por mí —continuó Bonnie—. Me dijo que tenía que contarme una cosa, pero murió antes de que pudiéramos hablar. Pensé que quizá le hubiera contado algo a usted alguna vez... —Bonnie se interrumpió. ¿Qué estaba haciendo? Aquella mujer se hallaba al borde de la muerte, por el amor de Dios. Lo más probable era que ni siquiera pudiera verla ni oírla, y mucho menos aún entender qué le decía—. Sólo quiero que sepa que Sam y Lauren están bien. Ahora viven con Rod y conmigo, y vamos a cuidarlos mucho. Si usted quiere, puedo traerlos a visitarla una tarde. Estoy segura de que les gustará mucho ver a su abuela. —¿Por qué había dicho eso? Ellos ni siquiera la habían mencionado.

Elsa Langer no dijo nada.

Bonnie se puso en pie, tambaleándose.

—Creo que será mejor que me vaya.

—Ya le he dicho que no hablaría con usted —repitió la mujer de la silla de ruedas, con una nota de triunfo en la voz.

—¿Ha hablado alguna vez con usted? —preguntó Bonnie mirando de reojo a la mujer, cuya dentadura seguía entrando y saliendo de su boca, como la lengua de una serpiente.

—Quizá. ¿Quién lo pregunta?

Bonnie cerró los ojos, derrotada.

—Bonnie —dijo—. Bonnie Wheeler.

—Ese nombre me suena —dijo la mujer—. Pasó la mano por su regazo, tirando las revistas al suelo.

—¿Ah, sí?

—Quizá. ¿Quién lo pregunta?

Bonnie recogió las revistas del suelo y las depositó sobre la cama de Elsa Langer, mirando de reojo a la mujer que yacía enterrada bajo las crujientes sábanas blancas. Una lágrima solitaria recorría una de las mejillas de Elsa Langer. Describió una curva hacia su labio, goteó por su barbilla, como si fuera baba, y luego desapareció en la almohada.

—¿Señora Langer? Señora Langer, ¿puede oírme? ¿Ha oído lo que le he dicho antes? ¿Me entiende? ¿Puede hablar conmigo, señora Langer? ¿Quiere decirme algo?

—No hablará con usted —insistió la mujer de la silla de ruedas.

—Pero está llorando.

—Siempre está llorando.

—¿Ah, sí?

—Quizá. ¿Quién lo pregunta?

Bonnie exhaló un profundo suspiro.

—No llore, señora Langer —dijo a la madre de Joan—. Por favor. No era mi intención disgustarla. Ahora tengo que irme, pero dejaré mi número de teléfono a las enfermeras por si alguna vez me necesita. —Se inclinó hacia adelante, acarició el suave cabello gris de Elsa Langer—. Adiós.

—Ha sido un placer conocerla —dijo la mujer de la silla de ruedas.

—Lo mismo digo —replicó Bonnie.

—Mentirosa, cara de raposa —canturreó la mujer mientras Bonnie salía a toda prisa de la habitación.

14

En cuanto llegó a casa, Bonnie llamó al despacho de Walter Greenspoon.

—Consulta del doctor Greenspoon. —La enfermera tenía una voz ronca y llena de humo, como si Bonnie la hubiera pillado en medio de una calada.

—Quisiera concertar una cita con el doctor Greenspoon tan pronto como sea posible —dijo Bonnie mientras intentaba comprender lo que estaba haciendo. No tenía intención de realizar aquella llamada. Se había pasado todo el trayecto a casa desde Sudbury convenciéndose de que lo que tenía que hacer era dejar que la policía se encargara del asesinato de Joan, permanecer fuera del asunto. Pero, ¿cómo mantenerse al margen del asunto si se encontraba en pleno centro, si ella y su hija podían correr un peligro mortal?

—¿Es usted paciente del doctor Greenspoon?

—¿Cómo? Oh, no, no.

—Ya veo. Bien, en ese caso la primera hora que tenemos disponible para primeras visitas es el diez de julio.

—¿El diez de julio? Pero si faltan más de dos meses.

—El doctor está muy ocupado.

—Sí, claro, pero yo no puedo esperar tanto. Necesito verle de inmediato.

—Me temo que no será posible.

—Espere un momento, no cuelgue —dijo Bonnie al notar que la mujer estaba a punto de hacerlo—. «Se me ha ocurrido algo.»

—¿Ah, sí? ¿Cuándo tiene su próxima cita Joan Wheeler?

—¿Cómo dice?

—Soy la hermana de Joan —dijo Bonnie, y oyó cómo su voz se quebraba bajo el peso de la mentira.

La voz de la secretaria también cambió, y se hizo más suave, incluso más profunda.

—A todos nos conmocionó y nos entristeció mucho lo ocurrido —dijo.

—Gracias —contestó Bonnie, asombrada de las cosas que estaba diciendo—. Sé que Joan tenía en muy buen concepto al doctor Greenspoon, y ahora lo estoy pasando bastante mal a raíz de lo sucedido, y pensé que quizá pudiera utilizar la próxima cita de Joan... —Se detuvo; la mentira pesaba demasiado en su lengua y no podía continuar.

—Me temo que ya hemos ocupado esa hora —se disculpó la enfermera.

Bonnie asintió con la cabeza, dispuesta a colgar. «Ya lo ves —le susurró la voz de su conciencia—, las mentiras no conducen a ninguna parte.»

—Pero tenemos una cancelación para este viernes —añadió la secretaria—. Creo que puedo darle esa hora, aunque en realidad no debería hacerlo. ¿Puede venir a las dos en punto?

—Por supuesto —accedió Bonnie de inmediato.

—Muy bien. ¿Quiere decirme su nombre, por favor?

—Bonnie Lonergan —respondió ella sin pensar, recuperando temporalmente su nombre de soltera; le resultaba incómodo, como un zapato pequeño. ¿Por qué había elegido Lonergan? ¿No había estado tan ansiosa por dejar atrás esa parte de su vida? Colgó el auricular antes de que la secretaria cambiara de opinión. El viernes a las dos en punto. Tendría que saltarse la última hora. No pasaba nada. Diría al director que había concertado una cita con un psicólogo para hablar de Sam y Lauren. Era la verdad. O al menos no era del todo falso. La cita con un psiquiatra era real. Durante la sesión, en cualquier momento sin duda mencionaría el lío que suponían Sam y Lauren. De hecho, tal vez hablara en profundidad sobre ellos. Así pues, no mentía en realidad.

De pronto, Bonnie notó las vibraciones de una música a través del techo de la cocina procedentes del dormitorio de Sam. Bueno, no era música exactamente. Sacó unas verduras de la nevera, y se dispuso a cortarlas para preparar una ensalada. Era más adecuado describirlo como un ruido rítmico: fuerte, insistente, implacable.

Bonnie se imaginó a Sam echado en la cama, la camisa desabrochada y abierta, contemplando el techo, pensando... ¿qué? Bonnie no tenía ni idea. Pese a sus repetidos esfuerzos, Sam nunca le confiaba sus pensamientos. Ni a Bonnie, ni a Rod, ni al director, ni al subdirector, ni al departamento de asesoría, ni al asistente social, ni al psicólogo del instituto; todos habían intentado que el chico se les abriera. Era inútil. Sam iba a clase, hacía su trabajo, salía con sus amigos, tocaba la guitarra, alimentaba a su serpiente, fumaba sus cigarrillos y no hablaba.

Lauren hacía más o menos lo mismo, rechazaba la ayuda profesional y pasaba la mayor parte del tiempo sola. Desde la muerte de su madre se había mostrado alternativamente hostil, pasiva, agresiva y llorosa. En los últimos días se había sumido en una especie de inercia que rayaba en lo comatoso; por la mañana le costaba mucho levantarse de la cama a tiempo para que Sam la llevara a clase, no conseguía concentrarse, aplicarse en la tarea que tuviera entre manos. Bonnie había sugerido que quizá fuera demasiado pronto para que regresara al colegio, pero Lauren se había mostrado inflexible. No le pasaba nada, insistía; lo único que debían hacer todos era dejarla en paz. Sólo Amanda parecía capaz de robarle una sonrisa consistente. Y Rod, a quien siempre esperaba levantada, sin importar lo tarde que llegara a casa.

Quizá les conviniera tomarse unos días de vacaciones e irse a algún sitio todos juntos, como una verdadera familia, sugirió Bonnie a Rod; unos días para intentar conocerse unos a otros de verdad. Bonnie empezaba a sentirse como una intrusa en su propia casa. Lo único que quería era que los hijos de Rod le dieran una oportunidad. Quizá les conviniera hacer terapia de grupo, juntos. Como familia. Como unidad. Pero Rod decía que no podía permitirse unas vacaciones en esos momentos, y que tampoco podían pagar una terapia tan extensa. Lo que necesitaban era tiempo, insistía. Sam y Lauren se habían encariñado ya con

Amanda; sólo era cuestión de tiempo que también se encariñaran con ella.

«Espero que tengas razón», pensó Bonnie mientras cortaba rápidamente las zanahorias, luego el pepino y los tomates, al ritmo de la última moda en angustia vital adolescente, preguntándose cómo soportaba Sam estar en aquella habitación con la música a tanto volumen. Desde luego, ella podía subir y pedirle que la bajara, pero no quería. Cuando era una adolescente, nunca le habían permitido el lujo de escuchar música tan alto. La salud de su madre era precaria, sus migrañas demasiado frecuentes. Bonnie y Nick siempre habían tenido que escuchar la radio en un susurro. Aunque Nick nunca hacía caso de lo que decían.

Además, curiosamente, la música tan alta estaba sentándole bien. De alguna forma la invadía, confinaba todo lo demás a los rincones traseros de la mente, proscribía cualquier cosa que se pareciera al razonamiento serio. Mientras aquellos tambores retumbaban en el techo de su cocina, no tendría que pensar en la locura de sus recientes acciones; su visita a Caroline Gossett el día anterior por la tarde, su visita a Elsa Langer, su programada visita al doctor Greenspoon el siguiente viernes. ¿Pero qué le pasaba? ¿En verdad creía que con sus investigaciones de detective aficionado conseguiría algo? ¿Pensaba en serio que el hecho de que asumiera un papel activo en la investigación significaba que todavía controlaba su vida? ¿Tan necesaria era la ilusión de control para su bienestar?

Bonnie puso todas las verduras en un cuenco de madera para ensalada y lo metió en la nevera. Después miró su reloj: eran casi las cinco. Rod llegaría tarde otra vez; Sam y Lauren estaban en sus respectivas habitaciones; Amanda había sido invitada a una fiesta de cumpleaños y no llegaría hasta cerca de las seis. Bonnie podía permitirse el lujo de tomarse unos minutos de descanso, echarse en el sofá, leer el periódico. O acabar de preparar la cena y guardar la ropa limpia.

Optó por el sofá. Cogió el periódico de la mesa de la cocina, donde llevaba desde la mañana, y tras una lectura rápida de la primera página, pasó a la sección de sociedad y al apartado del doctor Walter Greenspoon. «Los deberes —se dijo—. Investigación.»

Querido doctor Greenspoon —empezaba la primera carta—. *Me temo que mi marido podría ser homosexual. Lleva un tiempo sin demostrar ningún interés sexual por mí, y últimamente se muestra cada vez más distante, también en el aspecto emocional. Además, he encontrado algunas revistas* gay *en el fondo de su cajón. La idea me pone enferma, aunque explicaría muchas cosas. Llevamos bastante tiempo sin tener relaciones sexuales, pero aun así me preocupa el sida, porque tengo entendido que su período de incubación es largo. ¿Puedo correr algún riesgo? ¿Debería hablar con mi marido de mis sospechas, o no decir nada? Estoy enamorada de él, y lamentaría mucho perderlo. No sé qué hacer. ¿Puede ayudarme?* Estaba firmado: *Desorientada.*

Querida Desorientada —decía la inmediata respuesta—. *Tiene que hablar con su marido de inmediato. Un matrimonio no sobrevive si existen los secretos, y, en su caso, ese secreto podría matarla.*

«Perfecto —pensó Bonnie—. Justo lo que necesitaba para relajarme.» Dejó el periódico, se levantó, y se dirigió hacia el cubo de la colada que había dejado al pie de la escalera aquella mañana. «Será mejor que acabe con esto.» Levantó el pesado cubo de plástico y lo subió por la escalera, la música cada vez más alta, menos melódica, con cada paso que daba.

Guardó las sábanas limpias en el armario de la ropa blanca junto al dormitorio principal; su ropa interior, en el cajón superior del tocador, y la ropa interior de Rod dos cajones más abajo. Luego los calcetines de su marido: casi todos negros, y unos cuantos marrones, todos largos. Bonnie abrió el último cajón, y cuando se disponía a guardarlos sobre los que ya había en el cajón, se detuvo. «*He encontrado algunas revistas* gay *en el fondo de su cajón*», recordó al instante. «No seas idiota —se dijo mientras pasaba la mano por encima del montón de calcetines—. Si hay algo que no me preocupa es la posibilidad de que mi marido sea *gay*.»

—¿Entonces qué es lo que te preocupa? —preguntó la vocecilla.

—No me preocupa nada, gracias —dijo ella, pero ya tenía las manos debajo de las filas de calcetines, fingiendo arreglarlos, hacer más espacio en el cajón—. Aquí sólo hay calcetines —anunció—. Nada de secretos inconfesables.

Y entonces sus dedos tocaron un material diferente, que no era ni lana ni nilón, sino... una bolsa de plástico. «Una bolsa de plástico llena de calcetines», pensó mientras sacaba la bolsa de color rosa, y entonces vio el corazón rojo pintado en uno de los lados y las curvadas letras negras que rezaban *Linda Loves Lace*.[1]

—No son calcetines —dijo Bonnie. Echó un vistazo dentro, y sacó un sujetador y unas bragas color malva, traslúcidos, delicados, junto con el liguero y las medias a juego—. Todo menos calcetines. —Entonces extrajo dos pañuelos de gasa color malva. Se sentó en el suelo, y una amplia sonrisa iluminó su rostro.

Hacía mucho tiempo que Rod no le compraba ropa interior sexy. Recordó que antes lo hacía muy a menudo, sobre todo cuando llevaban poco tiempo casados. La sorprendía con un pequeño paquete: unas braguitas tanga, un body de encaje negro, sujetadores escotados, como los que acababa de descubrir... Examinó los sujetadores de aros, les dio la vuelta para comprobar la talla. «Ya decía yo que me parecían un poco optimistas —pensó al ver que eran una talla más—. De ilusión también se vive», añadió preguntándose para qué serían los pañuelos.

Sonó el teléfono. Bonnie se levantó del suelo y contestó al segundo timbrazo.

—¿Diga?

—¿Cómo estás? —preguntó Diana, sin tomarse la molestia de identificarse—. Tenía unos minutos libres y se me ocurrió llamarte para saber si la policía sigue amargándote la existencia.

—Estos últimos días me han dejado en paz, pero no estoy segura de si eso es buena o mala señal.

—Cuando la policía te deja en paz siempre es buena señal. ¿Y cómo te encuentras?

—Supongo que bien.

—¿Sólo supones? ¿Qué puedo hacer para que estés bien? Vamos, pídeme lo que quieras. Tus deseos son órdenes para mí.

1. Linda ama a Lace.

Bonnie sostuvo en alto la ropa interior de encaje color malva, metió el puño en una de las copas del sujetador.

—Ya que insistes, me gustaría tener los senos más grandes.

Diana no se inmutó.

—Una de senos más grandes. Tetas a medida. De hecho, puedes quedarte los míos. ¿Para qué los necesitas?

Bonnie se echó a reír, y explicó a su amiga que había encontrado un paquete de ropa interior sexy en el fondo del cajón de Rod.

—¿Estás segura de que no es un travesti? —preguntó Diana.

—Por favor.

—Lo decía en broma. En fin, tengo que dejarte. Sólo quería saber cómo estabas.

—Te lo agradezco. Oye, ¿por qué no vienes a cenar el viernes?

—¿Este viernes?

—¿Tienes otros planes?

—No. ¿Estás segura de que no será un lío? Ya tienes bastante trabajo. Sería más indicado que yo cocinara para ti.

—Pero si no sabes cocinar —recordó Bonnie a su amiga.

—Eso es verdad. Entonces quedamos en tu casa. ¿A las siete?

—El viernes a las siete. —Bonnie colgó el auricular, y se quedó juguenteando con el cierre de la minúscula tira del sujetador, abriéndolo y cerrándolo con aire distraído.

—Perdona —dijo una voz desde el umbral.

Bonnie metió apresuradamente las prendas íntimas en la bolsa de plástico, se volvió y vio a Lauren, que llevaba la parte de arriba de su uniforme del colegio y unos tejanos holgados, en la puerta de la habitación.

—Hola, cielo. ¿Qué ocurre? —preguntó Bonnie.

—No encuentro mi camiseta púrpura —dijo Lauren, evitando la mirada de Bonnie.

—La he lavado —dijo Bonnie, mientras arrugaba la bolsa de plástico rosa y la devolvía al cajón inferior de Rod antes de buscar la camiseta púrpura de Lauren en el cubo de la ropa limpia.

—No hace falta que me laves la ropa —dijo Lauren—. Puedo hacerlo yo.

—No me importa —le aseguró Bonnie. «Por lo menos déjame hacer eso por ti, por favor», añadió en silencio.

Lauren entró lentamente en la habitación y cogió la camiseta que Bonnie le tendía.

—Gracias.

—De nada —dijo Bonnie, agradecida.

Sus dedos se tocaron un instante, y Lauren desapareció de inmediato.

—¿Sam? —Bonnie dio unos golpes suaves en la puerta de su habitación—. Sam, ¿puedo entrar? —Volvió a llamar. «¿Qué hago?» ¿Acaso esperaba que Sam oyera sus tímidos golpes con todos aquellos gritos y gemidos que sonaban dentro de la habitación? Llamó más fuerte, golpeando la puerta varias veces con el puño—. Sam —gritó—. ¿Puedo entrar?

La puerta de la habitación se abrió de golpe, y la música irrumpió en el pasillo, como lava expulsada de un volcán, amenazando con tragarse todo lo que encontrara a su paso.

—Te traigo la ropa limpia —gritó Bonnie para hacerse oír señalando el cubo que llevaba en las manos.

—Ah, fantástico —gritó Sam—. Gracias. —Se apartó para que Bonnie pudiera entrar.

Ella titubeó unos instantes, y luego traspasó el umbral, mirando a su alrededor rápidamente para comprobar que la serpiente estaba en el terrario, y asombrada de ver que la habitación seguía entera. Dejó el cubo de la ropa sobre el sofá, y luego se llevó una mano a la oreja.

—¿No encuentras que está demasiado alta? —preguntó.

Sam se acercó al equipo de música y bajó el volumen hasta un nivel más aceptable.

—Perdona.

—No importa —dijo Bonnie. Habría dado cualquier cosa por saber cómo comunicarse con él, cómo lograr que se abriera a ella, que le hablara de su madre. Era evidente que su relación había dejado mucho que desear. La prueba era la extraña reacción de Sam al conocer la noticia de la muerte de Joan. «¿Dónde está el coche?», había preguntado. «Ding dong, se ha muerto la bruja.» Pero sin duda entonces se encontraba bajo los efectos de una conmoción, ya tenía que sentir algo más que la total indiferencia que continuaba fingiendo.

—¿A *L'il Abner* no le molesta la música tan fuerte? —Bonnie miró de mala gana hacia la serpiente.

—En absoluto —contestó Sam—. Las serpientes son sordas.

—¿En serio?

—Nota las vibraciones, pero no oye. —Sam se acercó al terrario, y golpeó el cristal con los dedos.

Ella se aproximó también. La serpiente se extendió en su dirección, como alertada. Bonnie tragó saliva, se obligó a mirar más de cerca el reptil.

—Es francamente bonita —admitió.

—Eso opino yo. —El tono de Sam fue de orgullo casi paternal.

—¿Qué tamaño dijiste que alcanzaría?

—Tres metros y medio, cuatro y medio si viviera en libertad.

—Es sorprendente. —Bonnie se preguntó si se refería a la serpiente o a lo cerca que estaba de ella—. ¿Qué es eso que hay en el fondo del terrario?

—Coral africano —dijo Sam—. También se puede poner grava.

Bonnie señaló el resto de la diversa parafernalia que había en el tanque.

—¿Y para qué sirve todo eso?

—El termómetro es para regular la temperatura interior del terrario. No puede sobrepasar los 35 grados. ¿De verdad te interesa todo esto? —preguntó con escepticismo.

—Sí. —Bonnie constató que era cierto—. Cuéntame más cosas, por favor.

El rostro de Sam se animó al instante.

—Bueno, las serpientes, cuanto más calientes están más deprisa crecen. Por la noche bajo la temperatura a 22 grados, pero nunca por debajo de eso, porque las serpientes son animales de sangre fría y no metabolizarían la comida. —Señaló una piedra grande que había en el extremo izquierdo del terrario—. Eso es una piedra-calentador. ¿Ves el enchufe?

Bonnie asintió con la cabeza.

—Mantengo la piedra a 29 grados. Y estas lámparas de aquí también son para proporcionar calor. —Señaló un foco que había encima del terrario—. Ésta de aquí es de cien watios, y esta otra larga que recorre todo el estanque es una lámpara vitamínica que imita la luz del sol y le proporciona vitaminas. Eso es el agua para beber —prosiguió señalando un recipiente de plástico rojo lleno de agua—. Le encanta el agua. A veces se mete dentro. La mantengo a 32 grados. Y ese tronco es para darle sombra, y para cuando quiere jugar.

—¿Jugar?

—Las boas son muy juguetonas.

«Las boas son boas», pensó Bonnie, pero no lo dijo.

—¿Y la caja de cartón?

—Le gusta meterse dentro para dormir.

La serpiente golpeó la tapa de cristal con la cabeza. Involuntariamente, Bonnie dio un paso atrás.

—No puede salir, ¿verdad?

—Todavía no. Pero cuando crezca tendré que poner pesos sobre la tapa, para impedir que la levante. Ahora sólo pesa unos cuatro kilos y medio, pero las boas son increíblemente fuertes, y cuando son adultas llegan a pesar hasta noventa kilos.

—¡Madre mía!

—¿Quieres cogerla?

—¿Qué?

—No te hará daño. Es muy cariñosa, de verdad. —Sam ya estaba retirando la tapa de cristal y sacando la serpiente del terrario.

—No, Sam —protestó Bonnie—. Creo que no hace falta.

—No tienes nada que temer. —Sam estiró la serpiente para que Bonnie la admirara—. ¿Verdad que es fabulosa? Mira esta iridiscencia. En algunos sitios es casi púrpura. A la luz del sol es casi verde. Mira como los colores se vuelven más intensos y el dibujo se concentra más hacia la cola.

Bonnie recorrió con la mirada el cuerpo de la serpiente, y luego vio, horrorizada, que Sam se acercaba la cabeza del animal a la boca.

—¿Lo ves? No te hará daño. —La serpiente movió la lengua hacia los labios de Sam.

—¿Qué hace? —Bonnie se acercó, titubeante.

—Las serpientes perciben el calor con la lengua. Siempre están moviéndola. Mira cómo la tiene. —Hizo girar la cabeza de la serpiente hacia Bonnie—. ¿Ves esta banda oscura que le recorre los ojos?

Bonnie examinó más de cerca los ojos de la serpiente, colocados a ambos lados de la cabeza.

—Las serpientes no tienen párpados, y nunca pueden cerrar los ojos —explicó Sam, que se había convertido en el profesor—. ¿Por qué no la tocas? Tiene una piel fabulosa. Como la seda.

—Como la seda —repitió Bonnie, perpleja. Tendió la mano hacia la serpiente como si tuviera vida propia. Sus dedos tocaron el cuerpo de la serpiente, con la suavidad y el cuidado de una caricia de amante. Sam tenía razón; acarició el largo cuerpo del reptil con creciente confianza. Era cierto que parecía de seda.

—¿Quieres cogerla? —propuso Sam.

«No, por favor», pensó Bonnie. Pero dijo:

—Vale. —¿Estaba loca? ¿Qué demonios hacía?

—¿Cómo la cojo?

—Así. —Sam llevó una de las manos de Bonnie hacia la parte de atrás de la cabeza de la serpiente, y la otra hacia la cola.

—¿Y si empieza a agitarse?

—La sujetaremos. Todavía somos más fuertes que ella. Sobre todo no la dejes caer al suelo —le advirtió Sam—. No lo soporta.

Bonnie la sujetó con fuerza, notó la tensión de la serpiente en sus manos, le sorprendió la fuerza que ondulaba entre ellas. «Debo de estar loca», pensó.

—Siempre me habían dado pánico las serpientes —dijo.

—Lo haces muy bien —la animó Sam.

La serpiente torció la cabeza hacia ella, agitando la lengua en el aire. «Es fabulosa», pensó Bonnie, momentáneamente embelesada ante la visión del reptil, y por el hecho de tenerlo en sus propias manos. Se tambaleó, como si estuviese hipnotizada. Si le hubiesen dicho hacía una semana, o hacía una hora, que estaría junto a un chico con el cabello negro azulado y un pendiente en la nariz, sujetando una boa constrictor de casi metro y medio, habría dicho que estaban locos. Y sin embargo allí estaba, no sólo sosteniendo aquella cosa, sino disfrutando sinceramente de la sensación, de la transferencia de poder del cuerpo de la serpiente al suyo. Desde luego, la loca era ella.

De pronto, la serpiente se puso rígida, movió sus anillos, como uno de esos juguetes resbaladizos de Amanda. Se escurrió por entre sus dedos y sus palmas, amenazando con soltarse y caer al suelo. Recordó que no podía soltarla e hizo todo lo posible por mantenerla agarrada. ¿No acababa de decirle Sam que detestaba que la dejaran caer al suelo?

—Será mejor que ahora la sujetes tú —dijo Bonnie, y se preguntó qué haría si Sam se negaba a coger el reptil, si se limitaba a echarse a reír y se marchaba de la habitación. De todas las estupideces que había cometido en los últimos días, aquélla era con una gran ventaja la mayor. ¿Creía que aquélla era la forma de romper el hielo con Sam? ¿De hacer que se le abriera, que hablara de su madre? ¿Acaso pensaba que una boa constrictor podía ser el instrumento que le hiciera ganarse la confianza de un adolescente?

—Claro —dijo Sam, y cogió con suavidad la serpiente de brazos de Bonnie, devolviéndola al terrario con un único y fluido movimiento, luego puso la tapa en su lugar.

Bonnie se sintió de pronto mareada y aturdida. Oyó risas, y comprendió que era ella quien reía.

—Lo he hecho —dijo—. La he cogido.

Sam rió con ella.

—Has estado estupenda.

—Sí, estupenda —admitió Bonnie.

—Mi madre jamás se le acercaba —murmuró Sam, y se pasó una mano por la boca, como si quisiera borrar las palabras que acababa de pronunciar.

Bonnie contuvo la respiración; estaba ansiosa por bombardear al chico con preguntas, pero era consciente de que tenía que ir con mucho cuidado.

—¿Ah, no? —fue su único comentario.

—Decía que era viscosa y asquerosa —prosiguió Sam sin apartar la vista de *L'il Abner*—. Pero nada tiene de viscosa.

—Desde luego que no.

—No le interesaba.

—Pero te dejaba tenerla en casa. Mi madre jamás me lo habría permitido —dijo Bonnie, y era verdad. Nunca le habían dejado tener mascotas cuando era niña. Le ponían como excusa las alergias de su madre. Recordó el cachorro que Nick llevó a casa una tarde: le dijeron que tenía que devolverlo. «Es mío», imploró Nick, pero fue en vano.

—Ya me lo imagino.

—¿Cómo era tu madre, Sam? —se atrevió a preguntar Bonnie en voz queda.

Sam se encogió de hombros como solía hacer.

—No lo sé —dijo tras una breve pausa—. No pasábamos mucho tiempo juntos.

—¿Por qué?

—Tendrías que preguntárselo a ella. —Se echó a reír, un sonido estrangulado y truncado, y se frotó la nariz con la mano.

—¿No te molesta? —Bonnie señaló el pendiente que llevaba en la aleta izquierda de la nariz.

—Te acostumbras —contestó Sam, y una tímida sonrisa iluminó su rostro para desaparecer de inmediato.

—Háblame de tu madre —insistió Bonnie; vio como el cuerpo de Sam se ponía rígido y oscilaba, igual que la serpiente, que ahora se estiraba hacia la parte superior del terrario.

Sam estuvo largo rato callado.

—Crees que debería estar triste por su muerte, ¿verdad? —dijo por fin.

—¿Y no lo estás?

—No. ¿Por qué iba a estar triste? —La retó con la mirada—. Era una borracha inútil. Y nunca me quiso.

—¿Crees que tu madre no te quería? —repitió Bonnie.

—Sólo quería a Lauren —continuó Sam—. Yo no le interesaba en absoluto. —Volvió a frotarse la nariz—. Y a mí no me interesaba ella. Por eso no estoy triste con su muerte.

—Tiene que haber sido muy duro para ti.

—¿Qué?

—Crecer con una madre que bebía, que no tenía tiempo para ti, que nunca te demostraba su afecto.

—No fue duro. —Sus palabras se tiñeron de desafío, pero sin convicción.

—Debes de estar furioso con ella.

Él rió con sarcasmo, y levantó las manos.

—Pero si está muerta. ¿Cómo voy a estar furioso con ella?

—El hecho de que una persona muera no quiere decir que nuestra rabia se vaya con ella.

—¿Ah, no? Bueno, qué más da.

—¿Y tu abuela? —preguntó Bonnie, cambiando de tema.

—¿Mi abuela? ¿Qué ocurre con mi abuela?

—Hoy he ido a visitarla.

—¿Ah, sí? ¿Y sabía quién eras?

—No.

Sam rió.

—Ya me extrañaba.

—¿Qué dices? —preguntó una voz. Bonnie se volvió y vio a Lauren, pálida, en el umbral—. ¿Dices que has ido a visitar a nuestra abuela?

Abajo, una puerta se abrió y se cerró.

—¿Bonnie? —llamó Rod—. ¿Estás en casa, Bonnie?

—Estoy arriba —contestó ella, sorprendida—. Creía que ibas a llegar tarde.

—Le he dicho a Marla que no se pase conmigo —dijo Rod; Bonnie oyó sus pasos subiendo la escalera—. Tengo una casa, una familia, una esposa preciosa con la cual no paso suficiente tiempo... —Se acercó a la puerta de la habitación de Sam, y se detuvo al ver a Bonnie con sus dos hijos—. ¿Ocurre algo? —preguntó.

15

Estaban sentados en el borde de la cama.

—Tengo una sorpresa para ti —dijo él.

Bonnie sonrió a su marido.

—Esta noche te ha dado por las sorpresas —repuso ella enumerándolas mentalmente: había llegado antes de lo previsto a casa; estaba de un buen humor inalterable al parecer, no se había enfadado al enterarse de su visita a Elsa Langer, se había empeñado en dar los últimos toques a la cena, en servirla, en ayudar a Bonnie a recoger los platos. Hasta se había sentado con Lauren mientras ella leía un cuento a Amanda y la acostaba, y había pasado media hora más a solas con su hija mayor.

—Creo que a Lauren le ha hecho mucha ilusión el rato que has pasado con ella esta noche —le dijo Bonnie.

—Me lo he pasado muy bien —repuso él—. Es una niña encantadora.

—Me gustaría hacer algo más por ella.

—Limítate a ser natural. Ya reaccionará.

—¿De qué habéis hablado?

—De Marla, sobre todo.

—¿De Marla?

—Ya sabes cómo se impresionan los niños con los famosos. —Se encogió de hombros, quitando importancia al asunto—. Quería saber cómo era en realidad, si salía con alguien, y cosas así.

—¿Y qué le has dicho? —Le pareció recordar que Marla se había separado hacía poco.

—Que no tengo ni idea —contestó él—. Soy el realizador del programa, no su confidente. Pero supongo que no tardaremos en saberlo.

—¿Qué quieres decir?

—Me refiero a la cena del sábado.

—¿Qué cena? —preguntó ella. ¿Se había perdido parte de la conversación?

—La cena en casa de Marla, el sábado. ¿Te habías olvidado?

—¿Olvidado? Es la primera vez que oigo hablar de esa cena.

—Te lo dije hace cosa de un mes —replicó él—, aunque no me extraña que se te olvidara después de lo ocurrido.

—Rod, me parece que no estoy de humor para pasar una velada con Marla Brenzelle. Además, no tenemos canguro.

—Pero tenemos dos adolescentes.

—No puede ser —protestó ella—. Ya sabes qué pensaba Joan de que utilizáramos a sus hijos como niñeras.

—También son mis hijos —le recordó él—. Y creo que les gustará. Adoran a Amanda, y ella está loca por ellos. Además, eso les ayudará a integrarse en la familia. ¿No es eso lo que siempre dices tú, convertirnos en una familia de verdad? Son buenos chicos —añadió con voz queda, y parecía un poco sorprendido, como si acabaran de presentarle a aquellos extraños que eran sus dos hijos mayores.

«Quizá se trate de eso», pensó Bonnie, consciente de que, por mucho que le costara admitirlo, la valoración que había hecho Caroline Gossett de Rod como padre no iba demasiado desencaminada. Lo cierto era que su marido nunca había pasado mucho tiempo con ninguno de sus hijos, incluida Amanda. Al principio se excusaba diciendo que era demasiado pequeña, demasiado delicada; ni siquiera se atrevía a cogerla en brazos. Argumentaba que no sabía tratar a los bebés, pero eso no explicaba su torpeza cuando Amanda tenía ya tres años.

Bonnie había interpretado siempre el distanciamiento de Rod de su hija como temor a perderla. Había perdido a una hija en un trágico accidente, y a sus hijos mayores como consecuencia del divorcio. Le daba miedo acercarse demasiado a ella; temía permitirse el lujo de querer a Amanda de manera incondicional y que volvieran a herirlo. Por lo menos, eso era lo que Bonnie había pensado siempre, hasta que Caroline Gossett le contó otra versión.

Quizá lo único que motivaba a Rod era su deseo de demostrar que Caroline se equivocaba. En cualquier caso, si la visita de Bonnie a Caroline Gossett no conseguía otra cosa que hacer mejorar a Rod en su papel de padre, habría valido la pena. Cogió la mano de su marido.

—¿Dónde está mi sorpresa? —preguntó, desterrando a Caroline Gossett de la habitación.

—Cierra los ojos —le ordenó Rod.

Bonnie obedeció. Se sentía como una niña pequeña, y se echó a reír. Notó que Rod se levantaba de su lado, oyó que abría un cajón, y a continuación el crujido de una bolsa de plástico. Una bolsa de plástico rosa con un gran corazón rojo en uno de los lados: *Linda Loves Lace*, e intentó adoptar una adecuada expresión de sorpresa.

—Vale —dijo Rod—. Ya puedes abrir los ojos.

Bonnie le obedeció y vio a su marido de pie, delante de ella, con la bolsa de plástico rosa en las manos.

—¿Qué es? —preguntó.

Él dejó la bolsa suavemente sobre su regazo.

—Hacía mucho tiempo que no te compraba nada —dijo con timidez—. Pensé que esto nos traería recuerdos agradables.

Bonnie fingió intriga, y luego una ligera conmoción cuando sacó las bragas y el sujetador de encaje de la bolsa, seguidos del liguero, las medias y los pañuelos.

—Vaya, vaya. ¿Qué tenemos aquí?

—Siempre te ha sentado muy bien el color malva —dijo él—. ¿Vas a probártelo?

—¿Ahora?

—A no ser que tengas otros planes...

—No los tengo —dijo Bonnie, levantándose; Rod le cortó el paso, la rodeó con sus brazos y la abrazó con fuerza.

—Me parece que no tienes idea de lo mucho que te quiero.

—Yo también te quiero —repuso ella.

—Me he comportado como un gilipollas.

—Eso no es verdad.

—Me he dejado absorber por el trabajo, he intentado ignorar todo lo ocurrido, no me he tomado lo bastante en serio tus preocupaciones, no he estado con vosotros para ayudaros a ti y a los niños...

—Ahora estás aquí.

—Te quiero.

—Yo te quiero más —replicó ella.

—Estoy impaciente por verte con eso puesto.

—El sujetador lo encuentro un poco ambicioso. —Bonnie se lo puso sobre el pecho—. Bueno, ¿cómo dice el refrán...? ¿La buena teta que en la mano te quepa?

—Siempre pensé que era en la boca —dijo Rod.

Bonnie notó que se le aceleraba el pulso.

—Me gustan las ideas que tienes.

Rod volvió a besarla, y esta vez tanteó con la lengua el interior de su boca. Bonnie pensó en la serpiente, en su lengua viperina alargándose hacia los labios de Sam, y echó la cabeza hacia atrás al instante.

—¿Te ocurre algo? —preguntó él.

Ella descartó esa desafortunada imagen meneando la cabeza.

—Deja que me ponga algo menos cómodo —susurró. Se soltó de los brazos de su marido y corrió hacia el cuarto de baño. Una vez dentro cerró la puerta, y comenzó a desabrocharse la blusa.

Al cabo de un momento, la falda azul y la blusa blanca estaban en el suelo, junto con las bragas de algodón blancas y las medias. Contempló su cuerpo desnudo y evaluó sus defectos, y cómo mejoraría: pechos más grandes; el trasero más alto; el vientre más liso; los brazos más firmes... Su rostro no podía confundirse ya con el de una adolescente. Estiró la piel a ambos lados de los ojos, y pensó en Marla Brenzelle. Un pequeño tirón aquí, un pequeño pliegue allí, unos cuantos gramos de silicona debidamente aplicados, unos cuantos kilos de grasa eliminada...

Se puso las braguitas tanga, ajustándolas a sus delgadas caderas. Eran altas, casi transparentes, y formaban una profunda V sobre su vello púbico. Metió el vientre y giró por la cintura. ¿Por qué no tenía una de esas cinturas de avispa, como las modelos de la última edición de *Vogue y Bazaar*? —¿Me pone una de ésas, por favor? —dijo a la imagen que se reflejaba en el espejo.

«Quizá —oyó que contestaba una voz—. ¿Quién lo pregunta?»

«Por el amor de Dios, ahora no te pongas a pensar en aquella loca.» No ahora que su marido la esperaba en la habitación contigua, ardiente y enamorado. Sus manos lucharon con el liguero y las medias; luego, Bonnie se preguntó qué se suponía que debía hacer con los pañuelos. «Algo me dice que no son para el cabello», pensó, y se miró en el espejo por última vez. Tampoco tenía tan mal aspecto. ¿Qué más daba que el sujetador le estuviera un poco grande? De todos modos no iba a llevarlo puesto por mucho rato. Hacía tiempo que no se vestía así para su marido. ¿Se llevaría él una desilusión? Inspiró hondo, abrió la puerta del cuarto de baño, y entró en el dormitorio.

Él había apagado la luz del techo, y la habitación estaba a oscuras; sólo la luna proporcionaba un resquicio de luz a través de las cortinas.

—No te muevas —le ordenó él, una voz incorpórea en la oscuridad—. Quiero mirarte.

Ella se detuvo, la respiración agitada.

—¿Y si entra alguien? —preguntó.

—Nadie va a entrar.

—Sam está despierto todavía. Oigo su música...

—Nadie va a entrar —repitió él. Se incorporó, el rostro claramente visible ya, los ojos cortando la oscuridad, como un cuchillo cortando mantequilla.

—Rod...

—¿Tienes idea de lo guapa que eres?

—Dímelo tú.

—Ven aquí —ordenó él—. Voy a demostrártelo.

Al cabo de un instante, ella estaba a su lado en la cama, y Rod la acariciaba de arriba abajo, sus manos y sus labios compitiendo por centímetros de su piel, los dedos acariciándola por encima de la ligera tela, y después desabrochando, desatando y quitándole todo hasta que ella quedó desnuda a su lado.

—Con esto no he sabido qué hacer —confesó Bonnie, abriendo los puños y enseñando a su marido los ligeros pañuelos de gasa. Al contacto con el aire se desplegaron, como una esponja en el agua.

—Te enseñaré para qué sirven —susurró él—. ¿Estás preparada para la aventura?

—¿Para la aventura?

—Siempre te ha encantado la aventura —la provocó él.

—Pero, ¿qué...? —preguntó ella, sin atreverse a terminar la frase.

—Ya verás. Dame las manos.

—¿Las manos?

—Chist. No hables.

—¿Qué...?

—No hables —repitió él mientras la besaba suavemente en los labios—. Te gustará. Te lo prometo.

Antes de que se diera cuenta, ella tenía un pañuelo atado alrededor de cada muñeca, y éstas atadas a los postes de la cama, detrás y por encima de su cabeza.

—¿Qué haces, Rod?

—Relájate. Cierra los ojos. Disfruta.

—Me parece que no podré relajarme.

—No tienes que temer nada —dijo él—. No voy a hacerte nada que no te guste.

—Es que no sé si me gusta esto.

Él la besó, por toda respuesta. Bonnie sintió de nuevo su lengua en el interior de la boca... Y pensó otra vez en la serpiente. Intentó apartarla de su mente. ¿Por qué no era capaz de relajarse y disfrutar, tal como él le había dicho?

«Porque es difícil relajarse cuando se tienen las manos atadas a la espalda», dijo la vocecilla.

«No, si sabes que nada malo ocurrirá —replicó Bonnie a la voz—. No, si lo único que has de hacer es quedarte tendida y dejarte ir. No, si tu marido sólo intenta animarte un poco antes de hacer el amor.»

¿Desde cuándo necesitaban ellos animarse antes de hacer el amor? ¿No había sido siempre aquella parte de su relación completamente natural? ¿No habían encajado siempre como la aguja y el hilo, como dos piezas contiguas de un rompecabezas?

«¿Como ojal y botón? —añadió la vocecilla, bromeando—. ¿Como el anillo y el dedo? ¿Como el guante y la mano?»

¿Qué hacía? ¿Acaso quería echarlo todo a perder?

«Quizá —cacareó una voz lejana—. ¿Quién lo pregunta?»

Bonnie cerró los ojos, los apretó con fuerza y obligó a su mente a quedarse en blanco. No quería pensar en otra cosa que no fuera lo que ocurría en ese momento. Mientras tanto, él describía con la lengua finas líneas por su cuerpo desnudo, descendiendo por entre sus muslos. Ella se arqueó para acomodarse a él, sus manos lucharon para tocarlo, para acariciarlo, pero no pudieron alcanzarlo.

¿Cuándo atarla a la cama había formado parte de sus fantasías? Hasta entonces nunca había compartido aquellos impulsos con ella. Quizá fuera algo que había decidido de manera espontánea mientras contemplaba el escaparate de Linda Loves Lace. Tal vez la misma Linda se lo había sugerido. ¿Y si él se había sentido demasiado avergonzado para rechazar la sugerencia de que comprara los pañuelos?

Quizá había sido Rod el que lo había propuesto. Era posible que se hubiera inspirado en una película que había visto, o con más probabilidad, en algo que alguien había contado en el programa de televisión. *¿Tiene usted alguna fantasía sexual que le gustaría compartir con nuestros millones de espectadores? Llame al...*

Todo el mundo tenía fantasías. Como todo el mundo tenía secretos, algo íntimo que ocultaban a los demás. Era imposible saber todo de todos. ¿Qué había de malo en que Rod nunca hubiera compartido esa fantasía con ella hasta entonces? Ya la estaba compartiendo y ella era la principal beneficiaria.

Al instante pensó en los seguros de vida que Rod tenía de ella y de sus hijos, pólizas de cuya existencia ella no se había enterado hasta hacía muy poco. ¿Hasta qué punto conocía a Rod? Aquel hombre que estaba encima de ella, abriéndose camino en su interior, y con el cual llevaba cinco años casada. «No conoces muy bien a mi marido», había dicho a Caroline Gossett.

«Quizá eres tú la que no lo conoce», había replicado Caroline.

—Eres preciosa —decía él—. Preciosa. Te quiero tanto.

—Yo también te quiero —dijo ella, los ojos anegados de lágrimas. ¿Qué le ocurría? ¿De dónde procedían aquellos ridículos pensamientos? Claro que conocía a su marido. Era un buen hombre, amable y maravilloso. Su matrimonio era satisfactorio. No tenía motivos para sospechar de él. Si no llevaba cuidado, acabaría permitiendo que las mezquinas y celosas sospechas de otra gente lo echaran todo a perder. Si no tenía cuidado, acabaría como su madre.

«Fantástico», pensó. Sus brazos tiraron de las delicadas ataduras, apretando sin querer los nudos de las muñecas. No tenía bastante con dejar entrar en la habitación a Caroline Gossett y a aquella anciana loca del Centro de Salud Mental Melrose. Ahora también su madre se encontraba en la cama con ellos.

—¿Estás lista? —preguntó él mientras se sentaba de cara a ella, le abría las piernas y se las ponía sobre los hombros.

Bonnie asintió con la cabeza, concentrándose en el atractivo rostro de su marido, mientras él se lanzaba contra ella, como una imagen de una película de tres dimensiones, acometiéndola una y otra vez, con sus labios apretados contra los de ella, los brazos extendidos hacia los postes de la cama, entrelazando sus dedos con los de ella, sujetándolos.

—Te quiero —repitió él—. Te quiero. Te quiero.

Bonnie se sentía como si fuese montada en un tiovivo, viajando en vertiginosos círculos, cada vez más embriagada de placer, con cada fibra de su cuerpo estremecida, mientras la música del carrusel aumentaba en un *crescendo* increíble. «Cógete fuerte», pensó. Arqueó la espalda, y enroscó las piernas alrededor del cuello de su marido. Unos segundos más, y el viaje habría terminado.

—¿Papá? —llamó una voz desde algún lugar lejano—. ¿Papá? —La voz se subió al carrusel, se enroscó alrededor del cuello de uno de los ponis de madera y se estiró hacia la garganta de Bonnie.

Abrió los ojos; Rod se apartó de repente de ella y echó las sábanas por encima de sus cuerpos desnudos, aunque nada ocultaba el hecho de que Bonnie tenía las manos atadas.

—No me encuentro bien, papá —gimoteó Lauren—. Estoy muy mareada.

—De acuerdo, cariño —dijo Rod—. Ve a tu cuarto de baño. Enseguida voy.

Lauren salió corriendo de la habitación. Rod saltó de la cama y cogió el albornoz.

—Por todos los santos, Rod, desátame —pidió Bonnie.

Él corrió a su lado, y se puso a desatar los pañuelos de gasa con torpeza. Pero los retorcimientos de Bonnie habían apretado demasiado los nudos a las muñecas, y Rod sólo pudo soltarlos de los postes de la cama.

—¡Madre mía, que habrá pensado! —exclamó Bonnie, intentando soltar los tozudos pañuelos de sus muñecas, pero sin éxito—. Verme así, atada a la cama.

—No ha podido vernos. Esto está casi en tinieblas. Sus ojos no han tenido tiempo de adaptarse a la oscuridad.

—No sabemos cuánto rato llevaba ahí.

—¡Papá! —gritó Lauren desde el otro extremo del pasillo—. ¡Ayúdame!

Rod salió a toda prisa de la habitación y Bonnie se levantó trabajosamente, con el cuerpo acalambrado protestando por haber sido interrumpido de manera tan brusca. Unos segundos más y todo habría terminado. Bonnie se dirigió a su armario, sacó la bata, se la puso y escondió los pañuelos de gasa dentro de las mangas mientras se encaminaba al cuarto de baño del final del pasillo. Unos segundos más y hubieran terminado, su cuerpo habría sido satisfecho y sus muñecas, liberadas.

¿Tenía Rod razón? ¿Estaba el dormitorio demasiado oscuro para que Lauren hubiera visto lo que ocurría? ¿O lo había visto todo? «Mi madrastra, la pervertida», pensó Bonnie mientras se acercaba al cuarto de baño. A través de la puerta oyó el inconfundible sonido de alguien vomitando. Bonnie inspiró hondo y entró.

Lauren estaba inclinada sobre el retrete, con su cabello castaño pegado a la frente, el rostro pálido y el cuerpo sacudido por violentas arcadas. Rod se encontraba de pie junto a la ventana, y daba la impresión de que también se iba a marear.

—¿Por qué no vuelves a la cama? —dijo Bonnie acercándose al lavabo—. Ya me encargo yo.

Rod no se hizo de rogar. Torció los labios para esbozar algo parecido a una sonrisa de agradecimiento, y se marchó. Bonnie mojó una toalla con agua fría y la aplicó a la frente de Lauren.

—Respira hondo —la instó mientras la niña le apartaba la mano—. Vamos, tesoro. Respira hondo. Eso te ayudará.

Lauren hizo lo posible por obedecer. Por unos segundos pareció que se encontraba mejor, pero las náuseas volvieron a empezar. Bonnie intentó de nuevo aplicarle la toalla húmeda en la frente. Ella la rechazó otra vez.

Parecía evidente que la cena que había preparado aquella noche no había sentado bien al delicado estómago de Lauren. Bonnie se sentó en el borde de la bañera, y se preguntó por qué había dicho a Rod que se marchara. Lauren no la quería allí. Ella había llamado a su padre. A Bonnie se le ocurrían otras formas más agradables de pasar el resto de la noche que mirando como otra persona vomitaba. Sin embargo no se marchó. Esperó, sintiendo el frío del esmalte de la bañera a través del cálido terciopelo de su bata. *Qué buena eres*, oyó decir a su madre.

—Estoy muy mareada —gimoteó Lauren, con las lágrimas deslizándose por sus mejillas.

—Lo siento, cielo. Me gustaría poder hacer algo para que te sintieras mejor. —Bonnie volvió a preguntarse si Lauren la habría visto atada a los postes de la cama, y si eso sería una fuente más de su malestar—. Esto te ayudará —dijo, y le tendió de nuevo la toalla mojada. Esa vez Lauren no ofreció resistencia, y dejó que Bonnie le apretara la toalla contra la frente—. ¿Estás mejor?

—Un poco.

—Sigue respirando hondo —le recomendó Bonnie.

—Me duele mucho el estómago. Me parece que me voy a morir.

—No te vas a morir, te lo prometo. Te pondrás bien. Ya lo verás.

Lauren se apoyó contra la pared, y Bonnie la rodeó con sus brazos. Le secó la frente, y luego le pasó la toalla por la nuca.

—¿Cómo estás?

—Un poco mejor.

—Perfecto. —Se quedaron allí sentadas casi una hora—.

¿Crees que estás lista para volver a la cama? —preguntó Bonnie, que ya no podía bloquear por más tiempo el desagradable olor del pequeño cuarto de baño y empezaba a sentirse un poco mareada.

Lauren asintió con la cabeza y dejó que Bonnie la ayudara a levantarse. Con un brazo sujetó a Lauren por la cintura, y con la otra mano le agarró las suyas temblorosas.

—Despacio —le advirtió Bonnie—. No tenemos prisa.

—¿Qué es eso? —preguntó Lauren de pronto, señalando la muñeca de Bonnie. Un pañuelo de gasa malva asomaba por debajo de su bata de terciopelo.

Bonnie le soltó las manos y con los dedos remetió el pañuelo dentro de la manga.

—Nada —dijo—. Se me ha roto el forro de la bata... —Se interrumpió. Condujo a Lauren hasta su dormitorio.

—Lamento haberos molestado a ti y a papá —dijo Lauren.

—No nos has molestado —se apresuró a contestar ella. De nuevo se preguntó qué habría visto Lauren, rezando para que Rod tuviera razón, para que estuviera demasiado oscuro y ella no hubiera visto nada. Ayudó a Lauren a ponerse un camisón limpio, y luego metió a la niña en la cama. Se inclinó y la besó en la frente antes de dirigirse hacia la puerta.

—Bonnie —llamó Lauren con voz débil.

Ella se detuvo.

—¿Sí?

—¿Te importa sentarte a mi lado hasta que me quede dormida?

A Bonnie se le llenaron los ojos de lágrimas. «Menuda nochecita», pensó; volvió junto a la cama de Lauren y se sentó, asegurándose de que los pañuelos de gasa estaban bien escondidos en las mangas de la bata. Entonces cogió una mano a Lauren y esperó a que se quedara dormida.

16

El viernes por la tarde Bonnie fue a la visita con el doctor Walter Greenspoon.

No había sido un gran día. Desde primera hora de la mañana el cielo había estado lleno de nubes cargadas de lluvia, y la temperatura, fresca, parecía más adecuada para finales de octubre que para principios de mayo. Lauren no se encontraba bien todavía, y eso había llevado a Bonnie a sospechar que no era la cena lo que había sentado mal a la niña, sino que tenía la gripe. Fuera lo que fuera, Lauren seguía en la cama cuando Bonnie se marchó al instituto por la mañana. No se había molestado en despertarla, decidiendo que la niña necesitaba el sueño más que cualquiera de las actividades del programa del colegio privado femenino Bishop.

Rod había desaparecido temprano, como siempre. Otro desayuno de trabajo en la televisión para preparar la conferencia de Miami. No habían vuelto a comentar la posibilidad de que Bonnie lo acompañara a Florida. Esa opción se había esfumado con el asesinato de Joan. Además, ¿cómo iba a pensar en irse y dejar a los niños? Pese a que la policía la había llamado para comunicarle que los resultados de los análisis revelaban que la sangre que habían arrojado sobre Amanda era animal, y no humana, no olvidaba que alguien había tirado un cubo de sangre a su inocente hijita. Amanda estaba en peligro, tal como Joan le había advertido.

«Yo también estoy en peligro», pensó Bonnie mientras ascendía con su coche por Mount Vernon Street, en Beacon Hill, y veía cómo un Corvette blanco, que estaba allí aparcado, se incorporaba al tráfico justo delante de ella. «Mi hija y yo estamos en peligro, y eso no parece preocupar demasiado a nadie. La policía se muestra indiferente, mi marido no se quiere enterar y nadie tiene idea de qué hacer a continuación.»

Salvo quizá el asesino de Joan. Un escalofrío le recorrió la espalda. Como si alguien caminara sobre su tumba, según habría dicho su madre.

Bonnie pensó que la única que podía hacer algo era ella. Aparcó en el lugar que acababa de quedar libre. Examinó la elegante casa de ladrillo rojo donde el doctor Walter Greenspoon tenía su consulta, y luego miró su reloj. Eran las dos menos diez. Pero ¿qué pensaba decir al buen doctor? ¿Qué creía que conseguiría hacerle decir sobre Joan?

Bonnie se recostó en el asiento de piel marrón, cerró los ojos y movió la cabeza de un lado a otro. Desde luego, hasta ese momento no había tenido mucho éxito. Josh Freeman seguía evitándola. No había pisado la sala de profesores desde su último encuentro, y cada vez que Bonnie se cruzaba con él por los pasillos, Freeman agachaba la cabeza y aceleraba el paso esquivando su mirada. Luego estaba Haze: había faltado a sus dos últimas clases; Bonnie había llamado por teléfono varias veces a sus abuelos, pero no le habían contestado. Les había enviado un mensaje pidiéndoles que asistieran a la reunión de la siguiente semana, mas no albergaba demasiadas esperanzas de verlos. Su conversación con Caroline Gossett había levantado más interrogantes de los que había resuelto, y la visita a Elsa Langer había sido un ejercicio de futilidad. Así pues, ¿qué esperaba conseguir con aquella entrevista, mintiendo al psicólogo pop más famoso de Boston?

«Bueno —pensó Bonnie mientras abría la portezuela y descendía del coche—, eso es mejor que estar rondando por las calles.»

La casa de ladrillo rojo era típica de aquella elegante zona de Boston. Majestuosa, era el adjetivo que solían aplicarle, y no había otro más adecuado. Aquellas viviendas del siglo XVIII eran cuidadas por manos remilgadas y prósperas; las ventanas superiores con forma de arco; los pequeños jardines delanteros, rodeados por barandillas bajas de hierro forjado; las relucientes aldabas de bronce de las puertas con celosía, como si nunca las tocaran. Bonnie ascendió con lentitud los ocho escalones de la entrada, examinó el discreto panel con una relación de especialistas, y apretó el botón correspondiente a la consulta del doctor Greenspoon.

—Su nombre, por favor —dijo una voz por el interfono.

Bonnie dio un respingo, luego miró a su alrededor, como si quisiera asegurarse de que era a ella a quien se dirigía la voz.

—Bonnie —contestó titubeante—. Bonnie Lonergan.

Sonó un zumbido (breve, discreto, preciso). Bonnie abrió la pesada puerta principal y entró en un vestíbulo de baldosas blancas y negras. Una flecha dorada sobre la pared forrada de madera indicaba que la consulta del doctor Greenspoon estaba en la segunda planta. Bonnie empezó a subir por la escalera enmoquetada de azul oscuro.

La consulta del doctor Greenspoon estaba situada a la derecha de la escalera, detrás de unas puertas dobles de caoba. Bonnie llamó con suavidad, como si no estuviese convencida de que quería que la oyeran. La puerta se abrió con otro zumbido, y Bonnie entró en la consulta.

Había dos recepcionistas, una negra, la otra blanca, ambas jóvenes e impecablemente vestidas, sentadas detrás de un enorme mostrador curvado. Levantaron la vista al unísono y sonrieron con expresión solícita cuando Bonnie se les acercó. Sus placas de bronce las identificaban como Erica McBain y Hyacinth Johnson.

—¿Señora Lonergan? —dijo Erica McBain, transformando su voz ronca en un susurro bien ensayado.

—Sí —contestó Bonnie, y se fijó en que la ropa de las recepcionistas parecía haber sido elegida de acuerdo con la decoración de la consulta. Había suaves tonos grises y rosas por todas partes, desde el rosa intenso de los confidentes gemelos junto a la ventana hasta el rosa pálido de la blusa de Hyacinth Johnson; desde el gris claro de la moqueta hasta el gris oscuro de la falda de Erica McBain. Bonnie se sentía fuera de lugar con su traje pantalón a cuadros verdes y blancos, como una mala hierba en un jardín bien cuidado. Sin duda alguna, su atuendo revelaría de por sí que era una impostora, y la echarían de allí sin miramientos.

—El doctor la atenderá enseguida. —Una mano de manicura impecable con uñas de color frambuesa le acercaba una plancheta por encima del mostrador—. Si no le importa rellenar este impreso... Los honorarios del doctor son doscientos dólares la hora, a pagar después de cada sesión.

Bonnie echó un vistazo a la plancheta. Nombre, dirección, número de teléfono, número de la seguridad social, edad, profesión, estado civil, contacto, enfermedades infantiles, enfermedades recientes, medicación, motivos de la visita.

—Dios mío —murmuró Bonnie—. Tantas mentiras para escribir.

—¿Perdone? —dijo la secretaria—. ¿No estaba al corriente de los honorarios del doctor?

—No, no se trata de eso —dijo Bonnie, que apenas se había fijado en la cifra—. Es que no tengo bolígrafo —dijo—. Sabía que tenía por lo menos media docena en el bolso.

—Tenga. —Hyacinth Johnson le tendió un rotulador negro—. ¿Por qué no se sienta? —Señaló con sus oscuros ojos hacia los confidentes gemelos.

—Gracias. —Bonnie se llevó el impreso a los sofás, se sentó en uno de ellos, y le asombró encontrarlo más duro de lo que había imaginado. ¿Qué se suponía que tenía que hacer? Cogió bien el rotulador, pero sus dedos se negaron a escribir. «Vamos —se animó—. Has venido hasta aquí. Sólo tienes que rellenar los espacios vacíos. Tú eres maestra: ¿equivalen dos medias verdades a una verdad entera? Basta de tonterías. Nombre: Bonnie Lonergan. Dirección: 250 Winter Street. No van a comprobarlo, nunca descubrirán que el nombre no corresponde con la dirección. Dales tu número de teléfono, por amor de Dios. Sólo lo necesitan para sus archivos, por si tienen que ponerse en contacto contigo. No van a ir a la compañía telefónica en busca de discrepancias. Perdone, pero nuestras investigaciones demuestran que no hay nadie que se llame Bonnie Lonergan que viva en esta dirección y que tenga registrado este número de teléfono...»

Bonnie no recordaba el número de su cartilla de la seguridad social, aunque siempre se lo había sabido de memoria, y tuvo que buscar su cartera en el bolso. La encontró, pero se le cayó al suelo; su carnet de conducir cayó al suelo, revelando su verdadera identidad para que todos la vieran. Salvo que nadie la miraba. Erica McBain y Hyacinth Johnson estaban demasiado ocupadas, atendiendo los teléfonos y trabajando con sus ordenadores, para preocuparse por su falsa identidad.

—Esto es ridículo —murmuró Bonnie por lo bajo mientras copiaba el número de su cartilla de la seguridad social. Tenía que tranquilizarse. Si no lo hacía, sufriría un ataque de nervios en el despacho del médico, y él la haría encerrar en un manicomio. Lo cual tampoco sería mala idea.

—¿Señora Lonergan? —preguntó una voz masculina. Bonnie se sobresaltó. Volvió a caérsele la cartera del regazo al suelo. El hombre se agachó para recogerla, y Bonnie reconoció su calva por la fotografía del periódico. Contuvo la respiración mientras el doctor Greenspoon cogía la cartera; tenía el pulgar sobre su carnet de conducir, tapando su nombre.

—Ya puede pasar —dijo, y devolvió la cartera a la fría y húmeda mano de Bonnie.

Ella saludó con la cabeza a las recepcionistas, aunque ninguna de las dos la miraba, y siguió al doctor Greenspoon hasta su despacho, una habitación maravillosa, toda ventanas y estanterías empotradas. Había dos sofás de piel color borgoña, uno frente al otro, con una mesa de cristal baja ovalada en medio. En un rincón, un enorme escritorio de caoba, junto con otra pequeña mesa de cristal y dos butacas a rayas rosas y grises. Varias plantas se alargaban hacia el alto techo en los diversos rincones de la habitación.

Walter Greenspoon tenía unos cincuenta años y era más alto de lo que Bonnie se había imaginado. Quizá la fotografía del periódico sólo mostraba una discreta agrupación de cabeza y hombros y por ello le sorprendió tanto su altura, casi desproporcionada. Medía más de un metro ochenta, y tenía el torso y los brazos de un jugador de fútbol americano. Llevaba una camisa rosa pálido y una corbata roja de cachemira, como para equilibrar aquella imagen exageradamente masculina. Tenía los ojos azules, la barbilla suave, y su voz era una interesante combinación de amabilidad y autoridad.

—Eso ya lo llevo yo —dijo el doctor, señalando la plancheta.

—No he terminado...

—No se preocupe. Lo terminaremos juntos. Siéntese.

Bonnie se sentó en uno de los sofás de piel color borgoña, y el doctor Greenspoon lo hizo frente a ella, en el otro sofá. Bonnie lo observó mientras él leía por encima la información que ella acababa de anotar.

—¿Bonnie Lonergan?

Bonnie carraspeó.

—Sí. —Volvió a carraspear.

—¿Cuántos años tiene, Bonnie? ¿Le molesta que se lo pregunte?

—Cumpliré treinta y cinco en junio —contestó ella.

—Y vive en Weston, por lo que veo. Un sitio muy bonito.

—Sí.

—¿Está casada?

—Sí. Desde hace cinco años.

—¿Tiene hijos?

—Una hija de tres años. Y dos hijastros —añadió, y se mordió fuerte la lengua. ¿Por qué había dicho eso?

—¿En qué trabaja?

—Soy profesora de instituto. De lengua —contestó. ¿Cuándo podría interrumpir aquel inútil intercambio de información y centrarse en el motivo de su visita? Sin embargo, tal vez no era mala idea relajarse un poco, conseguir que el doctor se sintiera cómodo, como sin duda intentaba él hacer con ella, antes de que Bonnie empezara a sacarle información.

—¿Le gusta su trabajo?

—Me encanta —contestó Bonnie con sinceridad.

—Me alegro. No hablo con mucha gente que esté satisfecha con su trabajo, y es una lástima. ¿Tiene algún problema de salud?

—No.

—¿Migrañas, dolor de estómago, mareos?

—No, estoy asquerosamente sana. Nunca me pongo enferma.

El doctor Greenspoon sonrió.

—¿Toma alguna medicación?

—Píldoras anticonceptivas. —¿Era a ese tipo de medicación a lo que se refería?

—¿Enfermedades infantiles?

—Varicela. —Se tocó una pequeña cicatriz que tenía sobre el párpado derecho con aire de culpabilidad—. Mi madre me advirtió que no me rascara.

—Para eso están las madres. ¿Por qué no me habla de ella?

—¿Cómo?

—Es que me gusta conocer un poco el pasado de mis pacientes antes de empezar —dijo sin darle importancia.

—Con franqueza, no creo que sea necesario —replicó Bonnie—. Es decir, que no he venido aquí para hablar de mi madre.

—¿No quiere hablarme de ella?

—No hay nada que decir. Además, usted ya sabe de ella —balbuceó Bonnie al recordar, de pronto, que se suponía que era la hermana de Joan. ¿Había olvidado también el doctor Greenspoon quién se suponía que era?

—¿Que yo sé de ella? —repitió él.

—Doctor Greenspoon —dijo Bonnie—, soy la hermana de Joan Wheeler.

El doctor Greenspoon dejó la plancheta sobre el sofá, a su lado.

—Lo siento. Me parece que me he hecho un lío. Perdóneme. ¿Tenían usted y Joan una relación estrecha?

—No. —Bonnie exhaló un suspiro de alivio. Por lo menos eso era verdad.

—De todos modos, su asesinato debe de haberla conmocionado.

—Sí.

—¿Quiere hablarme de eso?

—En realidad esperaba que usted me hablara a mí —confesó Bonnie.

—Me parece que no la entiendo.

Bonnie bajó la mirada hacia su regazo, y luego la alzó hacia el doctor, y de nuevo a su regazo.

—Sé que Joan venía a visitarlo.

—¿Se lo dijo ella?

—Sí.

El doctor Greenspoon no respondió.

—Mi hermana tenía muchos problemas, doctor, como usted ya sabe. Se le había muerto una hija, estaba divorciada, era alcohólica.

El doctor seguía sin hablar.

—Y sé que se había propuesto reorganizar su vida. Me dijo que estaba decidida a dejar la bebida, y que asistía a su consulta.

—¿Qué más le contó?

—Que había algo que la preocupaba. De hecho, alguien la preocupaba —corrigió Bonnie, deseando poder saber qué estaba pensando el doctor—. La mujer de su ex marido y su hija —prosiguió Bonnie. Contuvo la respiración hasta que sintió dolor y tuvo que expulsar el aire.

—¿Estaba preocupada por la mujer de su ex marido y su hija? —dijo el doctor Greenspoon, con aquella exasperante manía que tenía de repetir todo cuanto Bonnie decía.

—Sí.

—¿Por qué estaba preocupada por la mujer de su ex marido y su hija?

—No lo sé. Esperaba que usted me lo dijera.

Hubo un momento de silencio.

—Quizá pueda contarme algo más.

—No sé nada más. —Bonnie notó que elevaba el tono de voz. Se revolvió en su asiento, juntó las manos sobre el regazo, carraspeó y volvió a empezar—. No sé nada más —repitió, esta vez imitando la comedida calma de las recepcionistas que había al otro lado de la puerta—. Lo único que sé es que estaba muy preocupada por ellas. Me dijo que tenía la impresión de que corrían peligro.

—¿Creía que corrían peligro?

—Sí. Me insistió mucho en que temía por ellas, y me preguntó si me parecía conveniente que hablara con la mujer de su ex marido y la previniera.

—¿Prevenirla de qué?

—De que corrían peligro —repitió Bonnie con frustración.

¿Era el doctor Greenspoon estúpido o se mostraba obtuso a propósito? Quizá sus dos jóvenes recepcionistas eran las que escribían su columna de consejos y el buen doctor se limitaba a prestar su cabeza, sus hombros y el sello de su autoridad masculina al proyecto.

—¿Para qué ha venido exactamente? —preguntó él tras una pausa.

—Verá..., me ha tenido muy preocupada lo que Joan me dijo —contestó Bonnie casi tartamudeando—. Bueno, al principio no le di demasiada importancia. Supuse que Joan había estado bebiendo, y que sólo decía tonterías, como siempre. Pero luego, después de que la asesinaran, empecé a pensar más en aquello y comenzó a preocuparme que quizá yo debiera hacer algo...

—¿No está la policía investigando ese asunto?

—No, creo que no le han dado demasiada prioridad.

—¿Y usted opina que deberían dársela?

—Una mujer ha muerto ya, y creo que otra mujer y su hija podrían correr peligro.

—¿Opina usted que hay alguna conexión entre las dos?

—¿Usted no?

—No sé muy bien qué pensar.

—Esperaba que usted me ayudara —dijo Bonnie.

—¿Ayudarla cómo, exactamente?

—Bueno, si hay algo que Joan le dijera que fuera de utilidad...

—No puedo divulgar nada de cuanto Joan y yo dijimos dentro de este despacho —explicó el doctor con tono amable.

—Pero si eso ayudase a salvar una vida...

—Me está vedado revelar las confidencias de mis pacientes.

—¿Ni siquiera si ese paciente está muerto? ¿Ni siquiera si ese paciente ha sido asesinado? ¿Ni en el caso de que exista un peligro real de que muera alguien más?

—Estoy cooperando en todo lo posible con la policía. Ya les he contado cuanto creo que es pertinente.

—Pero la policía no se mueve.

El doctor Greenspoon levantó las manos, con las palmas hacia arriba.

—Me temo que sobre eso no tengo influencia.

—Doctor Greenspoon —dijo Bonnie, intentando dar un nuevo enfoque al tema—, intente comprenderlo, por favor. Mi hermana está muerta. La han asesinado, y parece que no hay pistas de quién la mató. Esperaba que quizá usted me dijera algo que nos ayudara a encontrar al asesino.

—Ojalá pudiera —replicó el doctor.

—¿Tenía Joan miedo de algo o de alguien? ¿Comentó algo sobre algunos de los hombres de su vida? ¿Sobre un tal Josh Freeman, por ejemplo? ¿O Nick Lon...? —Se interrumpió bruscamente—. Un tal Nick —dijo.

—Ya sabe que no puedo divulgar esa información.

—Doctor Greenspoon, la policía encontró algo en casa de Joan —dijo Bonnie, ensayando otro enfoque diferente—. Hallaron un álbum de recortes.

La expresión de Walter Greenspoon se hizo aún más curiosa.

—¿Un álbum de recortes?

—Un álbum de recortes sobre la nueva familia del ex marido de Joan. Estaba todo, desde el anuncio de su boda hasta fotografías de su hija. Era casi como si Joan estuviera obsesionada con ello.

El doctor no dijo nada; evidentemente esperaba que Bonnie continuara.

—¿Estaba obsesionada, doctor?

—¿Por qué no me cuenta algo más de lo que había en el álbum? —propuso el doctor Greenspoon.

Bonnie inspiró hondo; por primera vez tenía la impresión de que quizá la ayudara.

—Casi todo era sobre la mujer con quien Rod se casó. Rod es el ex marido de Joan —aclaró Bonnie.

Él asintió con la cabeza.

—¿Y cómo se llama la mujer?

—Barbara —dijo Bonnie de inmediato. No sabía por qué había elegido ese nombre. Nunca le había gustado—. Había una esquela de la muerte de la madre de Barbara, un anuncio del nuevo matrimonio de su padre, otro sobre unos problemas en que el hermano de Barbara se metió hace unos años..., cosas así, además de artículos sobre la carrera de Rod en la televisión.

—¿Y usted cree que ese álbum de fotos encierra la clave del asesinato de Joan?

—No sé qué pensar. No sé qué pensar de nada —se lamentó Bonnie—. Por eso me siento tan frustrada. Nadie quiere decirme nada. Y pensé que si acudía a usted, quizá estuviese dispuesto a ayudarme. No hace falta que divulgue ninguna confesión. Ni que me comente lo que Joan habló con usted. Dígame sólo si usted cree o no que Barbara y su hija pueden estar en peligro y, si tiene alguna sospecha, de quién procedería ese peligro.

—¿En qué tipo de problema se metió el hermano de Barbara? —preguntó el doctor Greenspoon.

—¿Cómo?

—Acaba de decir que en el álbum de recortes había uno referido a un problema en que se metió el hermano de Barbara.

Bonnie bregó para controlar su respiración.

—Conspiración para cometer asesinato —susurró.

—¿Conspiración para cometer asesinato? —repitió el doctor.

—El hermano de Barbara era un rufián de poca monta con muchas ambiciones —dijo Bonnie; le resultaba fácil hablar de sí misma en tercera persona—. En realidad resulta extraño, porque de pequeño siempre decía que quería ser policía, era lo único que quería ser. Por lo menos eso dijeron los periódicos —mintió Bonnie, preguntándose en qué parte recóndita de su memoria había guardado aquel pequeño tesoro del pasado—. ¿Cómo es eso que dicen? ¿Que los policías y los criminales son dos caras de la misma moneda? —preguntó, intentando recuperar la compostura.

—Algo así me parece haber oído —coincidió el doctor.

—En fin —prosiguió Bonnie—, él y su socio se metieron en un lío relacionado con el proyecto de urbanización de unos terrenos, pero los cargos fueron retirados. Pocos años después, los declararon culpables de conspiración para cometer asesinato.

—Cuénteme algo más.

—Bueno, sólo sé lo que leí en los periódicos —dijo Bonnie, tocándose la pequeña cicatriz que tenía encima del párpado derecho—: al parecer, organizaron un montaje para conseguir inversionistas, pero les salió mal. Una de las partes, que ya había entregado al hermano de Barbara una suma importante de dinero, tenía sospechas respecto a cómo se estaba invirtiendo en realidad ese dinero, y amenazó con ir a la policía. Mi... el hermano de Barbara y su socio contrataron a un pistolero para que matara a aquel tipo, sólo que el pistolero resultó ser un policía secreto. No creo que haya pistoleros de verdad en Estados Unidos, todos son policías secretos. —Bonnie volvió a reírse, con un tono de histerismo—. En fin, dieron con sus huesos en la cárcel. A Nick le cayeron tres años; a su socio, diez, porque ya tenía antecedentes, y se rumoreaba que tenía contactos con la mafia. Nick no era más que un pelagatos. —La voz de Bonnie se apagó lentamente.

—¿Es ese Nick el mismo al que se ha referido antes?

—Sí. Su nombre y su número de teléfono estaban en la agenda de Joan. Así pues, por lo visto, sí existe alguna conexión, ¿verdad?

—¿Qué opina usted? —preguntó el doctor Greenspoon—. ¿Cree que su hermano podría estar implicado en el asesinato de Joan?

Bonnie dejó de respirar; todo el impacto de las palabras del doctor rezumaron lentamente hacia el interior de su cerebro, como un espeso jarabe a través de un cedazo. Abrió la boca con intención de protestar, pero lo pensó mejor. ¿Qué sentido tenía?

—¿Desde cuándo ha sabido que yo no era la hermana de Joan? —preguntó con calma.

—Desde que me comunicaron que había solicitado una cita —respondió él—. ¿Acaso creyó que yo no sabría que Joan Wheeler era hija única?

Bonnie cerró los ojos, sintió que el cojín de piel que tenía debajo se hundía hacia el suelo. ¿Cómo podía ser tan estúpida?

—¿Quiere contarme quién es usted en realidad y a qué ha venido? —preguntó el doctor.

—Soy Bonnie Wheeler. Joan era la ex mujer de mi marido. Soy la mujer que Joan creía que corría peligro.

—Me lo imaginaba —dijo el doctor Greenspoon—, sobre todo cuando ha dicho que se llamaba Barbara. Bonnie... Barbara. Dos bes.

—Ser o no ser[1] —dijo Bonnie pensativa, en voz alta, y el doc-

---

1. Referido a la famosa frase de *Hamlet* (de W. Shakespeare) *To be or not to be, that is the question*: Ser o no ser, ése es el problema.

tor chascó la lengua—. Si sabía que yo no era la hermana de Joan, ¿por qué no canceló la cita?

Walter Greenspoon se encogió de hombros.

—Pensé que quienquiera que fuese, evidentemente conocía a Joan, y también era evidente que necesitaba ayuda.

—Lo siento —dijo Bonnie, que seguía con los ojos cerrados—. Debí imaginarme que no me saldría con la mía.

—Creo que usted ya lo sabía —se limitó a decir él.

Bonnie ignoró las implicaciones de aquel comentario.

—¿No piensa contarme nada?

—Por si le sirve de algo, le aseguro que si Joan me hubiese dicho algo durante nuestras sesiones que indicara quién es su asesino, habría compartido esa información con la policía.

—¿Comentó alguna vez algo de mí? —le presionó Bonnie.

—No puedo decirle más.

—Así que no piensa ayudarme —dijo Bonnie, desanimada, mientras se ponía en pie.

—Al contrario —replicó el doctor Greenspoon—, creo que puedo ayudarla mucho, si usted me deja.

—¿Me está diciendo que necesito terapia?

—Creo que usted es una mujer atormentada —dijo él con tono amable—, y que la terapia le será muy beneficiosa. Espero que lo piense con atención.

Bonnie anduvo hasta la puerta del despacho y la abrió.

—Me temo que sólo podría pagar una visita —dijo.

17

Al llegar a casa, Bonnie vio un coche negro desconocido en el camino. «¿Y ahora qué más?», se preguntó, echando una ojeada al parabrisas del coche y preguntándose si Lauren tendría compañía. Pero Lauren no parecía tener amigos, y aquellos últimos días se había encontrado tan mal que no era posible que hubiera invitado a nadie. Quizá había llamado al médico. Bonnie aceleró el paso, con la llave de casa en la mano.

El olor la golpeó en cuanto abrió la puerta. Denso, punzante, lleno de especias exóticas.

—Hola —llamó. ¿Había alguien cocinando?

—Estamos en la cocina —contestó Lauren.

Estaba de pie delante de los fogones, inclinado sobre una olla enorme, dándole la espalda, con sus delgadas caderas enfundadas en unos tejanos ceñidos, el cabello rubio cayéndole hacia adelante, y una gran cuchara de madera en la mano. Bonnie vio su rostro, su pícara sonrisa, antes incluso de que se volviera hacia ella.

—¿Qué haces aquí? —preguntó, en voz tan baja que no estaba segura de que le hubiera oído.

Él giró sobre los tacones de sus botas de piel marrón, y se volvió poco a poco hacia ella.

—Me comunicaron que querías verme —dijo—, y decidí que ya era hora de que visitara a mi hermana mayor.

Por un instante Bonnie se quedó muda de perplejidad. Nicholas Lonergan, moreno, saludable y fuerte como siempre, se llevó la cuchara de madera a los labios y lamió la salsa de color rojo intenso con deleite, como si fuese un cucurucho de helado. Bonnie miró a Lauren, que se hallaba sentada a la mesa de la cocina vestida con la bata azul claro, y constató que su piel había recuperado el color. Miraba con cautela a Bonnie y a su hermano, como si estuviese en Wimbledon viendo un partido de tenis.

—No lo entiendo —dijo Bonnie a Lauren, intentando mantener la voz firme—. ¿Le has abierto la puerta sin más?

—Es tu hermano. Pensé que no te importaría.

—¿Cómo sabías que era mi hermano? —inquirió Bonnie, elevando el tono de voz—. Podría haber sido uno cualquiera.

—Lo reconocí por las fotografías del álbum de recortes de mi madre —se defendió Lauren.

—Señoras, por favor —intervino Nick con una calma exasperante—. No os peleéis por mí, por favor. Sed buenas.

Bonnie cerró los ojos, sintió como si flotara. «Que sea una pesadilla, por favor —suplicó—. Que cuando abra los ojos no vea a nadie.»

—Lo siento si he hecho algo mal —dijo Lauren, y sus palabras quebraron el hechizo de la fantasía de Bonnie—. Es tu hermano. Tal vez cometiera algún error, pero ya ha pagado su deuda con la sociedad.

—Y que lo digas —coincidió Nick, y su voz se coló en la cabeza de Bonnie, obligándola a abrir los ojos—. Y una de las cosas que aprendí en la cárcel fue a cocinar. Y nadie, pero nadie, hace unos espaguetis mejores que los míos.

—Tenía que haber algo que hicieras bien —dijo Bonnie.

Nick sonrió, revelando los incisivos rotos, consecuencia de una pelea cuando era sólo un chiquillo. Ya entonces era un matón, recordó Bonnie.

—Vamos, Bonnie, relájate. Siéntate, descansa, disfruta de la buena mesa...

—Huele muy bien —observó Lauren.

—Veo que te encuentras mejor —comentó Bonnie.

Lauren asintió con la cabeza.

—Me he levantado sobre las diez, y me encontraba bien. Mucho mejor.

—Al menos eso es bueno —dijo Bonnie evitando la mirada de su hermano mientras decidía cómo afrontar su presencia en su casa.

—Nick ha llegado hace cosa de una hora. Me ha preparado una taza de té. —Lauren sostuvo en alto su taza vacía como prueba.

—¿Quieres una taza? —preguntó Nick.

—Pero, ¿qué te has creído, Nick? —preguntó Bonnie, ignorando su ofrecimiento, incapaz de dominarse por más tiempo—. ¿Qué pintas en mi cocina?

—Estoy preparándote la cena —respondió Nick.

—No lo necesito.

—Quería hacer algo por ti.

—Creo que ya has cumplido en eso.

—Lo hecho, hecho está —dijo Nick después de una pausa—. No puedo cambiar el pasado.

—Nick me estaba contando cómo es la vida en la cárcel —intervino Lauren.

Bonnie no habló, y se concentró en el rostro de su hermano, donde todavía se podía entrever al joven que se ocultaba tras sus facciones de adulto. Siempre había tenido unas facciones interesantes, incluso de niño. De esas que cambian sin cesar, zarandeadas por estados de ánimo y circunstancias, tan pronto dulces y amables como duras y cínicas. Ojos de amante y sonrisa de asesino. Un rostro diabólico, como solía decir su madre.

—Tienes buen aspecto —reconoció Bonnie.

—Gracias. Tú también.

Bonnie se apoyó en el mármol de la cocina, agradecida por el apoyo que le proporcionaba.

—Tengo entendido que has conseguido un empleo.

—Sí. Ahora estoy en el negocio de los viajes. Si quieres ir a algún sitio, sólo tienes que llamarme por teléfono. Te conseguiré las mejores condiciones de toda la ciudad.

—Lo tendré en cuenta.

—Mi papá se va a Florida a finales de la semana que viene —dijo Lauren—. Con Marla Brenzelle.

—¿Ah, sí? —Fue más una observación que una pregunta.

—Hay una especie de conferencia en Miami —continuó Lauren—. Estará fuera casi una semana.

Bonnie miró con expresión airada a Lauren para que se callara. ¿Qué le ocurría a la niña? Apenas había dicho dos palabras seguidas desde la muerte de su madre, y ahora no había forma de hacerla callar.

—¿Te parece sensato dejar que tu marido se largue a Miami con Marla Brenzelle? —preguntó Nick, que, evidentemente, estaba disfrutando con el malestar de Bonnie—. Es una mujer muy sexy.

«Si te gustan las colchas hechas de retales», estuvo a punto de replicar Bonnie, pero lo pensó mejor. Aquél no era momento ni lugar para ponerse a discutir con su hermano por una irrelevancia mínima. Había demasiados temas importantes de los cuales hablar, demasiadas preguntas fundamentales que formular. «¿Cuál era tu relación con Joan? ¿Qué hacía tu nombre en su agenda? ¿Dónde estabas el día que la asesinaron? ¿La mataste tú? ¿Qué hacías rondando por el jardín del instituto horas antes de que alguien vaciara un cubo de sangre sobre la cabeza de mi inocente hija? ¿Fuiste tú? ¿Por que has vuelto a mi vida?»

Pero, ¿cómo preguntarle algo sobre Joan con Lauren sentada allí mismo? ¿Cómo exigirle respuestas sobre su hija cuando Pam Goldenberg devolvería a Amanda a casa en cualquier momento? ¿Cómo ponerse a hablar de todo aquello cuando Diana cenaba esa noche en casa?

—¡Santo cielo! —murmuró. Se había olvidado por completo de Diana. No había ido a hacer la compra; no tenía nada preparado; no había avisado a Rod de su visita.

—¿Qué ocurre? —preguntó Nick.

—¿Cuánta salsa has hecho? —preguntó Bonnie.

—Suficiente para todo el vecindario —contestó Nick de inmediato.

—Perfecto —dijo Bonnie, y al mirar por la ventana vio el Mercedes rojo de Joan que entraba por el camino, y a Sam y Haze subiendo hacia la casa—. Creo que vamos a necesitarla.

—¿Se puede saber qué está pasando aquí? —preguntó Rod por lo bajo, apretándose contra su mujer y señalando el salón, lleno de gente. Diana, muy favorecida con su jersey blanco y sus pantalones negros, sostenía a Amanda en el regazo y le leía un cuento; Sam estaba sentado cerca de ellas, en el sofá verde aguacate, observando y quizá incluso escuchando. Lauren se había sentado en uno de los sillones de orejas a rayas coral y blancas. Haze hacía equilibrios sobre el brazo de la butaca, y de vez en cuando se inclinaba para susurrarle algo al oído. Nick había vuelto un momento a la cocina para dar los últimos toques a sus fabulosos espaguetis, según sus propias palabras.

—Nick estaba ya aquí cuando he llegado —explicó Bonnie fingiendo que se rascaba la nariz para que no se notara que estaba hablando—. Ya había empezado a preparar la cena. Entonces ha llegado Sam con Haze y me ha preguntado si su amigo se podía quedar, y yo me había olvidado de que había invitado a Diana...

—¿Cómo lo llevas?

—Sorprendentemente —confesó Bonnie—, me lo estoy pasando bien. Es agradable tener la casa llena de gente, y todos parecen muy relajados, como si disfrutasen de la velada. ¿Cómo estás tú?

Rod se inclinó y la besó en la punta de la nariz.

—Bueno, no es la velada tranquila a solas con mi esposa con que contaba, pero supongo que podré soportarlo.

Bonnie asintió con la cabeza. Estaba aprendiendo a no contar con nada. Al parecer, nunca ocurrían las cosas como se suponía que debían ocurrir. No se podía contar con que nadie se comportara de forma predecible. Su hermano, por ejemplo, el maravilloso chico del cual se esperaban tantas grandes cosas, dejó la universidad para vagar sin rumbo fijo por el país, se sumergió en el mundo del delito, reapareciendo sólo cuando se le terminaba el dinero, y acabó en la cárcel. ¿Qué hacía de pie frente a los fogones de su cocina, preparando, encantado, una cena para ocho? Y Haze, un chico cuyo rebelde comportamiento interfería continuamente con su trabajo, un chico cuyos brazos tatuados advertían de su actitud antisocial, que la había amenazado, y se había saltado sus últimas clases, pero que no veía nada raro en invitarse a sí mismo a cenar.

Y para colmo, Bonnie se lo estaba pasando bien. Dio unos

golpecitos en el hombro a Rod y se encaminó hacia la cocina creyendo que ahora sería una buena ocasión para coger a Nick a solas unos minutos.

Nick estaba cortando una cebolla, y movía con desenvoltura y precisión el cuchillo que tenía en la mano.

—No te acerques demasiado —la previno, sin molestarse siquiera en volverse, como si llevase rato esperándola—. Te hará llorar.

Seguramente tenía razón. Bonnie pensó que la cebolla era una metáfora adecuada para aquellas últimas semanas de su vida. Pelaba capas y capas, y sólo encontraba más capas ocultas. Cuanto más secretos pelaba, más secretos aparecían debajo, custodiando el esqueleto encerrado en su centro. Cuanto más se acercaba al centro, más fuerte era el picor de la cebolla, y mayor la probabilidad de sus lágrimas.

—¿Conocías bien a Joan? —preguntó Bonnie sin más preámbulos.

—Eso no es lo que quieres preguntarme —dijo Nick, desparramando la cebolla sobre la salsa y revolviéndola.

—¿Ah, no?

—Quieres saber si la maté o no —añadió, todavía de espaldas a ella.

—¿Lo hiciste?

—No. —Giró sobre sus talones, y sonrió—. ¿Has visto qué fácil?

—¿Dónde está la conexión, Nick? ¿Qué hacían tu nombre y tu número de teléfono en la agenda de Joan?

—La llamé hace un tiempo —reconoció Nick después de una pausa—. Le pedí que me buscara una casa. No pienses que voy a quedarme con el viejo toda la vida.

Bonnie meneó la cabeza con incredulidad.

—¿Intentas decirme que estabas buscando casa, y que dio la casualidad que elegiste a la ex mujer de mi marido como agente inmobiliaria? ¿De verdad pretendes que me crea que sólo fue una coincidencia?

—Por supuesto que no fue coincidencia. —Una nota de impaciencia se añadió a la voz de Nick—. Sabía quién era Joan cuando la llamé por teléfono. Quizá pensé que sería divertido. Tal vez sabía que eso me pondría en contacto contigo. Es posible que sólo quisiera enterarme de cómo te iba.

—Había formas más fáciles de enterarte de ello.

—Tú dejaste bastante claro que no querías saber nada de mí —le recordó Nick.

—Tenía buenos motivos —dijo Bonnie.

—¿Todavía estás resentida porque mamá te dejó fuera de su testamento? —preguntó él con mordacidad.

Las lágrimas anegaron los ojos de Bonnie. «Ahora no llores», se dijo.

—Mamá no me dejó fuera...

—No fue cosa mía, Bonnie. Nada tuve que ver con lo ocurrido.

—No, tú nunca tienes la culpa, ¿verdad, Nick? Sólo eres un inocente espectador que va de un desastre a otro. —Bonnie se enjugó las lágrimas con el dorso de la mano. Maldita sea, ¿por qué tenía que llorar siempre cuando se emocionaba?

—Te he dicho que no te acercaras demasiado. —Nick sacó un pañuelo de papel del bolsillo de sus tejanos y se lo tendió.

Aunque ella lo aceptó de mala gana, se secó los ojos y se sonó la nariz.

—De todos modos, ¿qué habrías hecho con la casa? —preguntó Nick—. Estabas deseando alejarte de ella. Te dejaste la piel para conseguir buenas notas, trabajar a media jornada, entrar en la universidad, y poner la mayor distancia posible entre tú y el resto de nosotros...

—Eso no es cierto.

—¿Ah, no? —Echó un vistazo a la cocina—. Y lo conseguiste. Mira todo lo que tienes ahora. Una bonita casa, una buena carrera, un marido con éxito, una niñita preciosa...

—Aléjate de ella, Nick.

—Me parece que le caigo bien.

—Lo digo en serio, Nick.

—También yo. Creo que me ha cogido cariño. Imagínate, ni siquiera sabía que tenía un tío que se llamaba Nick. Debería darte vergüenza, Bonnie. ¿Qué crees que pensaría mamá de eso?

—No tienes derecho a...

—¿Derecho a qué? ¿A hablar de los muertos? También era mi madre.

—Está muerta por tu culpa —dijo Bonnie sin perder la calma.

Las comisuras de la boca de Nick se curvaron para esbozar una ligera sonrisa.

—¿También me culpas de eso? —preguntó.

De pronto, la hermosa cara de Diana apareció en el umbral, el oscuro cabello suelto sobre los hombros.

—¿Puedo ayudar? —preguntó, con unos ojos más azules que las aguas del Caribe.

—Descansa y pide a Rod que te prepare otra copa —sugirió Bonnie, que todavía se estaba secando los ojos con el pañuelo de papel—. Cebolla —explicó.

—Son mortales. —Diana se le acercó, le cogió el pañuelo de la mano, y le limpió con cuidado un poco de rímel que se le había corrido—. Así está mejor. Ahora se te ve perfecta. Vas muy guapa.

Bonnie bajó la cabeza y se miró el traje pantalón a cuadros verdes y blancos que había llevado puesto todo el día.

—Estoy espantosa. Pero gracias por mentir.

—Oye, que soy abogada. Nunca miento.

—¿Eres abogada? —preguntó Nick—. ¿Cuál es tu especialidad?

—Sobre todo empresarial y comercial.

—Justo lo que yo buscaba —dijo Nick con soltura—. Estoy intentando montar un negocio. ¿Crees que te interesaría?

—Depende del negocio.

—¿Qué te parece si te llamo por teléfono cuando lo tenga todo un poco más claro?

—¿Por qué no te ocupas de lo que estás haciendo? —dijo Bonnie señalando la salsa, que empezaba a burbujear.

—Tienes razón. —Nick aspiró el rico aroma—. Señoras —dijo, haciendo una aparatosa reverencia—, creo que la cena está lista.

—¿Y desde cuándo sois amigas? —preguntó Nick a Diana, señalando a Bonnie con la cabeza. Estaban reunidos alrededor de la mesa del comedor, Rod sentado en un extremo, con uno de sus hijos a cada lado; Bonnie, en el otro, Amanda a su derecha, Diana a su izquierda, Nick y Haze en medio. Era una habitación pequeña, más larga que ancha, con las paredes de color melocotón que hacían juego con una docena de rosas que Diana había llevado y que Bonnie había colocado en el centro de la mesa de pino.

—Nuestros maridos trabajaron juntos por un tiempo. Y vivo a la vuelta de la esquina —explicó Diana—. Por cierto, que están deliciosos. —Mojó un poco de pan francés en la salsa.

—Hay más —dijo Nick—. Te traeré un poco.

—Dentro de un rato, gracias.

—¿Y vives a la vuelta de la esquina? —preguntó Sam, con curiosidad manifiesta. No había quitado los ojos de encima a Diana en toda la noche.

—En el veintiocho de Brown Street —especificó Diana—. Pero ahora sólo vengo aquí los fines de semana, y a veces ni siquiera eso. Tengo un apartamento en el centro, y me resulta más fácil, y más conveniente, quedarme allí, ahora que vuelvo a estar soltera.

—Habrías podido dejar que Greg se quedara la casa —le recordó Rod.

—¿Por qué iba a hacerlo? —preguntó Diana—. Era *mi* casa.

—Ya, claro. Parte del acuerdo de divorcio del marido número uno.

—¿Te has casado dos veces? —preguntó Lauren.

—Por lo visto, el matrimonio no está hecho para mí.

—No sé qué decirte —argumentó Rod—. A mí me parece que te ha ido bastante bien.

Diana empujó su plato, ahora vacío, hacia Nick, y se llevó la servilleta a sus carnosos labios.

—Si no te importa, comeré un poco más de estos fabulosos espaguetis, Nick.

Él se levantó al instante.

—¿Alguien desea repetir?

—Yo también quiero un poco más —confesó Bonnie en voz baja, entregando el plato a Nick e intentando no fijarse en su sonrisa de satisfacción.

—Y yo —dijo Lauren, que acompañó a Nick a la cocina.

—¿Vives sola? —preguntó Sam a Diana.

—Sí, y me encanta —contestó ella—. Nadie a quien dar explicaciones, ni alimentar; nadie detrás de quien ir recogiendo las cosas. Me acuesto cuando quiero; como cuando me apetece; hago lo que me gusta. No digo que no eche de menos a un hombre a mi lado de vez en cuando —aclaró—. En la casa siempre hay cosas que reparar. Cosas para las que se requiere un toque masculino. —Sonrió a Sam.

—Yo soy bastante manitas —dijo él con chispas en los ojos.

—¿Ah, sí?

—Sí, soy capaz de desmontar prácticamente cualquier objeto, y volverlo a montar.

—Sam es bastante hábil con las manos —intervino Haze con sarcasmo.

—Pues mira, es posible que lleguemos a algún acuerdo —dijo Diana—. Tengo varios armarios con las puertas casi colgando, y hace meses que me ducho a oscuras porque no sé qué hacer para cambiar la bombilla.

—Eso de ducharse a oscuras suena bastante sexy —dijo Haze.

—No cuando estás solo —replicó Diana.

—Eso tiene arreglo —dijo Haze.

Bonnie se revolvió en su asiento, deseando dar un puntapié a Diana por debajo de la mesa y hacer que cambiara de tema. Diana era una coqueta empedernida, y un verdadero imán para los hombres de cualquier edad. Y Haze era especialista en interpretar mal, a conciencia, hasta el comentario más inocente.

—No me cuesta nada echar un vistazo a esa lámpara —se ofreció Sam—. Veremos qué se puede hacer.

—Sería fantástico —dijo Diana—. Te pagaré, por supuesto.

—No hace falta.

—Insisto.

Sam se encogió de hombros.

—Vale. ¿Cuándo quieres que vaya?

—¿Mañana?

—¿Qué te parece el domingo? —propuso Sam. Lauren volvió al comedor con dos platos de espaguetis; Nick iba detrás de ella con otros dos—. Mañana tenía pensado visitar a mi abuela. —Cambió de postura, como si se sintiera incómodo.

—Muy bien, el domingo entonces —dijo Diana.

—¿Piensas visitar a la abuela Elsa? —preguntó Lauren con incredulidad.

—Es posible.

—¿Por qué? Lo más probable es que ni siquiera te reconozca.

—Tal vez sí. —Sam agachó la cabeza, incómodo por aquella conversación.

—¿Quién es la abuela Elsa? —preguntó Nick.

—La madre de mi madre —contestó Lauren, y sus ojos se nublaron con la súbita amenaza de las lágrimas—. Está en el Centro de Salud Mental Melrose, en Sudbury. ¿No fue eso lo que dijiste, Bonnie?

Bonnie asintió con la cabeza, sorprendida por la intención que Sam acababa de anunciar, y por el hecho de que Lauren le formulara una pregunta directamente.

—A lo mejor yo también voy —susurró Lauren.

—Si queréis os llevo —se ofreció Bonnie, preparando en silencio una lista de motivos con que responder a las objeciones que sin duda los chicos iban a plantearle—. Conozco el camino, ya he estado allí una vez, sería más fácil con la presencia de un adulto. —Pero, para su sorpresa, no le plantearon objeciones.

—Los abuelos son una cosa maravillosa —dijo Nick.

—Yo vivo con mis abuelos —intervino Haze—. Es un palo.

Nick se inclinó para mirar a Amanda.

—¿Sabías que tienes un abuelo, Mandy?

Amanda asintió con la cabeza; sus rubios rizos oscilaron alrededor de sus rechonchas mejillas; tenía la barbilla salpicada de salsa de tomate.

—El abuelo Peter y la abuela Sally. Viven en Nueva Jersey —dijo la niña con orgullo.

—No me refería a los padres de tu papá —la corrigió Nick—. Me refería al padre de tu mamá.

—Nick... —avisó Bonnie.

—No lo conoces —continuó Nick—, pero no vive muy lejos de aquí, y su mujer hace la mejor tarta de manzana del mundo. ¿Te gusta la tarta de manzana, Mandy?

Amanda movió la cabeza con verdadero entusiasmo.

—¡Es tope guay!

—¿Guay?

—Eso es lo que Sam dice siempre.

—¡Guay, Amanda! —exclamó Sam entre risas—. Choca esos cinco. —Tendió la palma de la mano hacia Amanda. Ésta se rió y la golpeó con la suya.

Bonnie rió con ganas, maravillada de aquella fácil compenetración.

—Tal vez puedas convencer a tu madre para que te lleve a ver a tu abuelo algún día —añadió Nick—. Estoy seguro de que le encantará.

Bonnie dejó el tenedor que tenía en la mano, y apartó el plato sin haber tocado la segunda ración.

—Será mejor que vaya a preparar el café —dijo.

Bonnie ascendía por el camino de piedra del Centro de Salud Mental Melrose, rodeada de arbustos de peonías rosa pálido. Pero no estaba en el Centro de Salud Mental Melrose. Se dio la vuelta en la cama y tuvo la vaga conciencia de que estaba soñando, como si se hallase atrapada en una mosquitera. Intentó despertarse, alejarse de la puerta principal del edificio, pero ya se estaba abriendo. Demasiado tarde. No podía hacer otra cosa que traspasar el umbral.

—Bienvenida a casa —dijo Nick, que la esperaba en lo alto de la escalera.

—¿Qué haces aquí? —preguntó Bonnie.

—Vivo aquí —contestó él—. ¿Has venido a ver a mamá?

—Me dijo que quería hablar conmigo —respondió Bonnie, inclinándose para oler las flores del papel pintado.

—Sube.

«No vayas», susurró la vocecilla, y Bonnie dio otra vuelta sobre su almohada.

Empezó a subir por la escalera, pasando los dedos por la pared que tenía al lado, saltando de flor en flor como una abeja recogiendo polen. Llegó al final de la escalera y se detuvo. La puerta del dormitorio de su madre estaba abierta delante de ella.

«No entres —la avisó la vocecilla—. Despierta. Despierta.»

Bonnie se acercó a la puerta con paso lento, vio la figura semioculta de una mujer sentada en la cama, el rostro en sombras. De pronto, Amanda estaba a su lado, tirándole del brazo.

—Mami, mami —llamó—. Entra. Estamos celebrando una fiesta. —Sacó un enorme sombrero de papel puntiagudo y se lo puso. De inmediato, la sangre se derramó, empapando el pelo de Amanda, cubriéndole rostro y hombros.

—No —gimió Bonnie, agitándose en la cama.

—Sólo es salsa de tomate. —Amanda se echó a reír, con trozos de espaguetis moviéndose entre su cabello, como gusanos.

—Toma un poco —dijo Nick acercando una cuchara de madera a la boca de su hermana.

—Demasiada cebolla —dijo Bonnie. Tragó y al momento sintió retortijones en el estómago.

—Bonnie —llamó su madre con voz débil desde la cama—. Bonnie, ayúdame. No me encuentro muy bien.

—Demasiada tarta de manzana —replicó Bonnie—. Deberíamos pedir al doctor Greenspoon que te reconociera. —Se acercó a la cama e intentó vislumbrar el rostro de su madre, que seguía en sombras. Volvió a sentir retortijones. Se dobló, gritó.

—¿Qué te ocurre Bonnie? —preguntó Nick con la voz de Rod, y desde algún lugar oculto cerca de ella repitió—: Bonnie, Bonnie, ¿qué te ocurre? Despierta, Bonnie.

Su madre se movió y su rostro emergió de las sombras.

Bonnie se esforzó para verla, se incorporó en la cama, con el corazón latiéndole con violencia, el estómago sacudido por el dolor. Y éste la despertó, y se intensificó al abrir Bonnie los ojos y darse cuenta de que ya no estaba soñando. Al minuto siguiente se encontraba arrodillada junto al retrete, en el cuarto de baño, vomitando, con Rod a su lado retirándole el cabello del rostro.

—No pasa nada —dijo él después, sentado a su lado en el suelo de baldosas, sosteniéndola en sus brazos, meciéndola suavemente, tal como ella había hecho con Lauren pocos días atrás—. No pasa nada. Ya está.

—Madre mía —exclamó Bonnie con voz quejumbrosa—. ¿Qué me ha ocurrido?

—Lauren debe de haberte contagiado ese virus que tuvo —dijo Rod.

—Yo nunca he estado enferma —protestó Bonnie.

—Pasa en las mejores familias.

—No —dijo Bonnie. Dejó que Rod la ayudara a ponerse en pie y la llevara de vuelta al dormitorio—. Sólo es una pesadilla. Por la mañana estaré bien.

—Duerme un poco —le aconsejó Rod. La metió en la cama y le dio un beso en la frente.

—Sólo es una pesadilla —repitió Bonnie, y cerró los ojos en cuanto su cabeza tocó la almohada—. Por la mañana estaré bien.

18

—Sólo faltan unas manzanas —dijo Bonnie—. Llegaremos enseguida. —Echó un rápido vistazo por encima del hombro a Sam y Lauren, que iban en el asiento trasero del coche, y el brusco movimiento hizo que una nueva oleada de náuseas recorriera su cuerpo en espiral, como un sacacorchos. «Ni se te ocurra vomitar —se advirtió en silencio—. No estás enferma. Nunca te pones enferma.»

Entonces, ¿qué le había ocurrido?

Lo de la noche anterior era consecuencia de muchas cosas, se dijo, concentrada en la carretera. Tenía que ver con que el doctor Greenspoon hubiera hablado tan poco, y con que Nick hubiera hablado demasiado. Bonnie detuvo el coche en un semáforo en rojo. ¿Cómo se atrevía su hermano a entrar en su casa, sin haber sido invitado, sin avisar, e invadir su cocina y alterar su vida, rezumando encanto y salsa de tomate y preguntas impertinentes? «¿Sabes que tienes un abuelo, Mandy?» ¿Por qué llamaba Mandy a su hija? Nadie la había llamado así jamás. Y ahora la pequeña estaba empeñada en que le gustaba. Por la noche, mientras Bonnie la acostaba, la niña había pedido a su madre que la llamara Mandy en lugar de Amanda. «El tío Nick me llama así», había dicho. No le extrañaba haberse puesto enferma.

No debió permitir que se quedara. En cuanto vio a Nick de pie en la cocina, tenía que haberle dicho que se marchara de su casa, debió decirle que no era mejor recibido allí después de que hubiera salido de la cárcel que antes de entrar en ella. Eso era lo que debería haberle dicho. ¿Por qué no lo había dicho?

—¿Es aquí? —Lauren inclinó el cuerpo hacia adelante, y apoyó los codos en el respaldo del conductor, su cálido aliento en la nuca de Bonnie, señalando hacia la amplia estructura blanca que tenían ante sus ojos.

—Sí, aquí es —Bonnie entró en el largo y sinuoso camino.

—Parece bastante agradable. —Lauren volvió a sentarse bien, mientras el estómago de Bonnie daba sacudidas con cada movimiento del coche.

«¿Qué hago aquí otra vez?», se preguntó mientras buscaba aparcamiento. ¿Por qué no se había quedado en la cama, como Rod le había recomendado antes de irse a la televisión? Porque no estaba bien dejar que Sam y Lauren fueran solos a visitar a su abuela, había explicado a su marido. Además, no estaba enferma, aunque se sintiera débil y tuviera sofocos. Practicó varias inspiraciones largas y profundas. «No vomitaré», pensó. Aparcó el coche en un espacio vacío en el extremo del largo aparcamiento. Lo veía todo borroso. «No vomitaré otra vez. No estoy enferma. Nunca me pongo enferma.»

Quitó el contacto y abrió la portezuela, aspirando el aire del exterior de un solo y sostenido trago. Pero había mucha humedad, y el aire, pesado, no le proporcionó alivio. En cuestión de segundos, Bonnie estaba bañada en sudor, los desnudos brazos relucientes de transpiración, como si acabaran de barnizarla.

—Hace calor —comentó mientras Lauren bajaba del coche.

—No tanto —dijo la niña.

—¿Te encuentras bien? —le preguntó Sam.

—Sí —insistió Bonnie llevándose la mano a la frente. ¿Por qué se tocaba la frente? No tenía fiebre. No estaba enferma. Había cenado demasiado, eso era todo. Alguno de los ingredientes de la fabulosa salsa de tomate de su hermano no le había sentado bien, del mismo modo que alguno de los ingredientes de la cena que ella había preparado aquella misma semana no había sentado bien a Lauren.

«Lauren debe de haberte contagiado ese virus que tuvo», había comentado Rod.

—¿Por dónde? —preguntó Lauren al entrar en el Centro de Salud Mental Melrose y acceder al amplio vestíbulo. Sam se rezagó, y se entretuvo mientras ellas se encaminaban hacia los ascensores.

«Esto ha sido idea tuya», quiso recordarle Bonnie, sorprendida todavía de que Sam lo hubiera sugerido.

Entraron en un ascensor que tenía las puertas abiertas y donde ya había varias personas; el botón que debía apretar estaba iluminado. Las puertas se cerraron, y el estómago de Bonnie se hundió hacia el suelo cuando el ascensor se elevó. Se desabrochó el último botón de la camisa de rayas, se apartó el cabello del rostro y se secó el sudor del labio superior.

El ascensor se detuvo con una sacudida. Un líquido subió a la garganta de Bonnie. Tragó, volvió a tragar, y salió precipitadamente del ascensor en cuanto se abrieron las puertas. Echó a correr hacia el lavabo de señoras que había delante del control de enfermería de la planta.

—¿Te encuentras bien? —le preguntó Sam cuando ella salía corriendo.

Entró en el servicio, cerró la puerta y se arrodilló delante del retrete, con el cuerpo sacudido por una dolorosa sucesión de secas arcadas.

—Madre mía —murmuró mientras hacía esfuerzos para respirar—. ¿Cuánto va a durar esto? —Otro espasmo la sacudió, golpeándole las entrañas como los puños de un boxeador. Los ojos se le llenaron de lágrimas y se desplomó contra la pared del cuarto de baño, el cabello pegado a la nuca y la frente, el cuerpo tembloroso; sintió frío y calor alternativamente.

—No estoy enferma —dijo en voz alta, y se obligó a ponerse de nuevo en pie, y a enfrentarse a la imagen reflejada en el espejo, encima del lavabo—. ¿Me oyes? No estoy enferma.

«Puede que tú no lo estés», pareció contestarle su fantasmal reflejo.

Bonnie se lavó con agua fría y se arregló el cabello. Luego se pellizcó las mejillas con la esperanza de devolverles algo de color. Extrajo un vasito de papel del expendedor que había al lado del lavabo y lo llenó de agua, pero sólo se atrevió a beber un pequeño sorbo.

—Ahora ya estás bien —exhortó a su reflejo—. ¿Entendido?

Basta de tonterías. —Enderezó los hombros, respiró hondo una vez más y abrió la puerta del servicio.

No vio a Sam ni a Lauren por ninguna parte.

—¿Sam? —llamó, atrayendo la atención de un anciano que paseaba por el pasillo en pijama.

—¿Me llamaba? —preguntó él.

Bonnie meneó la cabeza, y se arrepintió al instante, porque el movimiento alteró su equilibrio, ya de por sí delicado. Sin duda habían continuado sin ella. ¿Por qué no iban a hacerlo? Echó a andar con paso lento hacia la habitación del Elsa Langer. Era su abuela, por todos los santos, aunque apenas tuvieran recuerdos de ella, y ella probablemente ninguno de ellos. Sin embargo, no necesitaban que Bonnie los presentara. Debería aguardarles en la sala de espera.

«Demasiado tarde», pensó al abrirse la puerta de la habitación de Elsa Langer.

—¿Se acuerda de mí? —preguntó la anciana desde su silla de ruedas, permitiendo a Bonnie el espacio justo para pasar.

—Hola —dijo Bonnie distraída, su atención se había centrado en Elsa Langer, sentada en la cama, apoyada contra varios almohadones, con el almuerzo en una bandeja delante de ella. Sam se hallaba sentado a su lado en una silla, Lauren de pie al otro lado, los dos sondeaban su inexpresivo rostro, que parecía hipnotizado.

—Me llamo Mary —dijo la mujer de la silla de ruedas—. Creo que la última vez que estuvo usted aquí no nos presentamos como es debido.

—Yo me llamo Bonnie —contestó ella, con la mirada puesta en Elsa Langer. Sentada, la anciana parecía más frágil aún que acostada; su cuerpo no era más que el esquelético esbozo de un ser humano, su pie no se distinguía casi entre la blancura de las sábanas y las colchas; sus ojos, inexpresivos y ciegos, eran como dos cuencas vacías.

—Ha llegado a la hora del almuerzo. Yo ya he terminado el mío. —Señaló su bandeja vacía—. Sopa de pollo, macarrones con queso y natillas. Es lo que he pedido. No sé que han pedido para Elsa. —Acercó su silla de ruedas hasta la cama de Elsa Langer y levantó la tapa de su bandeja, revelando diversos platos de comida de color beige claro, de aspecto poco apetitoso—. Sí, lo mismo que yo —comprobó Mary—. Pero no se lo comerá. Nunca come a no ser que yo se lo dé. —Cogió una cuchara de la bandeja, como un director de orquesta enarbolando su batuta.

—¿Me deja a mí? —preguntó Lauren al instante—. Por favor.

—Quizá —dijo la mujer de la silla de ruedas—. ¿Quién lo pregunta?

—Me llamo Lauren —contestó la niña—. Elsa Langer es mi abuela.

—¿Has dicho Lauren?

—Sí, y éste es mi hermano, Sam.

—¿Sam?

Sam no habló.

—No sabía que tuviera nietos —dijo Mary mirando a Bonnie con atención—. Qué raro, ¿verdad? Vives durante años con una persona, crees que lo sabes todo de ella, y luego descubres que no es así. ¿No le parece raro? —preguntó a Bonnie.

Ella ignoró su pregunta.

—Seguro que le alegrará que tú le des la comida —dijo a Lauren.

Lauren sonrió, aunque fue una sonrisa rápida, casi demasiado breve para ser percibida.

—Toma, abuelita —dijo con tono suave, llevando una cucharada de sopa de pollo con fideos hacia la boca de su abuela y separando con la punta de la cuchara los secos labios de la mujer. Lauren introdujo la cuchara en la boca de Elsa Langer y la retiró vacía. Unas gotas de caldo gotearon por la barbilla de la anciana, y Lauren se apresuró a limpiarlas con una servilleta.

—¿A que está buena, abuelita? —preguntó, como solía preguntar Bonnie a Amanda—. ¿A que está buena? —Metió otra cucharada de sopa en la boca a la anciana, y luego otra—. Mirad, está comiendo —exclamó Lauren con orgullo, y esbozó otra sonrisa, que duró más que la anterior—. ¿Quieres darle un poco, Sam? —preguntó a su hermano.

Sam meneó la cabeza y se hundió aún más en su silla, aunque no apartaba la mirada del rostro de su abuela.

—Le encanta la sopa —proclamó Mary.

—¿Te acuerdas de nosotros, abuelita? —preguntó Lauren.

Elsa Langer no respondió, pero entreabrió algo los labios para dar entrada a la cuchara.

—No nos habías visto desde que éramos pequeños. ¿Te acuerdas de nosotros? Somos los hijos de Joan —continuó Lauren con voz queda, que se quebró al pronunciar el nombre de su madre—. ¿Te acuerdas de ella?

Elsa Langer sorbió la sopa.

—Joan está muerta —dijo Mary.

—Yo soy Lauren, y éste es mi hermano Sam —prosiguió Lauren, moviendo el brazo del cuenco de sopa a la boca de su abuela—. Somos los hijos de Joan. ¿Te acuerdas de nosotros, abuelita?

—Estoy segura de que en el fondo sabe quiénes sois —intervino Bonnie.

—¿Por qué lo dices? —preguntó Sam, que se incorporó un poco y se inclinó, mirando alternativamente a Bonnie y a su abuela.

—Sólo es un presentimiento —admitió ella. El olor de los macarrones con queso se le metió por la nariz, helándole el estómago.

—¿Le habla mi abuela a usted alguna vez? —preguntó Sam a la mujer de la silla de ruedas.

—Quizá —contestó la mujer—. ¿Quién lo pregunta?

—Sam —dijo él, poniendo los ojos en blanco—. Sam Wheeler.

—Es difícil acordarse de todos los nombres —se disculpó Mary—. Pasamos semanas sin recibir visitas, y, de pronto, esto parece un desfile.

—¿Qué quiere decir? —preguntó Bonnie.

—Esta mañana ha venido otro caballero. Un hombre muy atractivo. Me recordó a mi difunto esposo, que en paz descanse.

—¿Ha venido alguien? —preguntó Bonnie.

—Quizá. ¿Quién lo pregunta?

—¿Recuerda cómo se llamaba ese hombre?

—Quizá. ¿Quién lo pregunta? —repitió Mary con obstinación, tirando de su dentadura con la lengua.

—Bonnie, Bonnie Wheeler. ¿Recuerda cómo se llamaba ese hombre?

—¿Qué hombre?

Bonnie cerró los ojos e inspiró hondo.

—El hombre que ha venido esta mañana.

—No dijo cómo se llamaba. Pero era muy atractivo. Me recordó a mi difunto esposo, que en paz descanse.

—¿Puede decirme qué aspecto tenía? —insistió Bonnie.

—Se parecía a mi difunto esposo —repitió Mary.

—¿Recuerda de qué color tenía el cabello? —preguntó Bonnie.

—Me parece que era rubio —dijo la mujer.

De inmediato Bonnie recordó a su hermano, de pie frente a los fogones de su cocina, con el cabello rubio tapándole la cara.

—O gris, no lo sé —agregó Mary.

Bonnie vio el rostro de Rod junto al suyo mientras la acostaba; el cabello, prematuramente canoso, acentuaba su agraciado y juvenil rostro.

—A lo mejor era moreno —murmuró Mary, inconsciente del caos que estaba provocando en las entrañas de Bonnie. De pronto se sacó la dentadura de la boca, y la sostuvo con la punta de la lengua.

—¡Qué horror! —exclamó Lauren.

A Bonnie se le revolvió el estómago.

Mary volvió a meterse hábilmente la dentadura en la boca.

—¿Puedo comerme sus natillas? —preguntó, tendiendo la mano hacia la bandeja.

—Creo que mi abuela quiere probar las natillas —dijo Lauren con una autoridad sorprendente, al tiempo que ponía el pequeño cuenco de natillas lejos del alcance de Mary—. ¿Quieres probar las natillas, abuelita? —Lauren cogió una pequeña cantidad con la punta de una cucharilla de plástico y la colocó delicadamente en la lengua de su abuela—. ¿Te gusta, abuelita? ¿Está bueno?

Elsa Langer giró la cabeza lentamente hacia su nieta y enfocó la mirada, como si mirara a través de un calidoscopio.

—¿Abuelita? —dijo Lauren—. ¿Me ves, abuelita? ¿Me conoces? Soy Lauren, abuelita.

Elsa Langer miró fijamente a su nieta, y todos los demás se inclinaron, conteniendo la respiración.

—¿Lauren? —dijo la anciana con un suspiro.

Ésta abrió mucho los ojos, maravillada.

—¿Lo has oído, Sam? —susurró—. Me conoce. Sabe quién soy.

—Abuelita —dijo él, levantándose de un brinco de la silla y arrojándose sobre la cama, derribando casi la bandeja—, soy yo, Sam. ¿Te acuerdas de mí?

—Lauren —repitió Elsa Langer, sin apartar la vista de su nieta.

—Estoy aquí, abuelita —dijo la niña—. Estoy aquí.

Pero la mirada de Elsa Langer empezó a desenfocarse de nuevo, a retirarse, a desaparecer.

—¿Adónde va? —preguntó Lauren pasados unos segundos, cuando se hizo evidente que ya no volvería, de momento.

—No lo sé —dijo Bonnie.

—¿Crees que me ha reconocido de verdad?

—Estoy segura de que sí.

Sam se apartó de la cama de su abuela y caminó hacia la puerta. Aunque no habló, fue obvio que estaba listo para marcharse.

—¿Crees que piensa en algo? —preguntó Lauren sin dejar de escudriñar el rostro de su abuela.

—No lo sé —repitió Bonnie.

—Yo creo que debe de estar pensando en algo —opinó Lauren.

—No creo que piense en nada —intervino Sam con impaciencia—. ¿Y sabes qué más creo? Que es mejor así. —Abrió la puerta y salió de la habitación.

—Qué joven tan malhumorado —dijo Mary mientras sacaba y metía la dentadura de la boca—. Igual que mi difunto esposo. Que en paz descanse.

—Tendríamos que irnos —dijo Bonnie, y tocó el hombro de Lauren, agradeciendo que Lauren no se apartara al notar el roce.

Lauren se inclinó para poner un delicado beso en la mejilla de su abuela.

—Adiós, abuelita —dijo—. Volveremos pronto. Te lo prometo.

Elsa Langer no respondió. Bonnie y Lauren salieron juntas de la habitación.

—Bonnie se ha mareado en el camino de vuelta a casa —dijo Lauren a su padre en cuanto entraron por la puerta. Sam desapareció de inmediato escaleras arriba, hacia su habitación.

—No me he mareado —protestó ella.

—Te has visto obligada a parar. Sam ha tenido que conducir hasta casa.

—Estaba un poco indispuesta —explicó Bonnie cuando vio la expresión preocupada de su marido—. Me parece que el aire acondicionado de mi coche no funciona bien.

—Tienes muy mala cara —dijo Rod.

—Gracias —replicó Bonnie—. ¿Dónde está Amanda?

—La señora Gernstein la ha llevado al parque.

—¿Cuánto hace que has llegado? —preguntó Bonnie.

—Una media hora. —Rod cogió a Bonnie por el hombro, e hizo que se volviera de cara a la escalera—. Ahora quiero que subas, te acuestes y duermas un rato.

—Venga, Rod, si me encuentro bien.

—No me discutas. Tienes la gripe; deberías estar en la cama. Llamaré por teléfono a Marla y cancelaré lo de esta noche.

—Para entonces ya me habré recuperado del todo —protestó Bonnie, preguntándose por qué lo hacía. Lo que menos le apetecía era cenar con Marla Brenzelle.

—Está bien, veremos cómo te encuentras más tarde. Ahora sube, desnúdate, y métete en la cama. Te llevaré un poco de té.

—Rod...

—No me discutas.

—Al parecer, Elsa Langer recibió otra visita esta mañana...

—Hablaremos más tarde de eso.

—Pero...

—Más tarde —insistió él.

—Esto es ridículo —murmuró Bonnie, cada vez más furiosa con cada escalón que subía—. Lo único que tengo es cansancio. Dormiré media hora, y luego estaré como nueva.

Cuando Bonnie abrió los ojos vio a Lauren a los pies de su cama. «Qué guapa es», pensó Bonnie, y se incorporó contra las almohadas, pensando que se hallaba en medio de un sueño. Lauren llevaba un vestido azul intenso que empezaba casi en medio de sus senos y le llegaba a medio muslo. La hacía parecer muy mayor, pensó Bonnie, que hubiera deseado tener ese aspecto a los catorce años.

—Qué guapa estás —dijo, y notó que tenía la boca seca.

—Gracias —repuso Lauren sonriendo con timidez—. ¿Cómo te encuentras?

—No estoy segura —contestó Bonnie con sinceridad, y se pasó la lengua por los labios—. ¿Qué hora es?

—Casi las siete y media.

—¿Casi las siete y media? —Bonnie miró el reloj de la mesilla de noche para confirmarlo. ¿Cómo era posible que hubiese dormido toda la tarde?— ¡Madre mía! —exclamó—, tengo que levantarme para empezar a arreglarme.

—Tú no te mueves de aquí —dijo Rod, que entraba en ese momento en la habitación con una camisa de seda verde oscuro y pantalones negros. Estaba maravilloso.

—No lo entiendo —dijo Bonnie, tratando de levantarse de la cama.

—Lauren se ha ofrecido para ser mi pareja esta noche.

—¿Cómo?

—Cariño —dijo Rod—, tienes la gripe. No seas tan tozuda y reconócelo. Te encuentras rematadamente mal. No tiene sentido que te levantes para salir esta noche. Lo más probable es que vomites con sólo mirar a Marla, y eso no sería muy beneficioso para mi carrera. Así que, por favor, quédate en la cama.

—¿Te importa? —preguntó Lauren con timidez.

—¿Importarme? Por supuesto que no —contestó Bonnie, encantada de cómo estaban saliendo las cosas.

—He dado la cena a Amanda y la he acostado ya —dijo Lauren.

—¿En serio?

—Se llevan muy bien —añadió Rod con orgullo.

—Y Sam se queda en casa, por si necesitas algo.

—Gracias —dijo Bonnie, y la fatiga volvió a cubrirla como una pesada manta. «Que os divirtáis», quiso añadir, pero se quedó dormida antes de pronunciar la primera palabra.

Estaba soñando con tomates, montañas de tomates, gordos y rojos, de la sección de verduras de un pequeño supermercado. Bonnie eligió uno de ellos, le dio vueltas en la mano, y luego lo estrujó con fuerza observando cómo delgadas venas de jugo de tomate le goteaban por el dorso de la mano hasta el brazo.

Levantó los brazos hacia el techo, y el jugo de tomate le cayó sobre el rostro como una cascada, colándose entre sus labios, entrándole en la boca. Entonces la abrió mucho para beber más.

Bonnie se despertó sobresaltada, con un gusto rancio impregnándole la boca. Necesitaba un vaso de agua. Se levantó de la cama fue al cuarto de baño, echando de pasada un vistazo al reloj. Eran casi las diez y media. Otras tres horas perdidas, y seguía sin encontrarse mejor.

Llenó un vaso de agua y se lo bebió poco a poco, rezando para no vomitarlo. Como aquel gusto rancio permanecía, puso un poco de dentífrico en el cepillo y se limpió los dientes con vigor, pero el fresco sabor a menta de la pasta no le supo a nada ni surtió ningún efecto. Se enjuagó la boca y luego escupió el agua, y al hacerlo vio que echaba algo de sangre.

—Fabuloso —dijo, y volvió al dormitorio—. Justo lo que necesitaba.

El pasillo de arriba estaba casi a oscuras, con excepción de una lámpara en forma de bailarina que permanecía encendida junto a la puerta del dormitorio de Amanda. Cuando Bonnie se acercaba a la habitación de su hija, vio la luz del televisor que parpadeaba por debajo de la puerta de Sam, y oyó amortiguadas voces electrónicas colándose hacia sus pies descalzos lamiéndole los dedos de los pies.

Amanda estaba profundamente dormida, las sábanas hechas un lío alrededor de las rodillas, las manos por encima de la cabeza, y ésta apoyada contra el hombro izquierdo. Bonnie la tapó hasta la barbilla y le dio un suave beso en la frente.

—Te quiero, corazón —susurró.

«Yo te quiero más», oyó que le contestaban las paredes al salir del dormitorio.

Bonnie se detuvo un instante frente a la habitación de Sam y se quedó contemplando la puerta como si fuese capaz de ver a través de la madera. Oyó el ruido de la televisión: un hombre que hablaba entre el acelerón de un coche, una mujer que gritaba... Se apartó de allí, dispuesta a regresar a su dormitorio; pero entonces oyó otro sonido, algo tan débil que era casi imperceptible; un sonido tan inquietante que Bonnie se detuvo como paralizada.

Se quedó varios minutos allí, con la oreja pegada contra la puerta, escuchando aquel sonido. Era como si las paredes, gimieran, como si alguien estuviera atrapado en su interior y suplicara que lo soltaran. «Las paredes lloran», pensó, y abrió la puerta de Sam.

En la televisión, una joven ligera de ropa gritaba mientras huía de un atacante que llevaba puesta una máscara y esgrimía un cuchillo. Los ojos de Bonnie pasaron del televisor a su antaño majestuoso escritorio de roble, sobre el cual *L'il Abner* yacía apretada contra el vidrio de su terrario, y luego al sofá, donde Sam estaba sentado mirando la televisión, con las lágrimas corriéndole por las mejillas y los labios entreabiertos; un suave murmullo ascendía de su garganta, como si estuviese sumido de lleno en algún cántico medieval.

—¿Sam? —Bonnie se le acercó—. ¿Estás bien, Sam?

El débil gemido no se interrumpió cuando él se volvió hacia Bonnie; era como si tuviera vida propia, como si no dependiera de Sam para su existencia. Bonnie tendió la mano y tocó el hombro de Sam. Notó que el chico se encogía, pero ella no retiró la mano, y él no se apartó. Se sentó junto a Sam en el sofá, deslizando el brazo hacia su costado.

—¿Qué te ocurre, Sam? Por favor, sabes que puedes hablar conmigo.

El lamento se hizo más fuerte, más intenso. Bonnie luchó contra el impulso de taparse los oídos con las manos. En lugar de eso, atrajo al chico hacia sí, apretando el rostro de él contra su pecho, sintiendo las lágrimas a través del camisón, mientras el gemido se intensificaba, como si emanara de una caja de resonancias.

Sam la rodeó con sus brazos, la abrazó más fuerte; parecía que intentara atraerla hacia el centro de su dolor, que se aferrara a su vida. Quizá fuera eso. Bonnie dejó que Sam se apretara contra ella y le acarició el largo cabello negro, mirando alternativamente a la mujer que estaban descuartizando en la televisión y la serpiente que ahora se deslizaba hacia la tapa del terrario. De pronto, el cuerpo de Sam estalló en una serie de violentos sollozos.

Bonnie meció a Sam en sus brazos como si fuese un bebé.

—No pasa nada, Sam —dijo—. No pasa nada.

Se quedaron así un buen rato, Bonnie con los labios pegados a la coronilla de Sam, aspirando el aroma de su cabello recién lavado. La película acabó. Por lo poco que Bonnie había visto, todo el mundo había muerto. La serpiente seguía explorando el interior de su terrario; de vez en cuando golpeaba con la cabeza la tapa de cristal, como si intentara escapar.

Sam cesó de llorar.

—Lo siento —dijo esquivando la mirada de Bonnie.

—No te disculpes —repuso Bonnie, olvidando su propio malestar—. Y no te avergüences. No tienes de qué disculparte, ni de qué avergonzarte.

—Estoy llorando como un crío estúpido.

—No siempre tienes que interpretar el papel de duro, Sam —dijo Bonnie—. Háblame. Cuéntame qué pasa por tu cabeza.

Hubo un largo silencio.

—No me ha reconocido —dijo Sam al fin—. No ha sabido quién era yo. Ha reconocido a Lauren, pero a mí, no.

—Lo siento mucho, Sam. Quizá la próxima vez que vayamos...

Sam meneó la cabeza.

—No pienso volver.

—Es una anciana enferma, Sam —dijo Bonnie—. ¿Quién sabe qué pasa por su aturdida mente?

—Ha reconocido a Lauren.

Bonnie nada dijo al respecto.

—Sólo deseo que alguien me quiera —dijo Sam de repente, y

las palabras escaparon de su boca con un impulso de angustia.

—Oh, cariño. —Bonnie lloró con él—. Siento tanto este dolor que te aflige. Ojalá estuviera en mi mano hacerlo desaparecer. Desearía decir algo...

Sam meneó la cabeza con vigor.

—No importa.

—Claro que importa —dijo Bonnie—. Porque tú importas. Eres una persona que merece ser amada, Sam. ¿Me oyes? Mereces sentirte amado.

Sam no respondió, y se negó a mirar a Bonnie.

Ella se quedó observándolo por unos minutos. Era evidente que se sentía avergonzado por su arrebato, y que no pensaba decir nada más.

—Será mejor que vuelva a la cama —dijo Bonnie.

—¿Quieres que te lleve un poco de té o algo? —se ofreció Sam.

Bonnie sonrió y le acarició la mejilla.

—Sí, un poco de té me sentará bien, gracias.

19

El siguiente miércoles Bonnie se encontraba un poco mejor y Lauren empezaba a quejarse de tener mareos otra vez.

—¿Por qué no te quedas en casa? —dijo Bonnie posando una delicada mano sobre la frente de la niña. Lauren no se apartó.

—¿Tengo fiebre?

—No, estás fresca como una lechuga, pero no debes forzarte. Quédate un día en la cama. Si mañana no te encuentras mejor llamaremos al médico.

—¿Y tú? —preguntó Lauren, temblando bajo las mantas de la cama.

—Estoy bien —insistió Bonnie—. Sólo un poco cansada. —Empezaba a acusar los acontecimientos de las últimas semanas: el asesinato de Joan, la investigación de la policía, el súbito incremento de su familia, la reaparición de su hermano, sus temores por ella misma y por Amanda. Bonnie se acordó del doctor Greenspoon. «Parece usted una mujer atormentada», había dicho. O algo parecido.

Bueno, claro que lo había dicho, pensó Bonnie con impaciencia. ¿Cómo iba a seguir cobrando doscientos dólares por sesión si no captaba nuevos clientes?

—No tienes buena cara —dijo Lauren.

—Es el cabello —se apresuró a decir Bonnie, mirándose en el espejo que había encima del tocador. Era verdad: su cabello, por lo general brillante y ahuecado, aunque rebelde, tenía un aspecto seco y muerto desde hacía unos días. Le colgaba de la cabeza como una fregona vieja, y se negaba a cooperar con el cepillo o con el secador. Quizá necesitaba un buen corte.

—¿No te importa quedarte sola? —preguntó Bonnie—. ¿Quieres que llame por teléfono a la señora Gernstein y le pregunte si puede venir?

Lauren meneó la cabeza.

—No necesito niñera, Bonnie.

—Está bien, pero te llamaré más tarde para ver cómo te encuentras. Y si empiezas a notar mareo, acuérdate de respirar hondo.

Lauren asintió con la cabeza.

—Creo que ahora dormiré un poco.

Bonnie la arropó hasta la barbilla.

—Diré a Sam que te traiga un poco de té —dijo antes de salir de la habitación.

—Me encuentro bien. Me encuentro bien —repitió Bonnie a su reflejo en el lavabo del instituto.

«Puede que te encuentres bien —le contestó su reflejo—, pero tienes un aspecto horrible.»

Su reflejo tenía razón. Constató que tenía la piel de un pálido exagerado, casi transparente. «Macilenta», pensó, y por primera vez comprendió el verdadero significado de esa palabra. *De una palidez poco natural o enfermiza; que demuestra o sugiere mala salud, fatiga, tristeza; falto de fuerza, competencia o efectividad.* Sí, sin duda todo eso, en una sola palabra. La lengua era un instrumento asombroso.

No debería ponerse ropa de color pardo. Otra palabra que lo decía todo. *Pardo: monótono, triste, falto de energía, de brillo.* Así era ella.

¿Explicaba también el color de su vestido el malestar de su estómago, las nuevas náuseas que llevaban todo el día sacudiéndole el cuerpo? Sus alumnos no la habían ayudado, desde luego. Estaban nerviosos, desconcentrados, poco interesados. Haze se había mostrado particularmente grosero: su forma de sentarse en la silla en la última fila del aula, con las piernas extendidas ante él invadiendo todo el pasillo, arañando las baldosas grises con sus botas negras, sus brazos (obscenamente tatuados) detrás de la cabeza, sujetándola, como si estuviese recostado en una hamaca. Aunque no sabía nada, tenía respuesta para todo. No hacía sus deberes, jamás acababa sus trabajos, nunca demostraba el más mínimo interés por nada de lo que ella dijera.

—¿Por qué te molestas en venir a clase? —le preguntó Bonnie.

—Porque quiero estar contigo —dijo él de inmediato.

La clase se echó a reír y a Bonnie se le revolvió el estómago. No había parado de revolvérsele desde entonces. Se contempló en el espejo y se preguntó si Lauren y ella estaban condenadas a contagiarse aquel virus eternamente.

—Ahora no tengo tiempo para pensar en eso —dijo mientras se aplicaba un poco más de colorete en las mejillas. Pero aquel color adicional parecía forzado, como si no tuviera relación con el resto de su rostro. Lejos de infundirle vida, parecía embalsamada, como si acabase de salir de la mesa de una casa de pompas fúnebres. Parecía un cadáver.

«Nadie tiene buen aspecto con este tipo de luz», pensó mirando los fluorescentes del techo. Devolvió el colorete a su bolso, buscó a tientas el lápiz de labios y se lo aplicó con mano temblorosa, lo cual hizo que no se pintara parte de labio superior y se saliera en el otro. «Ahora parezco una borracha», pensó.

El cadáver de una borracha.

Como Joan.

Por lo menos Lauren se encontraba un poco mejor, y eso la aliviaba. Había dormido gran parte del día, hasta que Bonnie la llamó por teléfono a mediodía, y todavía dormía cuando Bonnie regresó a casa del instituto. Pero se despertó justo cuando Bonnie se disponía a volver al centro, donde se celebraba una jornada de puertas abiertas, y le comunicó que tenía hambre. Bonnie los dejó, a ella y a Rod, sentados a la mesa de la cocina, cenando juntos. Sam había salido ya.

Bonnie respiró hondo un par de veces para desearse suerte, cerró el bolso de un manotazo y se recogió el cabello detrás de las orejas. A lo mejor no tenía tan mal aspecto como imaginaba. Entró en el vestíbulo y empezó a subir por la escalera hacia su clase. Esperaba que no se presentaran demasiados padres. Así, quizá le fuera posible volver pronto a casa. Se metería en la cama, dormiría hasta ahuyentar sus demonios, y se despertaría sintiéndose mejor, como Lauren, con su color habitual y su apetito restablecidos. Llegó a su aula, abrió la puerta, entró y encendió la luz. Echó un vistazo a su alrededor. Todo estaba en orden.

Bonnie miró su reloj, y luego el reloj de pared que tenía a su espalda. Las siete menos dos minutos. A lo mejor tenía verdadera suerte y nadie se presentaba.

—¿Señora Wheeler?

Bonnie se volvió para encontrarse con una pareja de ancianos en el umbral. Los dos parecían mayores de lo normal para ser los padres de un adolescente. Iban vestidos con sencillez, en tonos blancos y azules. Él tenía el cabello blanco con algunos mechones castaños; ella, al revés: castaño con algunos mechones blancos. Ninguno de los dos sonreía.

—Sí —comentó Bonnie—. ¿En qué puedo ayudarles?

—Somos Bob y Lillian Reilly —dijo la mujer.

Bonnie se quedó mirándolos, perpleja. Ningún alumno en ninguna de sus clases se llamaba Reilly.

—Los abuelos de Harold Gleason —explicó el hombre.

—Ah, claro —dijo Bonnie de inmediato, asombrada de haber olvidado que les había llamado por teléfono para rogarles que asistieran—. Los abuelos de Haze. Lo siento. Estaba un poco despistada. Pasen, por favor.

—Dijo que quería hablar con nosotros esta noche —le recordó Lillian Reilly.

—Y que era muy importante —remarcó su marido.

—Lo es. —Bonnie señaló la hilera de pupitres y añadió—: Siéntense, por favor.

—Prefiero quedarme de pie, gracias —repuso Bob Reilly mientras su mujer examinaba el aula con mirada indiferente.

—Me alegro mucho de que hayan venido —dijo Bonnie—. Creo que es la primera vez que los veo en el instituto.

—No nos preocupamos mucho por él —replicó Lillian Reilly.

—Dudo que pueda decirnos algo que no sepamos ya —añadió su marido.

Bonnie sonrió. Por lo menos no haría falta que anduviera por las ramas.

—Confiaba en que ustedes pudieran decirme algunas cosas.

—¿Como qué?

—Sobre su nieto —empezó Bonnie—. Cómo se porta en casa, si está contento, si les causa problemas, si es difícil criar a un adolescente a su edad. Cualquier cosa que ustedes crean que me ayudaría a entenderle mejor.

—¿A qué viene ese interés? —preguntó Bob Reilly.

—Su nieto no va bien, señor Reilly —dijo Bonnie con la misma franqueza que él—. Y es una lástima, porque creo que hay un gran potencial en su interior. Es un chico muy inteligente, y quizá con un poco de estímulo por parte de la familia...

—¿Cree que nosotros no lo estimulamos?

—¿Lo hacen?

—Señora Wheeler —dijo Bob Reilly recorriendo lentamente el pasillo del aula y volviendo junto a ella—, ¿quiere que le hable de mi nieto? De acuerdo. Mi nieto es igual que su madre, un chico perezoso y apático que fuma marihuana y que cree que el mundo está en deuda con él. Y es posible que tenga razón, quién sabe. Pero eso no cambia mucho las cosas, ¿verdad? Las cosas son como son, nos guste o no. Al final su madre lo entendió, y, tarde o temprano, Harold también tendrá que entenderlo.

—¿Y entretanto?

—Intentamos no molestarnos demasiado mutuamente. Le hemos dicho que seguirá viviendo con nosotros mientras siga aprobando en el instituto. Ahora usted nos dice que va a suspender...

—No es que no tenga la inteligencia necesaria para aprobar... —se apresuró a decir Bonnie.

—Lo que ocurre es que no trabaja, que no hace sus deberes, que molesta en clase —la interrumpió Bob Reilly—. ¿Era eso lo que quería decirnos?

—Pensé que quizá, juntos, encontraríamos alguna forma de ayudarle...

—¿Y qué espera que hagamos nosotros, señora Wheeler?

—preguntó Lillian Reilly—. No podemos obligarle a estudiar y a hacer los trabajos, y, desde luego, no estamos preparados para hacerlos por él.

—Por supuesto que no, pero quizá si se interesaran un poco más...

—¿Tiene usted hijos adolescentes, señora Wheeler? —la interrumpió Bob Reilly.

—Tengo dos hijastros que lo son —contestó Bonnie.

—¿Y qué valor dan ellos a su interés?

—Bueno, puede que no siempre lo demuestren, pero...

—Gracias, creo que con eso ha contestado mi pregunta. —Bob Reilly cogió a su esposa por el codo—. Vamos, Lillian. Ya te dije que esto iba a ser una pérdida de tiempo.

—¿Teme usted a su nieto, señor Reilly? —preguntó Bonnie de repente—. ¿Y usted, señora Reilly?

Bob Reilly se tensó, y su esposa le lanzó una mirada nerviosa.

—Su nieto lleva mucha ira dentro. Me gustaría ayudarle antes de que sea demasiado tarde.

—¿Por eso envió a la policía a interrogarlo? —preguntó Bob Reilly, cogiendo a Bonnie por sorpresa—. ¿Es así como pretende ayudarlo?

—¿Cree usted que su nieto sería capaz de hacer daño a alguien, señor Reilly? —preguntó Bonnie, con el corazón latiéndole violentamente.

—Todos somos capaces de hacer daño a alguien —contestó Bob Reilly con frialdad, y condujo a su esposa fuera del aula.

—¿Cómo te ha ido? —preguntó Maureen Templeton a Bonnie cuando ésta iba ya por el pasillo hacia el aparcamiento. Eran casi las nueve y cuarto.

—Bien, supongo —dijo Bonnie—. Mucha gente.

—No tienes buena cara. ¿Te encuentras mal?

—No, estoy bien. Sólo un poco cansada —mintió Bonnie. Abrió la puerta lateral del instituto, aspirando el cálido aire nocturno—. ¿Quieres que te acompañe a casa?

—No, gracias. Tengo mi coche. —Maureen señaló el Chyrsler

de color oscuro, estacionado en el otro extremo del aparcamiento, y echó a andar hacia él sin entretenerse. Bonnie vio que sólo quedaban unos pocos coches aparcados. Estaba ansiosa por llegar a casa.

Bonnie abrió la portezuela de su coche y subió. Saludó con la mano a Maureen cuando ésta salía con su coche del estacionamiento. Bonnie introdujo la llave en el contacto y la hizo girar. Nada.

Bonnie giró la llave varias veces, la sacó, volvió a introducirla, repitió toda la operación mientras pisaba con fuerza el acelerador. El motor no arrancaba ni por casualidad.

—Justo lo que necesitaba —murmuró Bonnie, y notó que se le cubría la frente de sudor—. Vamos, no me hagas esto. —Introdujo otra vez la llave en el contacto, haciéndola girar con furia hacia la derecha, luego hacia la izquierda, apretando el pedal del acelerador—. Esto es lo último que podía pasarme esta noche, por favor.

Bonnie contempló la progresiva oscuridad por la ventanilla del coche. Sólo quedaban otros dos coches en el aparcamiento. Probó el contacto por última vez, y comprendió que el coche no arrancaría.

—Fantástico —dijo, y contuvo unas lágrimas de ira mientras bajaba del coche y regresaba al edificio. Se encaminó a la sala de profesores, y sus pasos resonaron por el pasillo, ya vacío. Pensó que por la noche todos los centros de enseñanza tenían un aire fantasmagórico, un vacío poco natural. Se preguntó si la sala de profesores estaría cerrada con llave, y sintió alivio al ver que la puerta se abría con facilidad.

Bonnie encendió la luz, y pensó en los dos coches que quedaban todavía en el aparcamiento. A lo mejor tampoco se ponían en marcha. Se sentó junto al teléfono en un rincón de la habitación y marcó el número de su casa. A lo mejor había un virus gripal que afectaba a los coches.

—No estoy bien de la cabeza —dijo por el auricular mientras escuchaba los timbrazos. Rod iría a recogerla. Sólo tardaría unos minutos en llegar. Por la mañana enviarían un mecánico a echar un vistazo al coche.

Lauren contestó al cuarto timbrazo.

—¿Diga? —dijo como si acabaran de despertarla de un profundo sueño.

—Lo siento, ¿te he despertado?

—¿Quién es? —preguntó Lauren.

—Soy Bonnie. —Si se hubiese encontrado mejor se habría echado a reír—. ¿Puedo hablar con Rod?

—No está.

—¿Qué?

—Ha tenido que salir.

—¿Ah, sí? ¿Cuándo?

—Hace casi una hora.

—¿Adónde ha ido?

—No lo ha dicho. ¿Por qué? ¿Ocurre algo?

—Mi coche no se pone en marcha. ¿Con quién estás?

—Con Amanda. Se ha dormido.

—¿Rod te ha dejado sola con Amanda sabiendo que no te encontrabas bien?

—Ahora ya estoy bien —repuso Lauren—. Le he dicho que podía irse tranquilo. Y él ha dicho que no tardaría mucho.

—¿Y Sam?

—Ha salido.

Bonnie agachó la cabeza. Era evidente que aquella conversación no la conduciría a parte alguna.

—Vale, llamaré un taxi. No creo que tarde mucho.

—Tranquila.

—Hasta ahora. —Bonnie colgó el auricular e intentó recordar el número de teléfono de la compañía de taxis. Recorrió con la mirada la habitación en busca del listín telefónico. ¿Cómo era capaz Rod de marcharse dejando solas a sus dos hijas, sobre todo cuando una de ellas no se encontraba bien? ¿Y adónde habría ido?

Al fin vio el listín telefónico en el suelo, junto al refrigerador de agua, al lado de varias botellas azules, dos vacías y una llena. Bonnie se levantó con esfuerzo de la silla, caminó hasta allí y se agachó; sus rodillas crujieron como dos ramas secas. De pronto, la habitación empezó a dar vueltas. Durante unos segundos, Bonnie, aterrada, no distinguió el suelo del techo.

—¡Dios mío, ayúdame! —susurró. Sus dedos buscaron algo a lo que asirse y cerró los ojos, intentó desesperadamente conservar su precario equilibrio. «Tranquilízate. No te pongas nerviosa. Ya pasará.» Bonnie contó hasta diez, y abrió los ojos lentamente.

La habitación había dejado de bailar, aunque todavía se balanceaba un poco, como dos amantes que se resisten a separarse. Bonnie esperó, los dedos de su mano derecha aferrados al delgado listín telefónico, enrollando y rasgando sus bordes. Se preguntó si sería capaz de enfocar la mirada, si podría leer aquella letra tan pequeña. Necesitaba salir de allí. Tenía que volver a casa y a la comodidad de su cama. De todos modos maldijo a Rod. ¿Dónde se habría metido?

Bonnie se levantó, con el listín en la mano sirviéndole de ancla, impidiendo que se tambaleara. Volvió junto al teléfono con paso vacilante, lo descolgó con una mano mientras pasaba las páginas amarillas con la otra. El intenso zumbido del receptor vibraba contra su oído como un maldito insecto. Bonnie encontró el número de la compañía de taxis y empezó a marcar.

Y entonces oyó otros sonidos: una puerta que se cerraba a lo lejos, pasos por el corredor. Los pasos, lentos y decididos, se acercaban a donde ella se encontraba. «Estás en peligro», gritó Joan a través del cable del teléfono. «Estás en peligro —volvió a gritar Joan desde el suelo—. Estás en peligro.»

—Y tú eres idiota —dijo Bonnie enfadada, sin saber si se dirigía a Joan o a ella misma. El corazón le latía desbocado y la cabeza le daba vueltas. «Vas a volverte loca. Eso es lo que vas a conseguir.»

Los pasos se acercaron aún más, se detuvieron delante de la sala de profesores. Bonnie contuvo la respiración, paralizada. «Será el vigilante —pensó—. Viene a cerrar con llave.» Quizá había visto el coche de Bonnie en el aparcamiento y la estaba buscando para asegurarse de que se encontraba bien.

¿Era simple casualidad que su coche no se hubiera puesto en marcha?

¿O lo había saboteado alguien?

—¡Oh, Dios! —exclamó en voz alta. Demasiado alta: la puerta de la sala de profesores se abrió—. ¡No! —gritó Bonnie cuando vio a un hombre en el umbral.

Él dio un salto de un metro.

—Qué susto —dijo sin aliento; se volvió y miró con cautela por encima de su hombro, como si temiese que hubiera alguien detrás de él—. ¿Qué ocurre? ¿Qué hace?

—¿Señor Freeman? —preguntó Bonnie, concentrándose el rato suficiente para permitir que las facciones de Freeman llegaran a su conciencia.

—Es usted, señora Wheeler —contestó él, como si hubiese debido imaginarlo—. ¿Qué sucede? ¿Por qué ha gritado?

—Me ha asustado —reconoció Bonnie después de una pausa—. No sabía de quién se trataba.

—¿Quién pensaba que era, por todos los santos? ¿El coco?

—Quizá. —Bonnie se desplomó en la silla que tenía detrás. Josh Freeman se quedó mirándola con perplejidad.

—¿Se encuentra bien?

—Estoy un poco mareada.

Josh se dirigió directamente al refrigerador de agua, llenó un vaso y se lo tendió a Bonnie.

—Beba un poco.

Bonnie cogió el vaso de papel de la mano de Freeman, se lo llevó a los labios, y bebió su contenido sin descansar.

—Gracias.

Freeman tenía un rostro agradable, y a Bonnie volvió a sorprenderle la maravillosa claridad de sus ojos, como le había ocurrido en el funeral de Joan.

—¿Se encuentra mejor?

—Creo que sí. Perdóneme si le he asustado.

—No se preocupe.

—No sabía que todavía estaba aquí.

—Me parece que somos los últimos.

—Mi coche no arranca. Estaba llamando a un taxi.

Freeman titubeó.

—¿Vive muy lejos de aquí?

—No. En Winter Street. Queda a unos tres kilómetros.

Freeman vaciló de nuevo.

—Si quiere, puedo acompañarla.

—¿En serio?

—¿Tanto le sorprende la idea?

—No, pero como lleva tanto tiempo esquivándome... —se explicó Bonnie.

—Supongo que tiene razón —reconoció él—. ¿Ha detenido la policía a algún sospechoso?

Bonnie meneó la cabeza, intentando no mostrarse demasiado sorprendida por el súbito cambio de tema de conversación.

—¿Por qué no hablamos por el camino? —sugirió él.

Bonnie asintió con la cabeza, se puso en pie con dificultad y lo siguió fuera de la sala de profesores, hasta el largo pasillo. Así que al fin iban a hablar, y por iniciativa de él nada menos. Bonnie pensó que ella no habría podido planearlo mejor, y sintió una súbita punzada entre las costillas, como si la hubiesen tocado con un dedo. Quizá sí estaba planeado, le advirtió la punzada. Aunque no por ella. Tal vez Josh Freeman había saboteado su coche. ¿Era simple casualidad que él estuviera allí, esperándola, y que su coche no hubiera arrancado?

«Pero ¿por qué haría una cosa así?», se preguntó Bonnie con impaciencia, esforzándose por seguir los pasos de Freeman. ¿Por qué sabotearle el coche? A no ser que él hubiera tenido algo que ver con la muerte de Joan, a no ser que él fuera el peligro del cual Joan había intentado prevenirla. Pero, ¿qué clase de peligro supondría Josh Freeman para ella? ¿Y qué motivo tenía ella para temerle?

Bonnie se dio cuenta, mientras se acercaban al final del pasillo, de que si algo le sucedía, nadie sabría dónde estaba; ni dónde había desaparecido. No la habían visto con Josh Freeman. Nadie los había visto salir juntos del instituto. Si algo le ocurría, no sabrían a quién responsabilizar. Debía alejarse de él al instante y llamar a la policía. Pero para ello tenía que volver a la sala de profesores y avisar a un taxi. Su sentido común le recomendaba que no fuera con aquel hombre.

—¿Viene? —preguntó Freeman, que abrió la puerta principal y se quedó esperando a que Bonnie lo alcanzara.

Ella inspiró hondo, y lo siguió al exterior.

20

—Dígame, ¿cómo se le ocurrió dedicarse a la enseñanza? —preguntó él de pronto mientras salían con el coche a Wellesley Street.

Bonnie iba pegada a la portezuela del acompañante en el pequeño coche extranjero, con la mano derecha agarrada a la manija, por si tenía que hacer una salida repentina, no programada.

—Siempre quise ser maestra —contestó, intentando tranquilizarse con aquel torpe intento de entablar conversación—. Desde que era pequeña. Siempre dije que quería enseñar. Ponía todas mis muñecas juntas en filas, y les enseñaba a leer y escribir. —Pero, ¿qué significaba aquel cotorreo? ¿Acaso temía que si dejaba de hablar él se abalanzaría sobre ella?— Entonces era mejor maestra que ahora, claro —añadió.

—Algo me dice que ahora es muy buena maestra.

Bonnie esbozó una sonrisa forzada.

—Me gusta pensar que sí. Aunque es imposible llevarse bien con todo el mundo.

—Tengo la impresión de que se refiere a alguien en concreto.

Bonnie pensó en Haze, en la frustrante conversación que había mantenido con los abuelos del joven. No le extrañaba que el chico estuviera siempre de tan mal humor.

—¿Cómo le ha ido esta noche? —preguntó Josh, como si leyera su mente—. ¿Ha tenido muchas visitas?

—Bastantes —contestó Bonnie—. ¿Y usted?

—Muchísimas —dijo, y una contagiosa sonrisa iluminó de pronto su rostro. Bonnie se dio cuenta de que era la primera vez que lo veía sonreír. Estaba muy guapo—. Nada que ver con el instituto en que trabajaba antes —añadió.

—En Nueva York —recordó Bonnie. ¿De verdad estaban sosteniendo aquella conversación superficial? ¿Era cierto que él le confesaba algo de sí mismo?

Freeman asintió con la cabeza, y la agradable sonrisa desapareció para convertirse en una línea recta y delgada, como la de un monitor cuando el paciente ha muerto.

—¿Qué lo trajo a Boston? —preguntó Bonnie.

—Necesitaba un cambio de aires —dijo él—. Y Boston me pareció un sitio tan adecuado como cualquier otro.

—¿Le gusta?

—Mucho.

—¿Y su familia? —De pronto, Bonnie recordó que su esposa había muerto en un trágico accidente. Al menos ése era el rumor que circulaba por el instituto. Una sensación de terror se infiltró en sus venas, como si le hubiesen puesto una inyección intravenosa. ¿Y si no hubiese sido un accidente? Tal vez él hubiera asesinado a su esposa, igual que a Joan, igual que iba a hacer con ella. Quizá toda aquella conversación superflua no era más que una forma de relajarla antes de asesinarla.

—Vivo solo —fue lo único que respondió.

—Debe de ser difícil empezar de cero en una ciudad nueva donde no se conoce a nadie —especuló ella con voz queda, contenida. Resultaba difícil llevar dos conversaciones a la vez, aunque una de ellas se desarrollara sólo en su mente.

—No esperaba que fuera fácil.

—¿Ha hecho nuevas amistades?

—Algunas.

—¿Consideraba a Joan amiga suya? —Pretendía que la pregunta sonara casual, pero se le atascó la voz al pronunciar el nombre de Joan, subrayándolo y destacándolo del resto de la frase, haciendo que golpeara contra las ventanillas del coche.

—Sí —respondió él, sin apartar la vista de la carretera.

—¿Estaban liados? —preguntó con cautela. Qué demonios. Si había matado a Joan, y estaba planeando matarla a ella, tenía derecho a enterarse de algo antes de morir.

—No —contestó él tras una pausa—. No estábamos liados.

—Si lo hubiesen estado, ¿me lo diría?

—Es probable que no —admitió Freeman, y la sinuosa sonrisita reapareció unos instantes.

—¿Qué clase de relación tenían en realidad? —preguntó Bonnie. Sabía que ya le había formulado esa pregunta en otro momento, y esperó que él le contestara que no era asunto suyo.

Pero Freeman contestó:

—Éramos amigos. Almas gemelas, prodríamos decir.

—¿En qué sentido?

Freeman caviló durante unos segundos.

—Compartíamos un vacío interno, por así decirlo —respondió por fin, con cierta timidez—. Los dos habíamos experimentado enormes tragedias. Eso nos unía, nos proporcionaba una base común.

Bonnie pronunció la siguiente frase con delicadeza.

—Tengo entendido que su esposa murió en un accidente...

—Un accidente de coche, sí —dijo Josh rápidamente—. Ella y mi hijo.

—¿Su hijo?

—Tenía dos años.

—Dios mío. Lo siento mucho.

Josh asintió con la cabeza. Agarró con tal fuerza el volante, que se le pusieron blancos los nudillos.

—Era invierno. Las carreteras se encontraban en mal estado. Derrapó en una placa de hielo e invadió el otro carril, embistiendo los coches que iban en dirección contraria. Nadie tuvo la culpa. Fue un milagro que no muriera más gente.

—Terrible.

—Sí, lo fue. —Hubo una larga pausa—. Por eso yo comprendía, en parte, el continuo dolor que Joan llevaba dentro de sí. Sabía lo que suponía perder a un hijo. Sabía por lo que ella estaba pasando.

—¿De qué hablaban cuando estaban juntos? —preguntó Bonnie.

—De lo que hablan los amigos. No sé. De cualquier cosa que ocupara nuestras mentes en ese momento, supongo. El negocio inmobiliario, la enseñanza, sus hijos, su madre...

—¿Su madre?

—¿Le sorprende?

—¿Qué le contó Joan de su madre?

—No gran cosa. Que tenía problemas con el alcohol, que estaba en un asilo...

—¿Sabía usted que la madre de Joan estaba en un asilo?

—¿Era un secreto?

—¿La ha visitado alguna vez?

—No. ¿Por qué iba a hacerlo?

Bonnie miró por el parabrisas, intentando avanzar con más tiento. La conversación iba demasiado deprisa, amenazaba con escapársele. Necesitaba tiempo para digerir todo lo que él le había contado, para organizar sus pensamientos. Josh Freeman estaba proporcionándole demasiada información de golpe. ¿Y por qué, si hasta entonces se había mostrado tan poco dispuesto a hablar con ella?

—¿Qué me dice de Sam? —preguntó.

—¿Sam? ¿Qué le ocurre?

¿No se lo había preguntado ya?

—Tengo entendido que va a su clase de arte.

Josh Freeman asintió con la cabeza.

—Sí.

—¿Es buen alumno?

—Muy bueno. Tranquilo, trabaja mucho, no se mete con nadie...

—¿Ha hablado con usted alguna vez desde que mataron a Joan?

—No. En una ocasión intenté acercarme a él, pero dejó muy claro que no le interesaba.

Los ojos de Bonnie recorrieron la oscura calle, esperando ver las conocidas calles adyacentes: DeBenedetto Drive, Forest Lane. Pero lo que encontró fueron Ash Street y Still Meadow Road.

—¿Adónde va? —preguntó, apuntalándose en su asiento.

—¿Cómo?

—Le he preguntado adónde va. ¿Adónde me lleva?

—A su casa. ¿Adónde cree que la llevo?

—Por aquí no se va a mi casa —dijo Bonnie, y el pánico que sentía desde hacía rato salió a la superficie. Estuvo tentada de abrir la portezuela del coche, y arrojarse a la calle con el coche en marcha.

—Me ha dicho que torciera hacia la izquierda por South Street.

—Esto no es la izquierda —repuso Bonnie—. Es la derecha.

—Entonces supongo que me he equivocado —dijo él tranquilamente—. Siempre he tenido un pésimo sentido de la orientación. —Aminoró la marcha, pero en lugar de dar media vuelta aparcó junto al bordillo.

Bonnie asió con fuerza la manija de la portezuela, escrutando frenética la calle en busca de otros coches, de otras personas. Nadie. Si intentaba escapar, él la alcanzaría. ¿Cuánto tardarían sus manos en taparle la boca para amortiguar sus gritos?

—¿Quiere contarme de qué tiene tanto miedo? —preguntó Josh Freeman.

Bonnie siguió examinando la acera.

—¿Quién ha dicho que tengo miedo?

—¿Siempre reacciona con la misma violencia cuando alguien se equivoca de calle?

Bonnie volvió la cabeza para mirarlo de frente.

—¿Mató usted a Joan? —preguntó directamente. Había decidido que nada tenía que perder.

—¿Cómo dice?

—Ya me ha oído.

—¿Lo dice en serio?

—Claro que lo digo en serio.

—Claro que no la maté. ¿Y usted?

—¿Cómo dice?

—Ya me ha oído.

—¿Lo dice en serio?

—Claro que lo digo en serio.

—Claro que no la maté.

Y de pronto los dos se echaron a reír. Empezó con un ataque de risitas y acabó con carcajadas descomunales. Bonnie tenía el rostro lleno de lágrimas.

—Me parece que es la conversación más ridícula que he tenido jamás —comentó Josh Freeman.

—Ojalá yo pudiera decir lo mismo —repuso Bonnie, que últimamente había mantenido más de una conversación ridícula.

—¿De verdad crees, que yo podría haber matado a Joan? —El tuteo surgió espontáneo.

—Ya no sé qué pensar —admitió Bonnie—. Tu nombre estaba en la agenda de Joan, te vi en el funeral, no querías hablar conmigo, me ignorabas deliberadamente. ¿Por qué? ¿Por qué te negabas a hablarme?

—Estaba asustado —dijo él llanamente, y esta vez le correspondió a él quedarse mirando por el parabrisas del coche—. Me traslado a vivir a una ciudad que no conozco e intento recomponer mi vida, y la primera persona con quien entablo una amistad sincera es asesinada. Y no sólo eso, sino que encima la policía me interroga. Me dio bastante miedo, incluso siendo nativo de Nueva York.

—¿Qué tipo de preguntas te hizo la policía?

—De hecho me preguntaron en especial sobre ti.

—¿Sobre mí?

—Qué impresión tenía de ti, si creía que eras una persona psíquicamente equilibrada, si Joan me había dicho alguna vez que le dabas miedo.

—¿Si yo le daba miedo a Joan?

—Dejaron bastante claro que eras la principal sospechosa.

Bonnie se echó a reír.

—No me extraña que no quisieras hablar conmigo.

—Me ponía un poco nervioso.

—¿Qué te hizo cambiar de opinión?

—Tú —contestó Freeman, y su débil sonrisa se volvió más resuelta, amenzando con permanecer—. Cuanto más pensaba en ti, más ridícula me parecía la idea de que hubieras disparado contra alguien. Y esta noche, al verte en la sala de profesores, tan asustada y vulnerable, decidí que era un estúpido, y que Joan se habría enfadado mucho conmigo.

—¿Joan? ¿Qué quieres decir?

—Le caías bien. En una ocasión me dijo que si las circunstan-

238

cias hubieran sido otras, creía que habríais llegado a ser muy buenas amigas.

—Lo dudo —dijo Bonnie, incómoda con aquella idea.

—No sois tan diferentes, ¿lo sabías?

—Joan y yo no nos parecemos en nada —insistió Bonnie, y su buen humor se evaporó de inmediato, y las náuseas se cernieron de nuevo sobre ella.

—Físicamente no, pero en otros aspectos más importantes...

—Nunca he tenido problemas con el alcohol, Josh.

—No me refería a los problemas de Joan con el alcohol —dijo él mientras Bonnie se revolvía en su asiento—. Pensaba en su sinceridad, en su fuerza de voluntad, en su sentido del humor.

—¿Te dijo Joan alguna vez algo sobre mi hija? —preguntó Bonnie cambiando de tema.

—Sólo que era una niñita preciosa.

—¿Nada más?

—Que yo recuerde, no.

—¿Y sobre mi hermano?

—¿Tu hermano?

—Nick Lonergan.

Freeman parecía sorprendido.

—No me suena ese nombre. —Hizo una pausa, e inclinó la cabeza hacia ella, obligándola a mirarlo a los ojos, como un imán—. ¿A qué vienen tantas preguntas, Bonnie? ¿De qué tienes miedo?

Bonnie inspiró hondo, soltó el aire poco a poco, y vio cómo formaba una delgada película sobre el parabrisas del coche.

—Tengo miedo de que la persona que mató a Joan vaya detrás de mí y de mi hija. Tengo miedo porque nadie se cree que estemos en peligro, y porque no se lo creerán hasta que sea demasiado tarde. —Se echó a llorar.

Freeman se apresuró a abrazarla, la atrajo hacia sí, y la abrazó con fuerza contra su pecho mientras ella sollozaba.

—No pasa nada —decía, calmándola como si fuese una niña pequeña—. Bonnie, desahógate. No pasa nada. No pasa nada.

—Me da tanto miedo que alguien haga daño a mi niñita —gimoteó Bonnie—, y no puedo impedirlo. Estoy tan cansada; me encuentro tan mal. Yo nunca me encuentro mal, maldita sea. Jamás me pongo enferma.

—Nadie hará daño a tu hijita —dijo Josh Freeman, acariciándole el cabello.

Bonnie levantó la vista.

—¿Me lo prometes? —preguntó; sabía que era una estupidez, pero necesitaba oír aquellas palabras.

—Te lo prometo —dijo él.

Cuando entraron en el camino de su casa, Bonnie ya había cesado de llorar.

—Lo siento mucho —susurró—. No tenía derecho a pensar mal de ti.

—No te disculpes —replicó él—. ¿Te encuentras mejor?

Bonnie asintió con la cabeza. El coche de Rod estaba en el camino, aunque Sam no había vuelto todavía con el Mercedes de Joan.

—Creo que me prepararé una taza de té y me iré a la cama.

—Parece una buena idea.

Bonnie abrió la portezuela.

—Gracias por consolarme —dijo con sinceridad al bajar del coche. La puerta de su casa se abrió y Rod apareció en el umbral.

—De nada.

Bonnie cerró la portezuela y Josh dio marcha atrás. Al cabo de un momento, Rod estaba al lado de su esposa.

—¿Quién era? —preguntó mientras la abrazaba y le daba un beso en la mejilla—. ¿Y tu coche?

—En el aparcamiento del instituto —explicó Bonnie—. No arrancaba, y Josh me ha acompañado.

—¿Josh?

—Josh Freeman, el profesor de arte de Sam.

—Ha sido un detalle por su parte.

—Es un hombre muy agradable —dijo Bonnie.

—¿No asistió al funeral de Joan?

—Eran amigos —explicó Bonnie, y estaba a punto de decir algo más cuando Rod la interrumpió.

—Bonnie, no estarás metiendo las narices donde no debes, ¿verdad?

—¿Qué quieres decir?

—Sabes qué quiero decir. Deja que la policía se encargue de investigar el asesinato de Joan, Bonnie. Tú eres una aficionada. Alguien podría hacerte daño. —La condujo al interior de la casa.

—Josh nunca me haría daño —dijo Bonnie, hablando más para sí misma que para su marido, y sorprendida de su cambio de opinión. No hacía ni media hora siquiera estaba convencida de que aquel hombre iba matarla. Y ahora estaba convencida de que jamás le haría daño—. ¿Dónde has estado esta noche? —preguntó a Rod cuando entraban en la cocina—. Te he llamado por teléfono para ver si podías ir a buscarme, y Lauren me ha dicho que habías salido.

—Me dejé en la emisora unos papeles que tenía que revisar, y tuve que volver a buscarlos. Me he puesto furioso. Era justo lo que me faltaba.

—¿Has tenido un mal día?

—¿Los hay de otra clase? —Rod apartó unos mechones de cabello de la frente de Bonnie—. ¿Y tú? ¿Cómo te encuentras?

—No demasiado bien.

—¿Te apetece un té?

—Me has leído el pensamiento.

—Para eso estoy aquí. —Rod cogió la tetera, la llenó de agua y la puso en un fogón—. ¿Por qué no subes y te acuestas? Te lo llevaré cuando esté listo.

Bonnie sonrió, agradecida, y subió por la escalera lentamente, con la fatiga tirando de sus piernas, como si fueran pesas. Llegó a la planta de arriba y, automáticamente, se dirigió a la habitación de Amanda.

—Mi corazón —susurró junto a la cama de su hija, contemplando el rostro dormido de la niña, asombrada una vez más por lo mucho que se parecía a su medio hermana. Se preguntó si Lauren se habría acostado alguna vez agarrada con fuerza a una muñeca Big Bird, si alguna vez se habría resistido a que lavaran su manta favorita por temor a que el «buen olor» desapareciera, si alguna vez se habría caído de su triciclo y se habría lastimado la mejilla. Bonnie se inclinó y besó la cicatriz de Amanda, con cuidado de no despertarla.

—Te quiero —susurró.

«Yo te quiero más», oyó decir a Amanda silenciosamente al cruzar el pasillo. La puerta de la habitación de Lauren estaba cerrada, pero la luz seguía encendida. Bonnie llamó.

—¿Quién es? —preguntó Lauren desde el otro lado.

—Soy Bonnie —contestó, sin atreverse a abrir sin permiso—. ¿Puedo entrar?

—Vale —dijo Lauren, y Bonnie empujó la puerta.

Lauren estaba sentada en la cama, con los libros de texto esparcidos a su alrededor.

—¿Cómo te encuentras? —preguntó Bonnie.

—Me parece que mejor. Espero. Estoy harta de encontrarme mal.

—Sé lo que quieres decir. ¿Cómo estuvo la cena del sábado por la noche? No hemos tenido ocasión de comentarlo.

—Fabulosa. —Su rostro se animó—. Tendrías que haber visto a Marla. Llevaba un vestido negro con un escote hasta los pies. Estaba espectacular. Me pidió que te dijera lo mucho que lamentaba que no hubieras podido ir.

—Ya me lo imagino.

—Me parece que está enamorada de papá —dijo Lauren.

—¿En serio?

—Se pasó toda la noche pegada a él. Cada vez que papá decía algo, Marla se reía, aunque no tuviera gracia. Era una pasada.

Bonnie chascó la lengua, aunque la imagen de Marla riéndose sin cesar, con un vestido escotado hasta los pies y pegada a su marido toda la noche no era lo que más le apetecía tener en la mente.

—Pero ¿te lo pasaste bien?

—De fábula.

—Me alegro. —Se dio la vuelta para marcharse.

—Bonnie...

—Dime.

—¿Podemos hablar un minuto?

Bonnie se quedó de pie junto a la cama de Lauren.

—Claro.

—Quería preguntarte una cosa.

—Muy bien.

—Es personal.

—Muy bien —repitió Bonnie. ¿Estaba segura de que quería oírlo?

—Es sobre ti y sobre mi padre.

—¿De qué se trata?

—Hubo una larga pausa.

—Os vi la semana pasada.

—¿Que nos vistes?

—En la cama.

«Dios mío», se lamentó Bonnie en silencio.

—No era mi intención. Fue cuando...

—Sé cuándo ocurrió —se anticipó Bonnie. Apartó unos cuantos libros de Lauren y se sentó en el borde de la cama—. ¿Qué quieres preguntarme en realidad?

—Tenías las manos atadas —dijo Lauren tras otra larga pausa, y sus palabras quedaron suspendidas en el pesado aire que las rodeaba. Meneó la cabeza, incapaz al parecer de reunir los pensamientos que rondaban por su mente.

—Eso te desconcertó —la ayudó Bonnie.

Lauren asintió con la cabeza

«A mí también», pensó Bonnie. Pero dijo:

—Estábamos haciendo el amor. Se nos ocurrió que sería divertido probar algo diferente. —¿Qué otra cosa podía decir?

—¿Y fue divertido? —preguntó Lauren.

—Interesante —contestó ella con franqueza, e intentó imaginarse manteniendo esa misma conversación con su madre. Imposible. Su madre ni siquiera había mencionado la palabra «sexo» jamás. Bonnie había aprendido los detalles más sórdidos a través de su hermano pequeño.

—Gracias —susurró Lauren.

—¿Por qué?

—Por ser sincera conmigo. Nunca pude hablar de estas cosas con mi madre —dijo, como si estuviese al corriente de los pensamientos más secretos de Bonnie.

—¿Nunca?

—No me interpretes mal —dijo Lauren de inmediato poniéndose a la defensiva—. Mi madre era fabulosa. Pero había ciertas cosas que le hacían sentirse incómoda, y de las cuales prefería no hablar.

—Sabes que puedes hablar conmigo de lo que quieras —dijo Bonnie—. Tal vez no siempre tenga todas las respuestas, pero me encantará oír las preguntas.

Lauren bajó la mirada hacia la cama, como si buscase algún libro.

—El viernes tengo examen de geografía.

—Me temo que en eso no puedo ayudarte —dijo Bonnie con una sonrisa—. Siempre suspendía esa asignatura.

Lauren también se rió.

—Entonces todavía tengo esperanzas.

—Claro que las tienes —dijo Bonnie, y le dio unas palmaditas en la mano. «Y nosotros», añadió en silencio al oír pasos de Rod por la escalera. Todo iba a salir bien.

—¿No te acuestas? —preguntó Bonnie mientras Rod le quitaba la taza de té, ya vacía, de las manos.

—Tengo que acabar un trabajo —explicó él—. Subiré en cuanto pueda. —La besó en la frente y salió del dormitorio.

Bonnie se sentó en la cama, contemplando, abstraída, la litografía de Salvador Dalí que había en la pared, con su mujer calva y sin rostro dibujada en azul. «Comparada conmigo, es guapa», pensó Bonnie. Se levantó de la cama y se dirigió al cuarto de baño. Se lavó la cara, se cepilló los dientes, y luego escupió en el lavabo el agua de enjuagarse la boca.

El lavabo quedó lleno de sangre.

Bonnie se echó hacia atrás. «¡Madre mía!» Volvió a coger agua con la boca, se la enjuagó, escupió en el lavabo. Más sangre. En cuanto se encontrara mejor tenía que comprarse un cepillo de dientes nuevo. Aquél tenía las cerdas demasiado duras.

Y aprovechando que iba a comprar el cepillo de dientes, pasaría por la peluquería. No había duda de que necesitaba un arreglo en el cabello. Nunca lo había tenido tan seco y apagado. Se miró en el espejo y constató su horrible aspecto.

La mujer del espejo le devolvió la mirada en silencio. Un delgado hilo de sangre le goteaba de un lado de la boca, hacia la barbilla.

21

A la mañana siguiente, Bonnie llamó a un mecánico para que fuera a revisar su coche. El joven, que según la tarjeta de identificación blanca que llevaba en la camisa gris se llamaba Gerry, abrió el capó del coche y estuvo unos minutos mirando el motor; tocó varias tuercas y examinó diferentes cables y válvulas.

—Yo no encuentro nada —dijo a Bonnie. Llevaba el cabello, castaño oscuro, recogido en una cola que le llegaba hasta la mitad de la espalda—. ¿Dice que no arrancaba?

Bonnie asintió con la cabeza, dejó caer las llaves del coche en la palma abierta de Gerry mientras éste se metía en el asiento del conductor. Bonnie vio cómo introducía la llave en el contacto y la hacía girar hacia la derecha. El coche se puso en marcha de inmediato.

Bonnie meneó la cabeza, asombrada, con cuidado de no moverla demasiado fuerte ni excesivo rato. Todavía estaba mareada, había pasado casi toda la noche agitándose y dando vueltas, incapaz de encontrar una posición cómoda. Sentía dolor con sólo volverse en la cama. El resultado fue que se pasó la mayor parte de la noche acostada boca arriba, esperando a que se hiciera de día. Sam la había acompañado al instituto aquella mañana. Cuando ella le preguntó dónde había estado la noche anterior, él se limitó a decir:

—Fuera.

—No lo entiendo —dijo Bonnie al mecánico—. Anoche lo intenté una docena de veces. No se ponía en marcha.

—A lo mejor ahogó el motor.

—Es que ni siquiera hacía ruido. Era como si el contacto no funcionara.

—Bueno, pues ahora funciona —dijo Gerry. Apagó el motor, y volvió a arrancarlo para comprobarlo—. Si quiere, lleve el coche al taller para que le hagamos una revisión. Pero a mí me parece que no le ocurre nada. —Apagó el motor, y bajó del coche—. ¿Cómo quiere pagar? —preguntó.

Cuando Gerry se marchó, Bonnie se quedó de pie contemplando su Caprice blanco, intentando recordar lo sucedido con exactitud la noche anterior. Se despidió de Maureen Templeton, se metió en su coche, e intentó ponerlo en marcha varias veces, y no pudo. Recordó que había pisado el acelerador con verdadero frenesí. Quizá era verdad que había ahogado el motor.

—¿Problemas con el coche? —preguntó una voz conocida detrás de ella.

Bonnie no tuvo que volverse para saber de quién se trataba. Aunque no hubiese hablado, su olor lo habría delatado. ¿No se cambiaba de ropa aquel chico ni se la lavaba, o acaso había estado fumando marihuana a aquellas horas de la mañana? Un café y un canuto, para empezar bien el día.

—Ya está arreglado —dijo Bonnie volviéndose y entrecerrando los ojos para protegerse del sol. El agraciado rostro del chico quedaba semioculto detrás de su melena sin peinar. Aun así, se veía el jaspeado cardenal que tenía en un lado de la barbilla.

—¿Qué te ha pasado en la barbilla? —preguntó Bonnie, y sin darse cuenta, tendió la mano.

Él se encogió y se apartó.

—He chocado con una pared —dijo, y luego se echó a reír con una risa hueca.

—Pues parece que hayas chocado con el puño de alguien.

Haze levantó uno de su brazos tatuados y se llevó la mano a la barbilla.

—Sí, el viejo pega fuerte todavía.

Bonnie abrió la boca, perpleja.

—¿Te ha golpeado tu abuelo?

—Hágame un favor, señora Wheeler —dijo Haze—. No vuelva a molestar a mis abuelos. No les gusta recibir llamadas del instituto.

—No puedo creer que...

—La vida es dura, señora Wheeler —dijo Haze, balanceándose sobre los tacones de sus botas negras—. Nunca se sabe cuándo te van a dar un puñetazo en la cara... o cuándo van a desconectarte la batería del coche para que no arranque...

—¿Qué?

—O cuándo van a rociar con sangre a una preciosa niñita...

—¡Dios mío! —Bonnie sintió que se le doblaban las piernas—. ¿Estás diciéndome...?

—O incluso cuándo van a pegarte un tiro en el corazón —concluyó con aplomo—. La policía vino a vernos para hablar de eso, ¿lo sabía? —Se frotó la mandíbula, y añadió—: A mi abuelo tampoco le gustó mucho esa visita. —Se echó a reír—. Hicieron un montón de preguntas sobre si yo sabía algo de lo ocurrido a la madre de Sam o la querida hijita de usted. ¿Cómo se llama? ¿Amanda? Sí, una criatura preciosa. Sería una lástima que le sucediera algo. Yo de usted la vigilaría muy de cerca. Bueno, he de irme. No quiero llegar tarde a mi primera clase.

Bonnie lo vio alejarse, demasiado atónita para hablar. Hubiera querido seguirlo, derribarlo, inmovilizarlo, golpearle con los puños si era necesario, para sacarle las repuestas que necesitaba. Pero su abuelo lo había hecho ya.

No era de extrañar que el chico fuera así. ¿Acaso la sorprendía que necesitara drogarse para pasar el día? ¿Sentía lástima de él después de todo cuanto acababa de insinuar? Aquel chico había estado en su casa hacía menos de una semana; se había sentado a su mesa con la familia y había comido su comida. Y ahora acababa de decirle que había saboteado su coche, vaciado un cubo de sangre sobre la cabeza de su hija y asesinado a sangre fría.

Bonnie miró hacia el edificio, vio una corriente continua de alumnos desfilando por las puertas, apresurándose para entrar antes de que sonara el timbre. Haze estaría esperándola en la última fila de su aula, con las piernas extendidas con insolencia. Al pensarlo, Bonnie se desplomó contra la portezuela. La abrió, se metió en el coche, salió del aparcamiento y se dirigió hacia Newton.

—¿Qué le contó acerca de mi hija? —inquirió Bonnie, sin apenas dar tiempo al capitán Mahoney a levantarse de la silla.

—Espere un momento, señora Wheeler —dijo el policía metiéndose la camisa blanca dentro de los pantalones marrones, y se arreglaba la corbata a rayas marrones y doradas mientras rodeaba su escritorio—. Veo que está muy disgustada...

—Cuénteme qué dijo Harold Gleason acerca de mi hija —repitió Bonnie. Respiró hondo varias veces para tranquilizarse.

—Dijo que no sabía de qué estábamos hablando —repuso el capitán Mahoney.

—¿Tenía coartada para la hora en que mi hija fue atacada?

—Aseguró que iba de regreso a su casa.

—¿Lo comprobó usted?

—No podemos demostrar que no sea verdad —respondió el capitán Mahoney.

—¿Y ya está? Él dice que no lo hizo, y usted le cree.

—No tenemos prueba alguna de que hiciera nada malo, señora Wheeler. Su hija no pudo darnos una descripción...

—Mi hija tiene tres años.

—Y no podemos detener a una persona por tener un comportamiento provocador —añadió el capitán Mahoney—. Usted debería saberlo.

Bonnie ignoró aquel comentario. ¿Todavía la consideraban la principal sospechosa del asesinato de Joan?

—¿Qué me dice de Joan? —preguntó—. ¿Tenía él coartada para la hora de la muerte de Joan? ¿También ese día regresaba a casa del instituto?

—Era día de R.P. —le recordó el capitán Mahoney con mordacidad—. Dijo que estaba con el hijastro de usted.

El aire zumbaba en los oídos de Bonnie, como el taladro de un dentista.

—Su hijastro aseguró que estaban juntos, dando vueltas por

ahí, sin hacer nada en particular, que no saben si alguien los vio juntos o no. ¿Cree usted que mienten?

—Sí, creo que Haze miente.

—¿Y su hijastro?

—Estoy segura de que mi hijastro nada tuvo que ver con la muerte de su madre —dijo Bonnie, y tendió una mano hacia el respaldo de una silla para sujetarse.

—¿Segura?

Silencio. Más zumbidos, el taladro acercándose un poco más, cavando más hondo.

—¿Le importaría darme un vaso de agua? —pidió Bonnie.

El capitán Mahoney salió de la habitación y volvió pocos segundos después con un vaso de papel lleno de agua fresca.

—¿Se encuentra bien? —preguntó mientras Bonnie bebía a pequeños sorbos el contenido del vaso—. Tiene mala cara.

—Es el cabello —dijo Bonnie con impaciencia, aunque no estaba segura de si su impaciencia iba dirigida al capitán Mahoney o a sí misma—. Quizá si dejase de concentrarse en mi familia y empezara a mirar en otras direcciones, tendría más suerte y encontraría al asesino de Joan —dijo—. Tengo que irme. Perdone si le he hecho perder el tiempo.

—Siempre resulta interesante hablar con usted —repuso el policía—. Estaremos en contacto.

—¿Qué quiere hacerse? —preguntó la joven, con las tijeras en la mano.

Bonnie estaba sentada en una silla de peluquería, contemplando su reflejo en el largo espejo que recorría ininterrumpidamente todo el salón de belleza. Detrás de ella había una joven con un enorme sombrero de fieltro verde que ocultaba por completo su cabello. A Bonnie no le pareció buena señal en una peluquera, pero recordó que Diana le había asegurado que Rosie era la mejor peluquera de Boston. Y, desde luego, siempre peinaba muy bien a Diana. Bonnie decidió que no quedaría peor de lo que estaba.

—Necesito algo diferente. —Bonnie tiró de las puntas de su cabello.

—Está muy seco —comentó Rosie arrugando un mechón del cabello de Bonnie en la palma de su mano. Bonnie pensó que se le iba a romper—. Deberíamos darle un poco de tratamiento. ¿Tiene prisa?

—Tengo todo el día —dijo Bonnie, y se preguntó qué se había apoderado de ella y la había llevado hasta allí. Había llamado por teléfono al instituto y les había dicho que no se encontraba muy bien y que no quería contagiar a sus alumnos; y ahora allí estaba, en el centro de Boston, sentada en Rosie's Hair Emporium, dispuesta a dar tratamiento a su cabello y dejar que se lo cortaran. ¿Y si alguien la veía por la ventana?

—Creo que le conviene un poco de tratamiento y un buen corte —dijo Rosie—. ¿Qué le parece?

—Lo dejo en sus manos —contestó Bonnie—. Haga lo que le parezca mejor.

—Me encanta que mis clientas me digan eso —repuso Rosie.

—¿Podría ver al doctor Greenspoon? —preguntó Bonnie mirando la pared de detrás de las pulcras cabezas de Erica McBain y Hyacinth Johnson—. No tengo cita, pero es muy importante.

—Lo siento —dijo Hyacinth Johnson, y consiguió que pareciera que lo sentía de verdad—. Hoy el doctor no visita.

—¡Maldita sea! —murmuró Bonnie, más alto de lo que pretendía—. Necesito verle. —«Míreme —le habría gustado gritar—. Mire lo que he hecho con mi cabello. ¿No ve que estoy enferma, que necesito ver al doctor con urgencia?»

—Hemos tenido una cancelación para el próximo miércoles a las diez en punto. Si quiere puedo darle esa hora.

—No, es demasiado tarde.

—Me temo que no tengo ninguna hora libre antes.

—Da lo mismo —dijo Bonnie—. En realidad no necesito ver al doctor. Sólo ha sido un impulso.

¿Un impulso? Se había pasado casi dos horas sentada delante de la consulta del doctor, dudando entre subir o no. ¿Podía ser considerado eso un impulso? ¿Y cómo se atrevía a decir que no necesitaba verle? Pero si estaba loca, por el amor de Dios. Loca de atar. Mira lo que había hecho hoy, por ejemplo. Se había largado del aparcamiento del instituto sin meditarlo dos veces, había irrumpido en la comisaría de policía de Newton para enemistarse aún más con el capitán Mahoney, y luego se había ido a Boston para que Rosie *la Remachadora* hiciera una carnicería con su cabeza. ¿Cómo había dado permiso a aquella chalada con sombrero para que hiciera cuanto quisiera con su cabello? Estaba peor que antes, por el amor de Dios. Al menos, cuando lo tenía más largo, podía recogérselo o echárselo hacia adelante. ¿Pero qué hacer con dos centímetros de cabello? ¿Nadie le había dicho a Rosie que el *look* de niño abandonado no se llevaba ya? ¿No sabía que treinta y cinco años no era una edad para ir de duendecillo por la vida? ¿Qué opinaría Rod cuando la viera?

Le diría que estaba chalada. Y tendría razón. Chalada. Por eso había ido al doctor nada más salir de la peluquería; por eso había aparcado delante y se había quedado dos horas sentada en el coche intentando reunir el valor necesario para entrar. Estaba como una cabra, diría Rod. ¿No eran ésas las mismas palabras que había empleado para describir a su ex mujer a la policía? Bueno, así podría decir lo mismo de sus dos mujeres. Sus dos mujeres estaban como cabras. Por lo visto tenían otra cosa en común.

Además de chalada, estaba destrozándose. Así de sencillo. Era incapaz de adaptarse a los cambios que tenían lugar en su vida, y aquélla era la forma como su cuerpo le decía que necesitaba ayuda. La gripe psicosomática. Y el remedio costaba sólo doscientos dólares la hora.

—Creo que aprovecharé esa hora, si le parece bien —dijo Bonnie.

Hyacinth Jonhson anotó la información en una pequeña tarjeta, como si estuviese acostumbrada a que los pacientes cambiaran de opinión, y entregó la tarjeta a Bonnie por encima del mostrador.

—El miércoles por la mañana a las diez en punto —repitió—. La esperamos.

—No veo su nombre en la lista de invitados, señora Wheeler —dijo el anciano guardia de seguridad, recorriendo la plancheta con sus cansados ojos marrones.

—Mi marido ignora que estoy aquí —explicó Bonnie—. Quería darle una sorpresa. «Y que lo digas», pensó, y se pasó la mano por el poco cabello que le quedaba, intentando darle más volumen.

—Me temo que habré de llamar.

—Muy bien.

—Lamento mucho tener que hacerle esto —se disculpó el anciano—. Pero son muy estrictos con las normas.

—Lo comprendo.

—Si la dejase entrar sin más, podría perder mi empleo.

—Le diré a mi marido que cumple usted muy bien con su obligación.

El guardia de seguridad sonrió y descolgó el teléfono del alto mostrador del vestíbulo de las instalaciones de la cadena WHDH.

—Me ha costado reconocerla —dijo—. Ha cambiado de peinado, ¿verdad?

—¿Le gusta? —preguntó Bonnie esperanzada, sin saber cuánto rato aguantaría de pie.

—Es diferente.

—Pensé que con el cabello corto me vería distinta.

—Es corto, desde luego.

«Dios mío», pensó Bonnie. Debía de estar francamente espantosa si ni siquiera al anciano guardia de seguridad se le ocurría nada agradable que decirle. «No seas tonta —se dijo al cabo de un instante—. No es la persona más adecuada para juzgar las últimas tendencias de la moda. Aunque no le guste tu peinado, tal vez otros lo encuentren atractivo. Además, no es más que cabello. Ya crecerá.»

Luego cayó en la cuenta de que tardaría dos años en crecer. Se apoyó en el mostrador, y vio como el guardia de seguridad colgaba el teléfono.

—Mandan a alguien a buscarla —le comunicó.

—Gracias.

Bonnie recorrió con la mirada el vestíbulo de mármol negro

del rascacielos del centro de Boston, a sólo unas manzanas de la elegante Newbury Street. Cuando terminara allí, quizá se iría de compras, buscaría un nuevo atuendo que encajara con su nuevo peinado. Quizá pediría a Diana que la acompañara. El despacho de la abogada no estaba lejos de allí. Irían de compras, tomarían un café, cotillearían un poco... Harían todo lo que tradicionalmente se suponía que hacían las chicas. «Dulces y saladas y preciosas. Así son las niñitas.»

¿Qué hacía allí? ¿Por qué se le había ocurrido interrumpir a su marido a media tarde si sabía que él estaba trabajando como un condenado para preparar la convención de Miami? Si fuese inteligente, se marcharía en ese instante. Daría media vuelta y saldría del edificio, diciendo al guardia de seguridad que había cometido un error, que lamentaba haberlos molestado; recuerdos a su esposa y a los chicos...

—Bonnie, Bonnie, ¿eres tú? —La voz de Marla resonó por el mármol negro, como una sierra eléctrica cortando cristal, esparciendo astillas por todas partes. Caminaba a grandes zancadas hacia Bonnie, su esbelto cuerpo embutido en un brillante vestido púrpura, el rubio cabello formando una cascada de rizos que le caían sobre los hombros.

Bonnie se llevó la mano al cabello, y, abochornada, tiró de unos cuantos mechones de su oreja.

—No hacía falta que salieras... —empezó.

—He oído que estabas aquí, y como hemos hecho una pausa en la grabación...

—¡Dios mío, estáis grabando! Lo había olvidado.

—No te preocupes. —Marla la cogió por el hombro, y la guió hacia el pasillo que había a su derecha—. Siempre es un placer verte. ¿Te has hecho algo en el cabello?

—Me apetecía un cambio.

—Pues lo has conseguido —dijo Marla, y abrió una puerta con un letrero que rezaba: PLATÓS.

Siguieron andando por un pasillo, estrecho y mal iluminado.

—Lamento mucho molestaros, de verdad...

—Tonterías. No molestas. Creo que no habías bajado por aquí desde que cambiamos el decorado.

—Hacía tiempo que no bajaba.

Por el pasillo se cruzaron con varias chicas atractivas ataviadas con minifalda, que saludaron a Marla con una ligera inclinación de cabeza.

—El nuevo decorado queda mucho mejor —siguió diciendo Marla—. Fue idea de Rod, por supuesto. Se deshizo de todos aquellos grises y verdes y los sustituyó por melocotón y rosa, que son colores muchos más favorecedores y femeninos, ¿no te parece?

Bonnie no respondió, comprendió que su respuesta no era necesaria.

—No te imaginas lo agradable que resulta trabajar con tu marido. Mira, yo había trabajado con otros realizadores, y a ver si me entiendes, hay realizadores y realizadores. Cualquiera puede apuntar una cámara en la dirección correcta y decir a la gente en qué lugar ha de sentarse, pero tiene que ser un buen realizador para comprender qué hace funcionar a la gente, asegurarse de que todo marcha bien. Y tu marido es el mejor. Sencillamente el mejor —dijo, casi con melancolía, mientras guiaba a Bonnie por una puerta con el letrero *Maquillaje* y otra con el letrero *Sala Verde*, aunque las paredes eran de color rosa.

—Aquí es donde esperan nuestros invitados —le confió Marla en voz baja—. Es increíble lo nerviosos que se ponen. ¿Hoy no tienes clase? —continuó sin hacer pausa alguna.

—Hemos terminado temprano —dijo Bonnie, y pensó que era cierto. Ella había terminado temprano. Muy temprano.

—El plató está aquí. —Marla guió a Bonnie por otra puerta, gruesa y gris. Y de pronto aparecieron en un mundo oscuro de cámaras y monitores, donde unos gruesos cables recorrían el suelo como enredaderas y colgaban del techo igual que plantas exóticas. El público, unas trescientas personas, la mayoría mujeres, se hallaba sentado en unas gradas de cómodas butacas, con los ojos clavados en el sofá color melocotón y la silla giratoria color rosa que había sobre el podio iluminado, en un extremo del plató. Tiestos con palmeras de seda y jarrones llenos de flores recién cortadas habían sido dispuestos en intervalos estratégicos alrededor de la falsa sala de estar. En la pared del fondo colgaba un enorme tapiz moderno en tonos rosa, malva y beige. Marla tenía razón; el nuevo decorado era mucho mejor que el anterior. Rod siempre había tenido buen gusto.

—¿Por qué no te sientas allí? —sugirió Marla mientras dirigía una generosa sonrisa a una admiradora que se hallaba sentada en la primera fila—. Así, si quieres formular alguna pregunta a alguno de nuestros invitados, podré dirigirme a ti sin dificultad.

—No quiero formular ninguna pregunta —dijo Bonnie.

—Nunca se sabe —repuso Marla—. Tal vez te sientas aludida. El tema del programa de hoy es muy interesante.

—No lo dudo, pero sólo quería ver a Rod unos minutos. De verdad, no tengo tiempo para quedarme a ver toda la grabación.

—Sólo queda media hora. Además, de todos modos, él no podrá verte hasta que acabemos. Está en el control. —Marla señaló hacia la cabina con paredes de cristal que había al fondo del plató, en lo alto—. ¿Por qué no te sientas, te pones cómoda y disfrutas del programa? —Casi sentó a Bonnie de un empujón en un lugar vacío de la segunda fila—. Diré al cámara que no olvide sacar un plano tuyo.

—No lo hagas, por favor. —Bonnie se llevó una mano a la cabeza.

—No seas tonta, ni tímida. —Marla empezaba a alejarse de ella—. Y recuerda que puedes pedir la palabra si quieres hacer una pregunta a alguno de mis invitados.

—Ni siquiera sé de qué va el programa —protestó Bonnie aliviada de estar sentada.

—Ah, pero ¿no te lo he dicho? Trata de las relaciones extramatrimoniales. —Marla sonrió, mostrando todos sus dientes de fundas perfectas—. El título es *Esposas que aguantan demasiado tiempo*. Hasta luego. Que te diviertas.

—Tiene un lío con mi marido —dijo Bonnie mientras se paseaba por delante del escritorio de Diana, como un león enjaulado.

—Tranquilízate, Bonnie.

—No me digas que son imaginaciones mías.

—No te diré eso. Lo único que intento es entender qué ha pasado.

Bonnie se acercó al enorme ventanal de la moderna torre de oficinas y miró hacia la calle, unas veinte plantas más abajo. Al hacerlo sintió vértigo, y se apartó enseguida, tropezando con la puntiaguda esquina del sobre de mármol verde del escritorio de Diana.

—¿Por qué no te sientas? —propuso la abogada, indicando los dos sillones de orejas de rayas verdes que había delante de su escritorio.

—No quiero sentarme —dijo Bonnie con brusquedad—. Estoy harta de estar sentada. Llevo todo el día sentada. —Recordó, en primer lugar, el asiento de su coche, luego, la butaca de la peluquería de Rosie, más tarde, la mullida butaca de color vino del oscuro plató.

—*Esposas que aguantan demasiado tiempo* lo había titulado —dijo Bonnie con desprecio—. ¿Te imaginas? Ha tenido la desfachatez de decírmelo a la cara.

—Bonnie, ése era el título del programa —le recordó Diana—. ¿Cómo querías que te dijera que se titulaba? No se lo inventó precisamente para ti. Ella no sospechaba que tú pasarías por la televisión.

—Lo que me ha molestado ha sido cómo lo ha dicho... La insinuación era tan patente que no se le habría escapado a nadie. Estaba insinuando que yo soy una de esas esposas. Tú no estabas allí. No la has oído.

Diana se levantó de su butaca de piel negra de respaldo alto, rodeó su escritorio y se quedó apoyada en la parte delantera.

—Está bien, a ver si lo he entendido —empezó con un tono estrictamente profesional, tirando de la chaqueta de su traje color trigo—. Has tenido una riña con uno de tus alumnos y has decidido saltarte las clases a la torera para ir a la peluquería...

—Ya sé que es horrible...

—No es el corte más favorecedor que habrías podido elegir, desde luego —admitió Diana—, pero no se trata de eso.

—Pues no sé de qué se trata —dijo Bonnie.

—Se trata de eso exactamente —dijo Diana aprovechando las palabras de Bonnie—. Tú siempre sabes de qué va todo. Nunca haces el menor movimiento sin reflexionar de antemano. Y, de pronto, te saltas las clases, te cortas el cabello casi al cero y te presentas en la televisión sin avisar. ¿Por qué? ¿Qué ocurre?

—Mi marido me pone los cuernos —insistió Bonnie—. Eso ocurre.

—¿Con Marla Brenzelle? No me lo creo. Ni siquiera Rod tiene tan poco sentido común.

—Ya sé que de entrada suena ridículo, pero todo encaja.

—¿Qué encaja?

—Rod trabaja hasta muy tarde. Sale muy temprano por la mañana y no vuelve hasta altas horas de la noche. A veces incluso se va después de cenar. —Se acordó de la noche anterior.

—Está preparando una importante convención en Miami. ¿No se marcha dentro de unos días?

—Con Marla —le recordó Bonnie.

—Es su jefa.

—Tiene las tetas grandes.

—¿Cómo dices?

—¿Te acuerdas de aquella ropa interior tan sexy que encontré en el cajón de Rod y que supuse que era para mí, aunque el sujetador me estaba demasiado grande?

—Bonnie, eso no quiere decir...

—Era para Marla, ahora lo entiendo. No para mí. Diana, no me lo estoy inventando. Recuerda que Caroline Gossett me dijo que Rod siempre engañaba a Joan.

—Tú no eres Joan.

—Soy su mujer. Es lo mismo.

—No exactamente. Resulta que Joan está muerta.

Hubo un súbito silencio.

—Bueno, creo que no es lo más inteligente que he dicho en mi vida —se disculpó Diana, meneando la cabeza con incredulidad—. ¿Piensas hablar con él?

—Entonces, ¿me crees?

Diana se encogió de hombros.

—No lo sé —dijo—. Las pruebas son muy inconsistentes.

—Deja de ser abogada por unos minutos y sé mi amiga.

—¿Crees que una amiga te diría que sospecha que tu marido te pone los cuernos?

Bonnie se dejó caer en uno de los sillones de orejas, y notó cómo le rozaba la nuca.

—No lo sé. Ya no sé qué pensar. Estoy tan cansada. Me encuentro mal.

—De acuerdo. Te daré un consejo —dijo Diana arrodillándose junto a Bonnie, colocando sus manos sobre las de su amiga—. De momento no hagas nada. Espera hasta que Rod regrese de Miami. Para entonces te encontrarás mejor, pensarás con más claridad, te habrá crecido algo el cabello...

Bonnie intentó reírse, pero en lugar de eso se echó a llorar.

—Perdóname.

—¿Por qué?

—Por comportarme como una idiota, por irrumpir en tu despacho de esta forma...

—No tienes que disculparte.

—Es que no sé qué hacer.

—Vete a casa y métete en la cama —la aconsejó Diana—. No tienes buena cara, de verdad, y no es sólo el cabello. Quizá deberías ir al médico.

—Estoy bien —insistió Bonnie, y se levantó del sillón.

—¿Te ves con fuerzas para conducir hasta casa?

Bonnie asintió con la cabeza.

—Te llamaré más tarde —dijo.

22

Era sábado, y Rod estaba haciendo el equipaje para irse a Miami.

—No me parece sensato marcharme y dejarte sola con lo mal que te encuentras —dijo Rod mientras apretujaba su neceser en la maleta.

—Estoy bien —dijo Bonnie, sentada en el borde de la cama, observando a su marido e intentando ofrecer un aspecto saludable.

—Pues no lo parece.

—Es el cabello.

—¿Qué cabello? —bromeó Rod—. Ésa tiene más que tú. —Señaló con la mirada la litografía de Dalí que había en la pared. La mujer calva y sin rostro dibujada en azul fijó su mirada vacía en Bonnie.

—A lo mejor me compro una peluca —dijo ella.

—Por favor: no hagas nada. —Rod interrumpió lo que estaba haciendo y se sentó al lado de Bonnie—. Mira, esto es una locura. Ahora no puedo marcharme. Tal como estás no puedes encargarte de tres niños tú sola. ¿Y si Lauren se pone enferma otra vez? ¿O Amanda?

—No ocurrirá nada de eso. Nadie va a ponerse enfermo —insistió Bonnie.

—¿Quieres que llame a Marla y le diga que no iré hasta el lunes? De todas formas, las reuniones no empiezan hasta ese día. No me perderé nada.

—Dijiste que tenías que ir antes para prepararlo todo...

—Se las apañarán sin mí.

—No pueden. —Bonnie se levantó, dobló la última de las camisas de Rod y la puso en la maleta, como si aquello zanjara la discusión definitivamente—. Rod, si no te vas, lo único que conseguirás será que me sienta culpable.

Rod abrió la boca dispuesto a protestar, pero lo pensó mejor.

—Está bien, pero tienes el número de teléfono del hotel. Si ocurre algo y quieres que vuelva, me llamas enseguida.

—No va a pasar nada.

—Y si el lunes no te encuentras mejor, quiero que conciertes una cita con el médico.

—Ya lo he hecho —dijo Bonnie, y pensó que el doctor Walter Greenspoon no era el tipo de médico a que Rod se refería.

—Así me gusta. Ahora empiezas a comportarte con sensatez. —Rod repasó la habitación con la mirada—. ¿Lo tengo todo?

—¿El traje de baño?

—No tendré tiempo para bañarme —dijo Rod, y la besó en la punta de la nariz.

—¿A qué hora viene la limusina a recogerte?

Rod consultó su reloj.

—Dentro de diez minutos. ¿Seguro que estarás bien?

—Seguro.

Rod cerró su maleta, la levantó de la cama.

—¿Dónde andan los chicos?

—Lauren está en su habitación, leyendo un cuento a Amanda. Sam, en casa de Diana.

Rod se sorprendió.

—¿Qué hace Sam en casa de Diana?

—Al parecer ella le ha encontrado todo tipo de trabajos para hacer. Le paga diez dólares la hora.

—Esa mujer tiene más dinero que cerebro —dijo Rod con desprecio mientras arrastraba su maleta hasta la puerta—. Amanda —llamó—. Lauren. ¿Y mis niñas? Venid a decir adiós a papá.

«No te vayas —hubiera querido decirle ella mientras veía a su marido abrazando a las niñas—. Quédate aquí y cuídanos. Envía a otro a Florida para que haga compañía a Marla. Quédate aquí con nosotros. Duerme conmigo en nuestra cama. No te metas en la cama con una mujer que odio. No te olvides de lo bien que estamos juntos.»

Bonnie suspiró, pero no dijo nada de eso. ¿Cómo iba a acordarse Rod de lo bien que estaban juntos, si la última vez que hicieron el amor fue aquella espantosa noche en que Lauren se encontró mal por primera vez? Desde entonces, o él llegaba muy tarde del trabajo, o ella se encontraba demasiado mareada. La anterior noche, Bonnie creyó que lograría reunir la energía suficiente, pero la náusea acabó venciendo a su deseo. La idea de hacer el amor le parecía tan atractiva como correr la maratón de Boston.

Y Rod se marchaba a pasar una semana entera entre las palmeras de Florida, en compañía de una mujer con quien seguramente le ponía los cuernos, y ella no sólo no le decía que se quedara, sino que le instaba a marcharse, asegurándole que se sentiría culpable si se quedaba.

Qué buena eres, oyó decir a su madre.

«No, buena no —pensó Bonnie mientras Rod la acogía entre sus brazos junto con sus dos chicas—. Sólo estúpida.» Era una estúpida por permitir que su marido se marchara a Miami con Marla. Y sin embargo, si lo miraba de una manera objetiva, ¿qué alternativa tenía? ¿Cómo retenerlo si él quería irse? En el mejor de los casos, lo único que conseguiría sería retrasar lo inevitable.

—¿Vas a cuidar mucho a mamá? —preguntó Rod a Amanda.

—Mami no se encuentra bien —dijo la pequeña con seriedad.

—Tienes razón. Y por eso deberás portarte muy bien y hacer todo cuanto ella te diga.

—Lo haré.

—Yo la ayudaré —se ofreció Lauren—. Después puedo llevar a Amanda al parque, si quiere.

—¿Al parque? —Amanda se puso a dar saltos de alegría.

—Después —repitió Lauren, esforzándose por parecer mayor—. Si te portas bien.

—Yo me porto muy bien —dijo Amanda, y su madre se estremeció.

—No hace falta que te portes muy bien —susurró Bonnie.

—¿Qué dices, cariño? —preguntó Rod.

Sonó el teléfono.

—Yo contesto. —Se ofreció Lauren; corrió hacia el dormitorio de Bonnie y descolgó el auricular al tercer timbrazo—. Diga. —Una breve pausa—. Lo siento, pero ahora no puede ponerse al teléfono. ¿Quiere que le dé algún recado?

Hubo una pausa, ésta más larga, más ominosa. Bonnie notó que Lauren contenía la respiración.

—¿Cuándo? —oyó que Lauren preguntaba con una vocecilla infantil y entrecortada—. ¿Cómo? —Otra larga pausa—. Sí, gracias por llamar. Le daré el recado.

—¿Quién era? —preguntó Bonnie mientras Lauren salía del dormitorio, pálida y con los ojos apagados—. ¿Quién era, Lauren? ¿Qué te han dicho?

—¿Quién era, cielo? —dijo Rod.

—Una de las enfermeras del Centro de Salud Mental Melrose —contestó Lauren, y su voz parecía emanar de algún otro sitio que no era su cuerpo—. Mi abuela murió anoche.

—¡Cómo! —Bonnie no daba crédito a lo que estaba oyendo—. ¿Qué ha ocurrido?

—La enfermera dice que entró en coma hace varios días, y que murió anoche. No puedo creerlo —continuó Lauren, como si leyera el pensamiento a Bonnie—. ¿Cómo es posible? Estuvimos allí la semana pasada.

—Era muy mayor —intervino Rod—. Y estaba sufriendo. Es mejor así.

—Pero si estuvimos allí hace nada —repitió Lauren con perplejidad.

—Debes pensar que tuviste mucha suerte —dijo Rod—. Viste a tu abuela antes de que muriera. Y ella te vio también. Estoy seguro de que eso la hizo muy feliz.

—Me reconoció —dijo Lauren, y una ligera sonrisa apareció en sus labios, antes de quedar oculta bajo una cascada de lágrimas.

Rod abrazó a su hija mayor.

—Siento mucho que tu abuela haya muerto, cariño.

—¿Se ha muerto la abuelita Sally? —preguntó Amanda a su madre, con la boca abierta, los ojos dos círculos azules gigantescos, como si ella misma los hubiera coloreado.

—No, corazón —dijo Bonnie—. La abuelita Sally está bien. Hablamos de la abuela de Lauren y Sam.

—¿De mi abuelita no? —repitió Amanda.

—No, de tu abuelita no.

—¿De tu mamá? —preguntó.

—No, cariño —contestó Bonnie, que no estaba de humor para aquella conversación—. Mi mamá murió hace unos cuantos años.

—¿Cuántos años tenía cuando murió?

—Sesenta —contestó Bonnie distraída, y recordó a su madre sentada en la cama, con el rostro oculto en las sombras.

—¿Tú cuántos años tienes? —preguntó la niña con inquietud.

—Le faltan muchos para llegar a sesenta —la interrumpió Rod tomando el control de la conversación—. No te preocupes. Tendrás mamá durante muchos, muchos años.

—Pero estás enferma. ¿Te morirás? —insistió Amanda, y el dolor recorrió su rostro, mezclando sus dulces facciones unas con otras, como la cera derretida.

Estáis en peligro —oyó Bonnie gritar de pronto a Joan—. *Tú y Amanda.*

Un escalofrío, como una descarga eléctrica recorrió su espalda.

—No me moriré. Voy a ponerme bien.

¡Estáis en peligro! —volvió a gritar Joan—. *Tú y Amanda.*

—Aquí no se morirá nadie —dijo Rod con contundencia—. ¿Me habéis entendido todas? Aquí no se muere nadie mientras papá está fuera.

Se oyeron unos fuertes golpes en la puerta principal, y luego el timbre.

—Debe de ser mi limusina —dijo Rod consultando su reloj.

—Es pronto.

—Le diré que espere.

—No, ya lo tienes todo —dijo Bonnie—. Vete. No hay motivo para que te quedes.

—Veo tres motivos delante de mí —repuso él.

«A lo mejor me equivoco», pensó Bonnie con optimismo. Quizá Rod no le ponía los cuernos con Marla. Tal vez se había llevado un gran disgusto por nada.

—Tres motivos para volver sano y salvo —dijo Bonnie.

Rod se inclinó y la besó en los labios.

—Te llamaré por teléfono todas las noches.

—No hace falta.

—Intenta impedírmelo —dijo él.

«Ojalá pudiera», pensó Bonnie. Lo vio desaparecer por la escalera y meterse en la limusina.

Bonnie estaba durmiendo cuando oyó el timbre de la puerta. Al principio creyó que formaba parte de su sueño —estaba paseando por los pasillos del Centro de Salud Mental Melrose y se disparaban las alarmas de incendios—, pero entonces se dio cuenta de que era el timbre de la puerta. Abrió los ojos, miró el reloj de la mesilla de noche. Eran las dos y cuarto. Por el intenso sol que se filtraba a través de la ventana del dormitorio supo que aún era de día. Al menos no había dormido el día entero. Esperó a que alguien abriera la puerta, y se preguntó quién sería. Pero nadie contestó al persistente timbrazo, y Bonnie no tuvo más remedio que levantarse de la cama con gran esfuerzo.

Recordó que Lauren había dicho que llevaría a Amanda al parque. Se puso una bata encima del camisón y se deslizó escaleras abajo. Seguramente Sam seguiría aún en casa de Diana. El avión de Rod estaría a punto de aterrizar en Miami. Se preguntó si Marla tendría miedo a volar, y si Rod habría posado su firme mano sobre las de ella para tranquilizarla.

Volvió a sonar el timbre.

—Ya voy. —Hizo girar el picaporte y abrió la puerta.

Joan estaba de pie fuera.

—Me encanta tu peinado —dijo mientras apartaba a Bonnie y se encaminaba hacia el salón, en la parte de atrás de la casa.

Bonnie se quedó mirando la espalda de Joan, sus rizos rojizos cayéndole en cascada sobre los hombros. Así que era un sueño. Más relajada, Bonnie siguió a Joan hasta el salón y se sentó frente a ella en el sofá verde aguacate.

—Estás muy guapa —dijo Bonnie a la ex mujer de su marido, escudriñando el abundante seno de la mujer en busca de agujeros de bala. No los había. Joan estaba inmaculada, con un traje pantalón blanco de lino, tan atractiva como lo había sido en vida.

—Lástima que yo no pueda decir lo mismo de ti —replicó Joan—. ¿Tienes algo para beber?

—¿Te apetece un poco de té? —preguntó Bonnie.

—¿Té? ¿Bromeas? Jamás lo pruebo. El té no es bueno para la salud. ¿No lo sabías?

—No, no lo sabía.

—¿Tienes coñac?

—Creo que sí.

—Ponte otro para ti —dijo Joan mientras Bonnie iba al comedor, buscaba la botella en el mueble bar, y volvía con dos copas ya servidas—. Salud —dijo Joan brindando con Bonnie, y vació el contenido de la copa de un solo trago.

Bonnie bebió de mala gana.

—¿Qué haces aquí?

—No te queda mucho tiempo —dijo Joan sin miramientos, y depositó su copa vacía, sobre la mesa—. ¿No te has dado cuenta? ¿No sabes que tu tiempo casi se ha agotado?

—Tienes que ayudarme —la espetó Bonnie. Se levantó del sofá y avanzó, implorante, hacia Joan.

—Tienes que ayudarte a ti misma —le dijo Joan. Cogió la copa de Bonnie de la mesa y se la llevó a los labios. Bonnie vio como Joan la vaciaba en su boca abierta. Pero en cuanto el líquido llegó a su boca, Joan inclinó la copa, derramando el licor en su chaqueta, y el lino blanco se tiñó de un rojo intenso, como si fuese ácido, abriéndole un gran agujero en el pecho.

—¡Joan! —gritó Bonnie. Pero la mujer se desvaneció en el aire, hasta que lo único que quedó de ella fue una gran mancha color burdeos en medio de la alfombra del salón.

Entonces el sueño terminó, y todo se volvió negro.

—Bonnie —llamó una voz—. ¿Estás bien, Bonnie? ¿Qué haces aquí abajo?

—¡Mami! —gritó Amanda alegre. Saltó sobre el regazo de su

madre mientras ella intentaba abrir los ojos—. ¿Ya te encuentras mejor?

Bonnie recorrió rápidamente la habitación con la mirada, intentando comprender qué había ocurrido. ¿Se trataba de otro sueño? ¿Era real? Cada vez le resultaba más difícil establecer la diferencia.

Estaba sentada en el sofá del salón, Amanda sobre su regazo, con sus dedos regordetes jugando con lo que le quedaba de cabello. Lauren, de pie en el umbral, tenía expresión de sorpresa en el rostro. Había dos copas de coñac sobre la mesa del salón, delante de Bonnie; una de ellas estaba vacía; la otra, casi llena. Enfrente de Bonnie, en la alfombra, se veía una gran mancha roja.

—¿Ha venido alguien? —preguntó Lauren.

—Hemos ido al parque —explicó Amanda—. Lauren me ha montado en los columpios. Y me ha empujado muy muy muy fuerte —dijo riendo.

Bonnie miró a Lauren, y la copa vacía, el suelo y de nuevo a Lauren.

—Me parece que me he levantado en sueños —dijo al cabo de unos segundos.

—¡Uf! —exclamó Lauren—. ¿Has bebido algo mientras dormías?

Bonnie reunió un poco de saliva, intentó determinar si sabía a coñac.

—Sí, creo que he bebido un sorbo de algo.

—Al parecer, casi todo ha caído al suelo —observó Lauren—. Voy a limpiarlo.

—No hace falta.

Pero Lauren iba ya hacia la cocina.

—No te preocupes. No me importa. ¿Quieres que te prepare un té?

¿Té? Ni lo pruebo —había dicho Joan—. *El té no es bueno para la salud. ¿No lo sabías?*

—No —contestó Bonnie, estrechando a Amanda contra su pecho—. Té no, gracias.

—Pensé que quizá te apetecería comer algo —dijo Sam cuando Bonnie abrió los ojos y lo vio junto a los pies de cama.

Bonnie se incorporó apoyándose en los codos y miró la hora. Eran casi las siete.

—¿Es de día o de noche? —preguntó.

Sam rió.

—De noche. —Acercó a la cama la bandeja que llevaba en las manos, y la posó sobre el regazo de Bonnie.

Ella no estaba segura de si se sentía aliviada o disgustada. Por una parte, no había perdido demasiado tiempo. Por otra, le quedaba toda la noche por delante. Quizá comer un poco la ayudara. Unos débiles rugidos de hambre se mezclaban con su crónica náusea. No había comido mucho aquella última semana. Quizá por esa razón se sentía tan débil. Tenía que comer un poco para recuperar fuerzas.

—¿Qué me has traído? —preguntó.

—Sopa de pollo con fideos y tostadas. Y un poco de té.

—Creo que ya he bebido bastante té por hoy —dijo Bonnie. Se llevó la cuchara a la boca y tomó lentamente la sopa caliente—. Está muy buena. —Sonrió—. Gracias.

—De nada. —Sam se quedó junto a la cama.

—¿Cómo te ha ido el día? —preguntó Bonnie.

—Fantástico —respondió Sam—. He apretado unos cuantos tornillos sueltos, he empaquetado ropa vieja y libros para el Ejército de Salvación, cosas así. Diana me ha preguntado si quiero empapelar su cuarto de baño.

—¿Y lo vas a hacer?

—Sí, creo que sí. Al menos probaré. La semana que viene tiene que ir un par de días a Nueva York, y me ha dejado su llave para que lo intente.

—Me alegro mucho —dijo Bonnie. Tragó otra cucharada de sopa, comió un poco de tostada, saboreando la mermelada de zarzamora que tenía encima.

Sonó el teléfono.

—Debe de ser tu padre —dijo Bonnie. Sam descolgó el auricular y se lo tendió a Bonnie sin decir palabra.

—¿Diga? —dijo Bonnie mientras Sam, de pie, cambiaba el

peso del cuerpo de una pierna a otra, cohibido—. ¿Diga? —repitió Bonnie al no recibir respuesta. Oyó un extraño chasquido, y luego se cortó la comunicación—. Debe de ser alguien que se ha equivocado de número. —Bonnie devolvió el auricular a Sam, que colocó en su sitio—. ¿Qué haces esta noche? —le preguntó al ver que no se marchaba.

—No tengo plan —contestó Sam—. Tal vez Haze pase más tarde.

—¿Haze?

—Si no te importa.

—No sé... —dijo Bonnie; en ese momento el teléfono volvió a sonar. Bonnie lo miró con aprensión.

—Ya contesto yo —se ofreció Sam—. ¡Diga! —gruñó, como diciendo «No me toques las narices»—. Ah, hola, papá —continuó tímidamente—. ¿Cómo te va por Florida? Sí, está aquí, a mi lado. Un momento. —Pasó el auricular a Bonnie—. Me voy para que podáis hablar en privado —dijo en voz baja, y salió de la habitación.

Bonnie intentó dar ligereza a su voz.

—¿Rod? Hola. ¿Has tenido buen viaje?

Había tenido buen viaje. Un poco de turbulencias al principio, y luego calma chicha, dijo, y se rió de la metáfora. Le preguntó cómo se encontraba, y ella mintió y dijo que mucho mejor, que creía que lo peor había pasado ya. Rod le pidió que se lo tomara con calma, que no intentara hacer más cosas de las que pudiera. Ella le dijo lo mismo. Él dijo que la quería. Ella dijo que lo quería más. Se dijeron adiós.

Bonnie colgó el auricular, se acabó la sopa y la tostada y se quedó dormida.

En su sueño, subía una bandeja con comida por la escalera, camino de su habitación. Al acercarse a los últimos escalones olió algo familiar y opresivo a la vez. El olor excesivamente dulce de demasiadas flores. Lo reconoció al instante al llegar al rellano, echó a andar por el pasillo hacia su habitación, y oyó música rock a su espalda, a una distancia discreta.

Sam estaba en el cuarto de baño empapelando las paredes. Bonnie lo reconoció de inmediato: el oscuro papel con que se había criado, su opresivo surtido de flores que amenazaban con desplomarse de la pared y enterrarla viva.

—¿Qué haces? —preguntó a Sam—. Quita ese papel ahora mismo.

—No puedo —dijo Sam, imperturbable—. Es el que ella quiere. —Señaló hacia la cama.

Los ojos de Bonnie siguieron la dirección del dedo hacia la cama. Elsa Langer estaba apoyada en las almohadas, mirándola con fijeza mientras se acercaba. Pero cuanto más se acercaba Bonnie a la cama, más imprecisas se volvían las facciones de Elsa Langer. Se hicieron borrosas, y luego se desvanecieron. Para cuando Bonnie llegó junto a la cama, a la anciana no le quedaba rostro, como si la mujer sin rostro de la litografía de Dalí hubiera cobrado vida.

O muerte. Bonnie se despertó sobresaltada, con el corazón desbocado. La música rock llenaba el espacio que la rodeaba. Se dio cuenta de que era el equipo de música de Sam, y el sonido la tranquilizó. Miró hacia la ventana y vio la luna llena. Quizá ella fuera la causa de todos aquellos extraños sueños que tenía. Por lo menos no había vuelto a andar sonámbula; recordó la última vez que se había levantado en sueños, cuando tenía más o menos la edad de Lauren. Su madre la encontró dormida en la puerta principal, con una pequeña maleta en las manos. Fue poco después de que su padre se marchara, recordó.

Bonnie oyó movimiento, voces extrañas, risas en el pasillo, la música más fuerte.

—¿Sam? —llamó—. ¿Eres tú, Sam? ¿Qué ocurre?

—No soy Sam —dijo la voz, y alguien entró en su dormitorio. Era una figura alta y delgada, y tenía los musculosos brazos extendidos a la altura de los hombros. Bonnie reconoció a Haze, y la respiración se le cortó cuando vio la serpiente, extendida y retorciéndose, en las manos del chico—. ¿Cómo se encuentra, señora Wheeler? —Dio varios pasos hacia ella.

—¿Dónde está Sam? —preguntó Bonnie.

—Afuera, fumando.

Bonnie oyó risas.

—¿Qué pasa?

—Sam ha invitado a unos amigos —explicó Haze extendiendo la serpiente, como si fuese un trozo de cuerda—. Pensó que a usted no le importaría. Nos hemos portado muy bien.

—No me encuentro muy bien —dijo Bonnie—. Me temo que tendréis que marcharos.

Haze se acercó a los pies de la cama, sosteniendo la serpiente por la cola, balanceándola perezosamente de un lado a otro.

—Ten cuidado —le advirtió Bonnie—. No le gusta que la dejen caer al suelo.

—¿En serio? —preguntó Haze, mientras hacía oscilar a la serpiente como si fuese un péndulo.

—Vete, por favor —dijo Bonnie, intentando que su voz sonara fuerte y controlada—. No me encuentro muy bien.

—¿Qué se ha hecho en el cabello? —preguntó Haze acercándose un poco más.

Bonnie cerró los ojos. «Que esto también sea un sueño, por favor», rezó.

—¿Haze? —llamó una chica desde el pasillo—. ¿Dónde estás?

—Aquí —contestó Haze, enroscándose la serpiente alrededor del cuello como una bufanda, y saliendo de la habitación—. Hasta luego, señora Wheeler —dijo.

Bonnie entró sin prisas en el cuarto de baño y vomitó.

El teléfono sonó unos segundos después de las tres de la madrugada. Bonnie buscó el aparato a tientas, se llevó el auricular a la oreja y contestó con un balbuceo, esperando luego la respuesta. Nada.

—Diga —repitió, y cuando estaba a punto de colgar oyó de nuevo aquel extraño chasquido que había oído la vez anterior. Luego, la comunicación se cortó de nuevo.

Estáis en peligro —le gritó Joan por el auricular—. *Tú y Amanda.*

Bonnie se levantó a toda prisa de la cama y echó a correr por el pasillo hacia la habitación de Amanda. Abrió su puerta y se precipitó hacia la cama; no se tranquilizó hasta que vio a su hija plácidamente dormida boca arriba, entre su osito de peluche rojo y la rana *Gustavo*. Besó a Amanda en la frente y se retiró con cuidado de la habitación, intentando tranquilizar el ritmo de su respiración. ¿Qué le sucedía? Estaba comportándose como una paranoica. ¿Acaso no dominaba sus emociones ni lo más mínimo?

La casa estaba en silencio. Todos se habían marchado. Si es que había habido alguien, porque Bonnie ya no era capaz de distinguir entre lo real y lo imaginario. Tal vez había soñado todo aquel desagradable episodio con Haze. «Me estoy dejando la vida en los sueños», pensó, y las palabras de la vieja canción de los Everly Brothers le llenaron la cabeza.

Entró a ver a Lauren. La encontró acostada en diagonal, ocupando toda la cama, con las mantas amontonadas alrededor de los pies. Bonnie la tapó hasta los hombros, y salió de puntillas.

Luego fue a ver a Sam. Estaba echado, completamente vestido, en el sofá, la luna llena proyectando un haz de luz sobre su rostro, enfatizando un parecido con su madre que Bonnie no había apreciado hasta entonces. Bonnie se volvió y, cuando se disponía a salir de la habitación, sus pies descalzos rozaron algo que había en el suelo. Crujió, le arañó los dedos de los pies. Un trozo de papel, pensó Bonnie, y lo recogió. Pero no era un trozo de papel, sino una fotografía, la que le habían hecho a Amanda en el Toys "R" Us las anteriores Navidades. El marco de plata, roto, yacía a su lado en el suelo.

Bonnie lo recogió, y cuando iba a ponerlo sobre el escritorio se quedó paralizada; la luz de la luna proyectaba interesantes sombras por encima de la tapa del terrario. Bonnie escudriñó el interior del tanque, y un lento temblor empezó a estremecerla: el terrario estaba vacío. La serpiente no se encontraba allí.

23

—Llega pronto —dijo Hyacinth Johnson a modo de saludo cuando Bonnie entró en la consulta del doctor Greenspoon, el miércoles por la mañana.

—¿Ah, sí? —Bonnie miró su reloj y fingió sorpresa. En realidad había pasado más de una hora esperando en su coche, al final de la calle. Había abandonado la casa inmediatamente después de que recogieran a Amanda y de que Sam y Lauren hubieran salido hacia el colegio. No quería pasar ni un solo minuto más de lo imprescindible allí. Sólo Dios sabía qué podía estar esperándola detrás del primer recodo.

Despertó a Sam en cuanto vio el terrario de *L'il Abner* vacío y juntos registraron la casa, pero en vano. El domingo, Sam llamó por teléfono a Haze a primera hora de la mañana y le preguntó si se había llevado su preciada posesión. Pero Haze le aseguró que no sabía nada de la desaparición de *L'il Abner,* aunque reconoció que quizá no había cerrado bien la tapa del terrario al devolver la serpiente. Dijo que estaba bastante «cargado».

Bonnie y Sam registraron de nuevo la casa de arriba abajo, cada rincón, cada armario, cada alféizar. Nada.

—Le atraen los sitios calientes —dijo Sam, así que los revisaron.

Luego miraron en ellos de nuevo a intervalos regulares durante el día y también por la noche: la habitación de la caldera y el calentador del agua; pero *L'il Abner* seguía sin aparecer.

Bonnie se sentó en la sala de espera de la consulta del doctor

Greenspoon, y vio que Hyacinth Johnson y Erica McBain iban vestidas de blanco y negro. ¿Se ponían de acuerdo sobre su atuendo, lo programaban con varios días de antelación? Cogió una revista de la mesita, y leyó por encima, distraída, varios artículos sobre los últimos escándalos en que se habían visto implicados la familia real y Michael Jackson, pero no lograba concentrar sus pensamientos en otra cosa que no fuera el reptil desaparecido. Recordó haber leído en una ocasión que un hombre descubrió una serpiente en el retrete cuando fue al lavabo en plena noche. Abrió la puerta del cuarto de baño, encendió la luz, y allí estaba, saliendo de la taza del retrete como un periscopio.

—Por favor, no permitas que me pase eso a mí —rezó en voz alta—. No lo soportaría.

—Disculpe. ¿Decía algo? —preguntó Erica McBain.

—No, hablaba sola —contestó Bonnie. ¿No era eso lo que hacían los locos?

—Yo también hablo sola muchas veces —dijo Erica como si quisiera tranquilizarla.

A pesar de sus repetidas batidas no consiguieron descubrir la boa constrictor desaparecida. Así pues, Bonnie llamó a una empresa de fumigación, al fontanero, a la Sociedad Protectora de Animales, incluso al zoológico. Nada podían hacer. Le dijeron que si la serpiente había salido de la casa, lo más probable era que alguien la viera tarde o temprano y llamara a la policía. Si había conseguido meterse en las cañerías de la casa, tardaría días, semanas, meses, incluso años, en aparecer, si es que aparecía.

—Maldito Haze —murmuró Sam, visiblemente afectado—. Le dije que dejara en paz a *L'il Abner*.

«Tienes razón, maldito Haze», pensó Bonnie.

—Ya aparecerá —dijo ella—. La encontraremos.

—No tardará en tener hambre —se lamentó Sam—. Cuando está hambrienta se pone violenta.

Desde entonces, Bonnie no había dormido. Le daba miedo su propia sombra. Las dos últimas noches las había pasado en blanco; se sobresaltaba al menor cambio en la luz de la luna que entraba por las cortinas del dormitorio, iba a ver a Amanda y a Lauren varias veces y consolaba a Sam, que había metido dos ratoncitos en el terrario de *L'il Abner* con la esperanza de convencer a la serpiente para que volviera a su refugio.

—¿Le apetece una taza de café? —preguntó Hyacinth Johnson—. Está recién hecho.

—No, gracias. —Lo último que necesitaba en ese momento era una dosis de cafeína. Por otra parte, tenía que conservar las fuerzas. No podía deshidratarse. El único alimento que había ingerido en toda la mañana era un vasito de zumo de naranja—. Pensándolo bien, me tomaré una taza, si no es demasiada molestia.

—No es ninguna molestia. ¿Cómo lo quiere?

—Solo, gracias.

—Aquí tiene. —Hyacinth, unos segundos después, depositó la delicada taza de porcelana con flores rosas y su platito en la mesa que había delante de Bonnie.

Ella le dio las gracias una vez más, y se llevó la taza de café a los labios; estaba muy caliente y notó como el vapor le entraba por la nariz y era absorbido por sus poros. Siempre le había encantado el aroma del café recién hecho.

Recordó que de niña acompañaba a su madre a la tienda de comestibles, y esperaba con ansiedad mientras su madre vaciaba los granos de café que había comprado en un molinillo. Bonnie inhalaba su aroma mientras los granos quedaban reducidos a polvo, su olor extendiéndose alrededor de su cabeza, como una suave lluvia, impregnándole la piel, como un elegante perfume. Con los años, las visitas a la tienda de comestibles se hicieron cada vez menos frecuentes, hasta que se suspendieron del todo. Su madre acabó haciendo las compras por teléfono desde la cama. Los días del café recién molido habían pasado a la historia.

La puerta del despacho del doctor Greenspoon se abrió y Bonnie vio salir a una mujer mayor, muy atractiva. El doctor iba detrás. La mujer, que tendría unos sesenta años, llevaba un elegante traje chaqueta de Armani marrón, y el cabello rubio recogido en la nuca en un moderno moño. Al verla, Bonnie se sintió desaliñada; le pareció que el holgado vestido color crudo que se había puesto la rodeaba como una tienda de campaña. ¿Cuánto habría adelgazado en las últimas semanas? No lo sabía con exactitud, pero bastante.

—Busquen hora para la señora King —ordenó el doctor Greenspoon a sus recepcionistas. Luego cogió una mano a la anciana y le dijo—: Intente no preocuparse demasiado. Nos veremos la semana que viene. —Después miró hacia donde estaba Bonnie—. ¿Quiere esperar en mi despacho? Enseguida estoy con usted.

Bonnie entró en silencio en el despacho del doctor y se sentó en uno de los sofás color burdeos. El mismo sofá y el mismo sitio donde se había sentado la vez anterior. ¿Quería eso decir algo? ¿Lo notaría el doctor?

Dejó vagar la mirada por la estancia: alrededor de los tiestos de plantas, por entre las persianas de la ventana. Se dio cuenta de que buscaba serpientes, y se sintió ridícula, una costumbre que no estaba segura de si lograría abandonar alguna vez. Quizá el doctor Greenspoon pudiera ayudarla.

—Perdone que la haya hecho esperar —dijo el doctor Greenspoon unos minutos más tarde. Cerró la puerta y tomó asiento en el otro sofá. Estaba muy elegante con un traje de paño gris y camisa azul con el cuello abierto—. ¿Cómo se encuentra?

—Bien —contestó Bonnie en una respuesta automática.

—Observo que se ha hecho algo diferente en el cabello.

—Veo que usted domina el arte de los eufemismos.

El doctor se echó a reír.

—¿Le gusta? —preguntó Bonnie, consciente de que lo estaba poniendo a prueba, aunque no sabía con exactitud sobre qué.

—¿Y a usted? —replicó el doctor—. Es más importante.

—Yo lo he preguntado primero.

—Tiene potencial.

—¿Para hacer qué?

El doctor Greenspoon se echó a reír de nuevo; era un sonido agradable, natural, cómodo consigo mismo.

—Para crecer y convertirse en algo más favorecedor —respondió.

Esta vez fue Bonnie la que rió.

—Gracias por su franqueza.

—¿Se ha cortado el cabello por algún motivo concreto? —preguntó él.

—¿Tiene que haber un motivo?

—Por lo general, sí.

Bonnie se encogió de hombros.

—Estaba un poco muerto —empezó a decir, pero se interrumpió. Aquella palabra evocó en ella imágenes de Elsa Langer. Era extraño que hubiera muerto justo después de que Bonnie descubriera que estaba viva—. De un tiempo a esta parte no he estado muy fina —continuó—. Por eso decidí venir a verle otra vez.

—¿En qué cree que puedo ayudarla?

—No estoy segura. Pero alguien tiene que hacer algo. Me parece que no soportaré encontrarme tan mal mucho más tiempo.

—¿Qué le ocurre con exactitud?

—Estoy hecha un trapo —dijo Bonnie llanamente—. Tengo náuseas continuas, vomito, me duele todo...

—¿La ha visitado algún médico?

—He venido a verlo a usted.

—Me refería a uno de medicina general.

—Ya le había entendido.

—Ya lo sé.

Bonnie sonrió.

—No, no he ido al médico.

—¿Por qué?

—Porque mis síntomas son descaradamente psicosomáticos.

—¿Ah, sí? ¿Qué le hace pensar eso?

—Doctor Greenspoon —empezó Bonnie—, usted mismo lo dijo la última vez que estuve aquí. Soy una mujer atormentada. Creo que ésas fueron sus palabras exactas, y, por mucho que me fastidie admitirlo, tenía razón. Últimamente han pasado muchas cosas en mi vida, casi todas desagradables. Estoy metida en la mierda hasta las orejas, doctor Greenspoon, si me perdona la vulgaridad, y es evidente que no me las apaño demasiado bien. Esta gripe, o lo que quiera que sea, es una reacción de mi cuerpo frente a todo el estrés a que está sometido.

—Podría ser, desde luego —asintió el doctor Greenspoon—. Pero sigo pensando que debería asegurarse. ¿Cuánto tiempo hace que tiene esas molestias?

—Unos diez días, quizá más —contestó ella.

—Es demasiado tiempo. Necesita que la visite un médico para descartar la posibilidad de una infección, o de una enfermedad más grave...

—No tengo fiebre —dijo Bonnie con impaciencia—. ¿Qué puede hacer un médico aparte de decirme que beba mucho líquido y que guarde cama?

—¿Por qué no lo prueba?

—Porque no tengo tiempo ni energía para someterme a un montón de análisis inútiles. Sobre todo cuando sé que estos síntomas no son físicos sino mentales.

—¿Cómo lo sabe?

—Porque nunca me pongo enferma.

—Eso mismo dijo la otra vez que vino. ¿Interpreta usted el hecho de ponerse enfermo como una señal de debilidad?

—¿Cómo? No. Por supuesto que no. Es que no tengo tiempo para ponerme enferma.

—¿Y los demás sí?

—Yo no he dicho eso.

—¿Cree que la enfermedad es algo que usted puede controlar?

—¿Usted no?

—Supongo que depende —contestó el doctor—. A veces, la mente domina la materia, y, por supuesto, no diré que la actitud de uno no juega un papel importante en el bienestar físico. Pero eso no significa que una actitud positiva impida el cáncer, o que una actitud negativa haga que sobrevenga la muerte. Mi suegro tiene ochenta y cuatro años. Desde que yo recuerdo, siempre se ha quejado de la espalda, el cuello, la artritis... Lleva veinte años convencido de que se está muriendo, que no volverá a celebrar otro cumpleaños, otra noche de fin de año, otro verano. Tiene la peor actitud que he visto jamás. Sin embargo, ¿quiere que le diga una cosa? Vivirá una eternidad, mucho más que el resto de nosotros con nuestro indestructible optimismo y nuestro excelente espíritu.

»La gente se pone enferma. Hay cosas que escapan a nuestro control. Como sociedad, no nos gusta aceptarlo. Hace que nos sintamos inseguros. La consecuencia es que tenemos a un montón de gente muy enferma que se siente culpable porque cree que si hubiese adoptado un enfoque más positivo no estaría tan grave, y eso es un camelo. En mi opinión, no es más que otro ejemplo de cómo la sociedad culpabiliza a las víctimas. Pensamos que mientras lo que ocurra sea culpa de la víctima, no nos sucederá a nosotros.

»El cuerpo humano no es infalible, sino todo lo contrario: es propenso a cualquier tipo de infecciones y virus, y nuestra susceptibilidad depende de diversos factores, entre ellos la alimentación, el ejercicio físico, el estado general y el estrés. Pero, ante todo, la salud depende de los buenos genes. Y de una buena dosis de suerte. —Sonrió—. Aunque quizá sus molestias tengan una explicación mucho más sencilla, por supuesto.

—¿Qué explicación?

—¿Cabe la posibilidad de que esté usted embarazada?

—¿Cómo dice?

—¿Cabe la posibilidad de que esté embarazada? —repitió, aunque los dos sabían que Bonnie lo había oído la primera vez.

—No —respondió ella con aire de mofa—. Ni la más remota posibilidad. Tomo pastillas. —¿No se lo había dicho ya la primera vez que estuvo allí?

—Los anovulatorios no son efectivos al ciento por ciento. ¿No puede ser que, con todo lo que ha pasado estas últimas semanas, se le haya olvidado tomar una o dos pastillas?

—Imposible. Me la tomo todos los días sin falta. Jamás me olvido de ellas.

—Lo dice muy convencida.

—Porque lo estoy. Hace mucho tiempo decidí que sólo quería tener un hijo. Tomo muchas precauciones para asegurarme de que no haya ningún accidente.

—Eso es muy interesante. ¿Por qué?

—¿Por qué, qué?

—¿Por qué decidió que sólo quería tener un hijo?

—¿No cree usted que el mundo está bastante superpoblado ya?

—¿Lo hizo por eso?

—¿No lo considera un motivo lo bastante bueno?

—Es un motivo digno de admiración. Pero, ¿es su motivo?

—No lo entiendo.

—Si está tan convencida de que sólo quiere tener un hijo, me sorprende que no se haya hecho la ligadura de trompas.

El comentario pilló a Bonnie desprevenida. Un delgado hilillo de sudor brotó en la parte inferior de su frente.

—No me seduce la idea de someterme a una intervención quirúrgica innecesaria —contestó.

—¿Podría haber algún otro motivo?

—¿Como cuál?

—Debería decírmelo usted. Tiene un hermano, si no recuerdo mal.

Bonnie contuvo la respiración, y esperó a que el doctor Greenspoon continuara.

—¿Mayor o menor? —preguntó él.

—Menor. Nos llevamos seis años.

—Es una diferencia de edad considerable.

—Mi madre tuvo varios abortos después de nacer yo.

—Entiendo. Entonces, su hermano debió de ser muy especial para ella.

—Sí, lo era.

—¿Y cómo se sentía por ello?

—¿Qué cómo me sentía? —repitió Bonnie, embobada—. No me acuerdo, la verdad. De eso hace mucho tiempo. Yo no era más que una cría.

—Una cría que había gozado de la atención exclusiva de su madre durante seis años. Me imagino que debió de ser una conmoción para usted la obligación de compartirla de pronto con alguien más.

—¿Acaso insinúa que estaba celosa de mi hermano? —preguntó Bonnie. ¿Verdaderamente estaba recurriendo a aquel trillado cliché psiquiátrico?

—Creo que es lo más natural.

—Me encantaba tener un hermano, doctor Greenspoon. Nick era el niño más adorable del mundo.

—Entonces, ¿por qué esa decisión tan drástica de tener un único hijo?

—Mi marido ya tiene dos de su primer matrimonio —le recordó ella—. Además, hay personas que están capacitadas para tener un solo hijo. En el fondo saben que en su corazón no hay espacio más que para uno, que no podrían querer a los dos por igual, que, irremediablemente, uno de ellos saldría mal parado.

—¿Es eso lo que le ocurre a usted?

—¿No es eso lo que acabo de decir?

—No. Usted ha dicho «hay personas».

Bonnie se mordió el labio inferior.

—Es una forma de hablar.

—Cuénteme algo sobre su familia. —El doctor Greenspoon se recostó en el sofá y se desabrochó la chaqueta.

—Llevo cinco años casada —dijo Bonnie, relajándose un poco al pasar a un terreno más cómodo—. Tengo una hija, Amanda.

—Me refiero a su familia de origen —la corrigió él—. A sus padres.

Bonnie se tensó de inmediato. Carraspeó, se recostó, se inclinó, cruzó y descruzó las piernas, se atusó el cabello...

—Mi madre está muerta —dijo, en un tono de voz tan bajo que el doctor tuvo que inclinarse otra vez para oírla—. Mi padre vive en Easton.

—¿Cuánto tiempo hace que murió su madre? —preguntó el doctor.

—Casi cuatro años. Pocos meses antes de que Amanda naciera.

—Eso debió de ser muy duro para usted: perder a su madre justo cuando estaba a punto de convertirse también en madre.

Bonnie se encogió de hombros.

—¿Fue una muerte repentina?

Bonnie no respondió.

—¿Le resulta difícil la pregunta? —preguntó el doctor Greenspoon, y la curiosidad hizo que se le juntaran las cejas en el puente de la nariz.

—Llevaba mucho tiempo enferma —contestó Bonnie tras otra larga pausa—. Pero, de todos modos, fue repentina.

—¿No esperaba usted que se muriera?

—Llevaba años enferma —repitió ella con impaciencia—. Tenía alergias, migrañas, el corazón delicado. Había nacido con cierto defecto en el corazón, y había muchas cosas que no podía hacer.

—¿Iba al médico con frecuencia? —preguntó él.

—Supongo —admitió ella, un poco molesta—. ¿Adónde quiere ir a parar?

—¿No le parece curioso que su madre tuviera todos esos problemas de salud, y que usted se niegue a sí misma la posibilidad de estar enferma? Que ella visitara mucho al médico, y que usted ni siquiera se plantee ir a uno para hacerse un chequeo.

Bonnie se revolvió en el asiento, y se puso a dar golpes en el suelo con el pie. Se encogió de hombros, y no respondió. ¿Por qué había ido allí? Sólo estaba consiguiendo encontrarse peor.

—¿Cómo murió? —preguntó Walter Greenspoon.

—El médico certificó un ataque de apoplejía.

—¿Y usted no está de acuerdo?

—Creo que no fue tan sencillo como eso.

—¿Por qué?

—Con sinceridad, doctor, preferiría no hablar de ese tema.

—Como usted quiera —dijo él con naturalidad—. ¿Y su padre?

—¿Qué?

—¿Goza de buena salud?

—Por lo visto, sí.

—¿Se lleva bien con él?

—No.

—¿Puede decirme por qué?

—Mi padre abandonó a mi madre hace muchos años. Desde entonces no le he visto muy a menudo.

—Y, por supuesto, está resentida con él.

—Fue muy duro para mi madre.

—¿Fue entonces cuando ella empezó a ponerse enferma?

—No. Ya lo estaba antes. Ya se lo he dicho, tenía el corazón delicado. Pero cuando mi padre se marchó, ella empeoró, eso sin duda.

—¿Y su hermano? ¿Vivía con su padre o se quedó con usted y su madre?

—Se quedó con nosotras. —Bonnie se echó a reír—. Si lo pienso, es irónico: ahora está con mi padre y con la mujer de mi padre, su tercera esposa, y todos viven en la casa de mi madre. Más felices que unas pascuas.

—Usted no parece feliz.

Bonnie volvió a reír, esta vez más fuerte.

—A veces la vida tiene gracia, ¿no le parece a usted, doctor Greenspoon?

—A veces.

—Mire, ¿por qué estamos hablando de esto? No guarda relación con nada.

—¿Con qué frecuencia ve usted a su padre? —preguntó el doctor Greenspoon, como si ella no hubiera hablado.

—Lo vi hace unas semanas —respondió Bonnie; sabía que no era una respuesta a la pregunta que le había formulado el doctor Greenspoon.

—¿Antes de empezar a encontrarse mal?

—Sí.

—¿Y cuándo lo vio por última vez antes de eso? —continuó, negándose a soltarla con tanta facilidad.

—La última vez que lo vi antes de eso fue en el funeral de mi madre.

El doctor Greenspoon reflexionó sobre la respuesta de Bonnie durante unos segundos.

—¿Culpa usted a su padre de la muerte de su madre?

Bonnie se rascó una aleta de la nariz, se atusó el cabello, se meció en el sillón...

—A ver, ¿qué intenta decirme? ¿Intenta decirme que mis sentimientos de hostilidad reprimidos hacia mi... (¿cómo la ha llamado?), mi familia de origen son la causa de los síntomas que padezco ahora?

—¿Tiene usted sentimientos de hostilidad largamente reprimidos? —preguntó él.

—Me parece que no hace falta ser un genio para saber la respuesta a esa pregunta, ¿no cree, doctor?

—¿Alguna vez ha hablado con su padre de sus sentimientos?

—No. ¿Por qué iba a hacerlo?

—Por usted.

—¿Qué iba a conseguir con ello? Él no va a cambiar.

—Yo no digo que lo haga por él.

—¿Cree que si hablara con él empezaría a encontrarme mejor de pronto? ¿Es eso lo que intenta decirme?

—La ayudaría a liberar tensiones. Pero aquí lo importante no es lo que yo pienso, sino lo que piensa usted.

Bonnie paró de mecerse, se quedó inmóvil.

—En ese caso, creo que me habría ahorrado mucho dinero si hubiese ido a ver a mi médico de cabecera para hacerme un chequeo en lugar de venir aquí.

—Es probable que tenga razón. ¿Quién es su médico de cabecera?

—No tengo —reconoció Bonnie. Amanda tenía su pediatra, y Rod se hacía un chequeo cada año, pero ella no tenía médico.

—¿Me permite que le recomiende uno?

—¿Por qué? Es evidente que usted piensa que mis problemas no son físicos.

—Lo que creo es que nos enfrentamos a dos cosas muy diferentes —le explicó el doctor—. Y una de ellas la aclararemos con relativa facilidad en una visita al médico. La otra nos llevará más tiempo.

—Lo único que quiero es empezar a encontrarme mejor —dijo Bonnie, al borde de las lágrimas. Detestaba sentirse tan desvalida, tan impotente.

El doctor Greenspoon se acercó a su escritorio y accionó el intercomunicador.

—Hyacinth, ¿puedes ponerme con Paul Kline? —Mientras aguardaba, miró a Bonnie—. Su consulta está a la vuelta de la esquina, y me debe un favor. Es una persona muy agradable. Creo que le gustará.

Un momento después, el intercomunicador emitió un zumbido.

—Le paso al doctor Kline por la línea uno.

—Hola, Paul —dijo el doctor Greenspoon—. Tengo una paciente que me gustaría que vieras cuanto antes.

24

—Respire hondo. Muy bien. Ahora suelte el aire. Así. Otra vez.

Bonnie volvió a tomar aire y lo soltó lentamente. El médico volvió a felicitarla por su respiración. Ella volvió a sentirse curiosamente agradecida.

—Otra vez —la dirigió el doctor Kline, manipulando el estetoscopio por debajo de la bata azul de algodón que la enfermera le había dado para que se pusiera. Bonnie notaba el frío del metal contra la piel—. ¿Cuanto tiempo hace que no se somete a un chequeo, señora Wheeler?

—No lo recuerdo —contestó Bonnie—, pero seguro que años.

—¿Y en general se encuentra bien?

—Perfectamente. Nunca estoy enferma —dijo con menos convicción de la acostumbrada.

—¿Visita con regularidad a un ginecólogo?

—Fui a ver a uno cuando estaba embarazada —dijo Bonnie, aunque la verdad es que sólo había acudido durante el último trimestre del embarazo, y sólo ante la insistencia de Diana. «No estoy enferma —había dicho a su amiga—. Sólo embarazada»—. No estoy embarazada, ¿verdad? —preguntó Bonnie al médico, sorprendida por preguntarle aquello cuando en realidad no tenía intención de hacerlo—. Es que no puedo estarlo. Es imposible.

—¿Cuándo tuvo la última regla? —preguntó el doctor Kline.

—Hace tres semanas. Y tomo pastillas. Y nunca me olvido de tomarlas.

—Entonces lo más probable es que no esté embarazada —dijo el médico para tranquilizarla—. Es un poco pronto para tener mareos matutinos, sobre todo síntomas tan exagerados. Pero voy a hacerle análisis de sangre y de orina. Eso nos ayudará a saber por qué se encuentra tan mal. Mire hacia aquí —dijo, tirando de su párpado inferior y dirigiendo una pequeña linterna hacia su ojo izquierdo.

El doctor Greenspoon llevaba razón: el doctor Kline era una persona muy agradable, no demasiado alto y tirando a gordo, pero con una elegancia y una dignidad naturales, de unos cuarenta años, cabello castaño que empezaba a escasear, y unos cálidos ojos color avellana. Tenía las manos pequeñas y suaves con unos dedos sorprendentemente largos. Cuando la tocaba lo hacía siempre con delicadeza, como si comprendiera que era frágil, pero con firmeza, como para reafirmar la fuerza de su paciente.

Su consulta, que se encontraba en Chestnut, a sólo cinco minutos a pie desde la del doctor Greenspoon, estaba en la planta baja de un elegante edificio de tres plantas que había sido transformado en una pequeña clínica. Unas impresionantes vigas de madera antiguas combinaban con lo último en tecnología y equipamiento. Las paredes aparecían cubiertas de estanterías empotradas llenas de gigantescos libros de medicina. En la pared opuesta a la ventana había un cartel de lectura tradicional, rodeado por una camarilla de impresionantes diplomas: de la Facultad de Medicina de Harvard, del Colegio de Médicos y Cirujanos, y otros que Bonnie estaba demasiado cansada para leer. Varias fotografías de la familia del doctor Kline adornaban su enorme escritorio, atestado de objetos. Tres hijos y una hermosa mujer morena; las fotografías registraban la evolución de los niños de bebés a adolescentes, mientras que la esposa se conservaba inalterable con el paso del tiempo, con unos pocos kilos de más o de menos. La enfermera del doctor Kline, una mujer de la edad de Bonnie, con el cabello rizado y una sonrisa contagiosa, se quedó discretamente en un lado de la habitación, con aire misterioso, como una estatua, observándolo todo sin moverse.

—¿Tiene problemas de visión? —preguntó el doctor Kline mientras examinaba su otro ojo.

—Ninguno.

Le entregó un trozo de plástico negro, le pidió que lo pusiera delante de su ojo derecho y que leyera la tercera línea del cartel de lectura que había en la pared de enfrente. Lo hizo. Luego el doctor le pidió que se tapara el ojo izquierdo con el plástico y que leyera la cuarta línea. Bonnie obedeció.

—Muy bien —dijo, y tirándole suavemente del lóbulo de la oreja, examinó el interior del oído con otro instrumento—. ¿Ha tenido dolor de oído?

—No. ¿Por qué? ¿Ha visto algo?

—Un poco de cera. Es fácil de eliminar. —Pasó al otro oído—. ¿Sensación de vértigo?

—A veces.

—Y dice que tiene náuseas.

—Continuamente.

—¿Vómitos?

—Varias veces, sí. ¿Qué significa eso?

—Podría tratarse de una infección del oído interno.

—¿Qué significa eso? —volvió a preguntar Bonnie.

—Las infecciones del oído interno se manifiestan de diversas maneras. Suelen afectar al equilibrio, y eso causa mareos, náuseas, malestar general.

—¿Y qué se puede hacer?

—Por desgracia no gran cosa. Como es viral, los antibióticos no resultan eficaces. Hay que dejar que pase.

—Así que no se puede hacer nada —dijo Bonnie, como si lo hubiera sabido desde hacía mucho tiempo.

—Yo no he dicho eso —dijo el doctor mientras le ponía las manos en el cuello, presionando sobre sus ganglios.

—Acaba de decir que hay que dejar que pase.

—Me refería a las infecciones del oído interno. No estoy seguro de que sea eso lo que tiene usted. Abra la boca y diga «a».

Bonnie abrió la boca. El doctor Kline le bajó la lengua con un depresor.

—A —dijo Bonnie, e inmediatamente tuvo una arcada.

—¿Se encuentra bien? —El doctor Kline retiró el depresor, y lo arrojó a una papelera.

—Usted es el médico. Dígamelo usted.

—Bien. Veamos: no tiene fiebre; la garganta no está irritada; tiene la vista bien; los pulmones, despejados; las fosas nasales, limpias; no está resfriada, y no tiene los ganglios inflamados, por lo menos los del cuello. Vamos a ver los de las ingles. ¿Quiere echarse, por favor?

Ella se tumbó en la mesa de exploración. El doctor le palpó el vientre y las ingles. Era una zona sensible, y Bonnie hizo una mueca de dolor.

—¿Le duele? —preguntó el doctor.

—Un poco.

—Estos ganglios están un poco inflamados —dijo, manipulando los ganglios de las ingles—. Muy bien, ya puede incorporarse. —Le entregó una botellita—. Ahora ha de darme una muestra de orina —dijo—. Debbie le enseñará adónde tiene que ir, y cuando vuelva, le extraeremos un poco de sangre.

—¿Y después qué?

—Después esperaremos los resultados un par de días y actuaremos de acuerdo con ellos. Mientras tanto, le recetaré un antibiótico que quiero que empiece a tomar ya.

—Creía que los antibióticos no eran eficaces.

—No son eficaces si la infección es viral. Si no lo es empezaría a mejorar mañana mismo. Vale la pena probar suerte. ¿Es usted alérgica a la penicilina?

—Que yo sepa no.

Garabateó algo en una receta.

—Muy bien, en ese caso probaremos con éste. Tómese dos pastillas en cuanto le sea posible, y luego cada seis horas. Puede tomarlas con la comida o en ayunas, no importa. Si no se encuentra mejor dentro de un par de días, sabremos que su problema lo ha producido un virus. Pero espero que tengamos suerte y el antibiótico surta efecto. En cualquier caso, la llamaré por teléfono en cuanto reciba los resultados de los análisis. Si no me he puesto en contacto con usted antes del viernes, llámeme usted. Y ahora vamos por la muestra de orina.

Bonnie hizo lo que el doctor le había indicado, y luego entró otra vez en la consulta para que le extrajera sangre. El doctor llenó cuatro tubos.

—Es mucha cantidad —comentó, sorprendida por lo oscuro que parecía el líquido en tubos—. ¿Piensa hacerme la prueba del sida?

—¿Lo considera necesario? —preguntó él.

—¿No es un procedimiento rutinario?

—No, en absoluto. —El doctor entrecerró los ojos, y escrutó los de Bonnie—. ¿Considera usted oportuno que le haga la prueba del sida, señora Wheeler?

Hubo una larga pausa.

—No lo sé —respondió ella finalmente—. ¿Qué piensa usted?

—¿Ha tomado drogas por vía intravenosa en los últimos diez años?

—No, por supuesto que no.

—¿Le han hecho alguna transfusión de sangre?

—No.

—¿Ha tenido usted relaciones sexuales con factor de riesgo?

Bonnie se imaginó atada a la cama, con las piernas entrelazadas alrededor del cuello de su marido.

—¿A qué se refiere exactamente? —preguntó con tono brusco.

—Sexo anal, parejas múltiples, sexo con alguien que pudiera estar infectado —recitó con desconcertante desenvoltura—. ¿Tiene usted una relación monógama, señora Wheeler?

—Nunca he sido infiel a mi marido —declaró Bonnie.

—¿Y su marido?

—No lo sé —admitió después de otra pausa. «Madre mía, pero, ¿qué estoy diciendo?»

—Entonces, ¿por qué no hacemos la prueba? Así no tendrá que preocuparse. —El doctor Kline le dio unas palmaditas en la mano, y luego le apretó los temblorosos dedos.

Bonnie asintió con la cabeza, y vio cómo el médico le extraía un último tubo de sangre de la vena. ¿Cómo le había dicho al doctor que no estaba segura de si tenía o no una relación monógama? ¿Creía que Rod le ponía los cuernos? ¿Tan poco confiaba en su marido? Y si así era, ¿por qué había insistido en que se fuera a Miami con Marla? ¿Por qué esperaba su regreso con ansiedad? ¿Se estaría convirtiendo en una de esas mujeres que ella había compadecido siempre, de esas que siguen junto a su marido, por muchas ofensas que deban soportar? ¿De esas que ocultaban tan hondo sus frustraciones y sus disgustos que se ponían enfermas?

Como su madre.

Bonnie dio las gracias al doctor Kline por el tiempo que le había dedicado, se vistió, y salió a la calle. Buscó una farmacia y compró el medicamento, se dirigió a la primera fuente que encontró y se tomó las dos pastillas inmediatamente, como el doctor le había indicado. «Siempre tan buena chica», se dijo con pesar. Regresó a su coche, se sentó al volante y se quedó inmóvil.

¿Y ahora qué? No tenía prisa por llegar a casa. Se le ocurrió volver al instituto, pero ¿para qué? Ya le habían buscado un sustituto para ese día; además, las clases estaban a punto de acabar. Podía ir de compras, pero la verdad era que no estaba de humor. Tampoco le apetecía pasear, ni leer, ni hacer ejercicio, ni siquiera ir al cine, sencillos placeres que hasta hacía pocas semanas siempre había valorado.

Quizá el antibiótico surtiera efecto. Tal vez al día siguiente empezara a encontrarse mejor. Pero era posible que nada funcionara, porque no había ningún problema. Por lo menos no en su cuerpo. Quizá no empezara a encontrarse mejor hasta... ¿hasta qué? ¿Hasta que «se enfrentara a sus sentimientos de hostilidad largamente reprimidos hacia su familia de origen»?

«Basta, por favor», se dijo. Puso el coche en marcha y se apartó de la acera. Tanta tontería psicológica... Pamplinas. Doscientos dólares por un consejo que cualquier estudiante de primero de psicología le habría dado por el mero placer de escuchar su propia voz. Qué forma de malgastar el dinero. Y qué consejo tan estúpido. ¿De qué iba a servirle hablar con su padre? Él nunca había entendido las cosas. Hasta dudaba que hubiera escuchado a alguien alguna vez.

—Yo no le digo que lo haga por él —había dicho el doctor Greenspoon.

—¡No pienso hacerlo ni por él ni por nadie! —exclamó Bonnie en voz alta. Pisó el acelerador, puso la radio a todo volumen y dejó que los Rolling Stones eliminaran de su mente todo rastro de pensamiento consciente.

Pasada casi una hora aparcaba delante del número 422 de Maple Road, en Easton.

—¿Y ahora qué? —preguntó a su imagen reflejada en el espejo retrovisor—. ¿Qué haces aquí? Has venido contra toda lógica, y ¿qué esperas conseguir? ¿Te pedirá disculpas tu padre? ¿Es eso lo que pretendes? ¿Te dará explicaciones? Como si fueses a creer lo que él te dijera. ¿A qué has venido? —volvió a preguntar al espejo.

«Has venido para tomar las riendas de tu vida, —le contestó su reflejo silencioso. Bonnie abrió la portezuela, y sus pies tantearon el suelo, titubeantes—. Estás aquí para reclamar tu futuro, y la única forma de conseguirlo es enfrentándote a tu pasado.»

La muerte de Joan la había arrojado a una especie de limbo, la había introducido de nuevo en una familia que ella había intentado olvidar. Ahora estaban de pie ante ella, obstaculizándole el camino, impidiéndole que su vida avanzara. Lo único que tenía que hacer era enfrentarse a ellos, decir lo que necesitaba decir y marcharse. No tenía que volverlos a ver nunca. Era sencillo. Echó a andar, vacilante, por el camino, mientras intentaba organizar todo lo que quería decir. Sus ideas se hicieron añicos en cuanto su mano tocó el timbre.

La puerta se abrió y Steve Lonergan apareció ante ella, con pantalones azul marino y una camisa a cuadros azules y rojos, su ancha cara vacía de toda expresión, sus ojos sin reflejar sorpresa ni curiosidad. Se apartó para dejar paso a Bonnie. Sin pronunciar una palabra, Bonnie traspasó el umbral, y oyó como la puerta se cerraba tras ella, como la reja de una cárcel.

—¿Quién es, Steve? —Adeline Lonergan salió al vestíbulo, procedente de la cocina. Llevaba un delantal pasado de moda sobre un vestido amarillo—. Oh —dijo, y al ver a Bonnie se detuvo—. Cielo santo, Bonnie. Casi no te reconocía. ¿Qué te has hecho en la cabeza?

—Perdona, Adeline, ¿te importa que hable unos minutos a

solas con mi padre? Por favor —dijo Bonnie, momentáneamente cegada por la blancura de las paredes.

—Nada vamos a decirnos que Adeline no pueda oír —dijo su padre con obstinación, los brazos cruzados sobre el pecho. «Como míster Proper», pensó Bonnie, intentando reducirlo a una talla más manejable.

—No importa, Steve. Tengo cosas que hacer. Habla con tu hija. Estaré en la cocina, por si necesitas algo.

Padre e hija se quedaron callados.

—¿Por qué no pasáis al salón? —sugirió Adeline—. Allí estaréis más cómodos. ¿Os apetece beber algo? —continuó al ver que ninguno de los dos se movía.

Steve Lonergan meneó la cabeza y se encaminó hacia el salón.

—Yo no quiero nada, gracias —dijo Bonnie siguiendo a su padre. ¿A qué había ido? ¿Qué esperaba conseguir? ¿Qué pensaba decir, por todos los santos?

—Tengo entendido que has visto a tu hermano —dijo su padre, colocándose frente a ella en medio del salón.

Bonnie se volvió, fingiendo estudiar la decoración, pero su cerebro no podía absorber tantos verdes, blancos y amarillos; de mala gana miró otra vez a su padre.

—Sí, fue a verme sin avisar.

«Y sin que nadie le hubiera invitado», estuvo a punto de añadir, pero no lo hizo.

—Te hizo sus famosos espaguetis con salsa de tomate, ¿no?

—Fabulosos, es la palabra que él empleó.

—Son buenísimos, desde luego.

—Sí, es verdad —concedió Bonnie. «Sólo que no he parado de vomitar desde que los comí», añadió en silencio.

—Dice que mi nieta es una muñeca.

—Sí, lo es.

—Me imagino que no llevarás alguna fotografía suya —añadió su padre, y miró hacia la ventana, como si nada hubiese dicho.

Bonnie vaciló, reacia a compartir con su padre ni siquiera una imagen de su hija.

—Pues sí, tengo un par de fotografías en el bolso —cedió. Buscó en su bolso de piel beige y sacó una cartera de piel roja, que tendió a su padre. Él la cogió, sacó las gafas del bolsillo de su camisa y se las puso.

—La fotografía de la izquierda es de cuando tenía cuatro meses —explicó Bonnie—. La de la derecha, del año pasado. Ha cambiado mucho desde entonces. Lleva el cabello más largo. Y tiene la cara un poco más delgada.

—Se parece a su madre —observó Steve Lonergan.

Bonnie guardó rápidamente las fotografías en su bolso y luego, dejó caer los brazos a lo largo del cuerpo.

—La verdad, todo el mundo dice que se parece más a Rod.

—¿Y cómo está tu marido?

—Bien. Ahora ha ido a Florida, a una convención.

—Y te ha dejado al cuidado de sus hijos, ¿verdad?

Bonnie bajó la mirada al suelo, vio como sus zapatos marrones se hundían en la moqueta verde pálido. «Como arenas movedizas», pensó, y se preguntó cuánto tardarían en engullir su cabeza.

—No he venido para hablar de Rod.

—¿A qué has venido?

—No estoy segura —confesó después de una pausa—. Pensé que había unas cuantas cosas que tenía que decirte.

—Dilas —la instó su padre.

—No es tan fácil.

—Has tenido más de tres años para prepararte.

Bonnie respiró hondo, intentó hablar, pero no pudo.

—¿Qué haces aquí, Bonnie? —se limitó a preguntarle su padre.

—¿Y tú? —replicó ella con sarcasmo—. ¿Qué derecho tienes a vivir en esta casa? ¡Cómo te has atrevido a volver aquí! ¡Cómo tienes la osadía de mofarte de la memoria de mi madre! —Bonnie dio un paso atrás, asombrada por la violencia de su arrebato.

—¿Es eso lo que crees que hago?

—Pienso que no tienes el menor derecho a estar aquí. Siempre odiaste esta casa. Estabas deseando marcharte, lo hiciste en cuanto tuviste ocasión.

—Siempre me encantó esta casa —la corrigió él—, aunque no soportaba aquel maldito papel pintado, eso lo admito. Pero cuando tu madre y yo acordamos divorciarnos...

—Tú la abandonaste. No le diste opción.

—En realidad, ella nunca quiso esta casa, no sé si lo sabes. Tuve que convencerla para que nos mudáramos aquí. Ella prefería la ciudad. Pero se empeñó en quedarse la casa como parte de los términos del divorcio, supongo que lo hizo para fastidiarme, más que otra cosa.

—O para impedir que la familia se desbaratara más de lo necesario —dijo Bonnie—. Quizá pensó que ya habíamos soportado suficientes cambios.

—Tal vez. Eso es algo que nunca sabremos. —Steve Lonergan hizo una pausa, tragó saliva y miró hacia la ventana—. En cualquier caso, cuando murió y dejó la casa a Nick, tu hermano me preguntó si me interesaba comprársela. Necesitaba más el dinero que una casa tan grande, y Adeline y yo decidimos ayudarlo.

—Como todo el mundo, intentando ayudar al pobre Nick. —Bonnie meneó la cabeza con perplejidad.

—Puede que él no sea tan fuerte como tú, Bonnie.

—Y los mansos heredarán la tierra —dijo Bonnie, al tiempo que se fijaba en la Biblia, que seguía sobre la mesa del salón.

—¿Con quién estás furiosa en realidad, Bonnie?

—¿Qué se supone que significa tu pregunta?

—No fui yo quien murió y dejó la casa a tu hermano —le recordó su padre.

Ella se puso a pasear entre el sofá y el sillón de orejas.

—Si lo que intentas decirme es que la persona con quien estoy furiosa en realidad es mi madre, estás absolutamente equivocado. Sé muy bien contra la persona que me siento enfurecida. La tengo de pie, delante de mis narices.

—¿Por qué estás furiosa?

—¿Por qué? —repitió Bonnie.

—¿Por qué? —repitió él.

—¿No te lo imaginas? —gritó ella—. Abandonaste a tu familia.

—Abandoné una situación intolerable.

—¿Intolerable para quién? No era mi madre la que se iba cada noche a hacer el golfo por ahí.

—No, tu madre pasaba todas las noches en casa... en la cama.

—Estaba enferma.

—Siempre estaba enferma, maldita sea.

—¿Acaso la culpas por ello?

—No. Sólo digo que yo era incapaz de seguir con aquella vida. —Se pasó la mano por la coronilla—. No intento justificarme, Bonnie. Sé que actué como un cobarde, pero intenta ponerte en mi lugar unos minutos. Yo era un hombre relativamente joven todavía. Había cosas que deseaba hacer. Tu madre jamás estaba dispuesta a salir. No quería moverse para nada. No le interesaba conservar los amigos, ni viajar, ni siquiera hacer el amor.

—Estaba enferma —insistió Bonnie.

—Yo, también —replicó su padre—. De vivir de aquella forma, de sentir que mi vida se había terminado, de dormir junto a una mujer que se apartaba cada vez que yo intentaba tocarla. Bonnie, entonces tú eras una niña, yo no esperaba que lo comprendieras. Pero ahora eres una persona adulta. Pensé que tendrías un poco de comprensión.

—¿La tuviste tú?

—Lo intenté, Bonnie. Lo intenté durante años.

—Y luego te marchaste. Después de tu abandono, ella no volvió a ser la misma.

—Era exactamente la misma, y tú lo sabes.

—Te marchaste y nunca volviste.

—Era lo que tu madre quería.

—Ella no sabía lo que quería. Estaba enferma...

—Y yo me asfixiaba. No podía respirar. Su enfermedad nos estaba contagiando a todos.

—¿Y por eso decidiste dejarla al cuidado de dos criaturas?

—No se me ocurrió otra cosa.

—¡Pudiste habernos llevado contigo! —gritó Bonnie, sorprendida de las palabras que salían de su boca. Se echó a llorar y se desplomó en el sofá—. Pudiste habernos llevado contigo —sollozó.

Se quedaron largo rato callados. Al cabo de unos minutos, Bonnie notó a su padre junto a ella, la mano de él sobre su hombro.

—No —dijo Bonnie, sacudiéndose la mano de encima—. Es demasiado tarde.

—¿Por qué es demasiado tarde?

—Porque ya no soy ninguna niñita.

—Siempre serás mi niñita.

—No tienes idea —dijo ella, esquivando la mirada de su padre—. No tienes idea de lo mucho que lloré, de cuánto rezaba cada noche para que volvieras a buscarnos. Una noche me levanté, sonámbula, hice la maleta, y me quedé esperándote en la puerta. Pero no fuiste tú quien me encontró. No fuiste tú quien me despertó.

—Lo siento mucho, Bonnie. Intenté ponerme en contacto con vosotros en numerosas ocasiones. Tú lo sabes.

—Sí, se te daba muy bien presentarnos a tus nuevas esposas.

—Dejaste muy claro del lado de quien estabas, y que no querías saber nada de mí.

—Pero si era una cría, ¡por el amor de Dios! ¿Qué esperabas que hiciera?

—Esperaba que crecieras.

—Nos abandonaste. ¡Me abandonaste! —Un nuevo acceso de llanto sacudió el cuerpo de Bonnie.

—Lo siento mucho. Ojalá me fuera posible decir o hacer algo. —Se interrumpió. Caminó hasta la ventana y se quedó contemplando la calle.

—¿Eres feliz? —preguntó Bonnie, con los ojos clavados en la curva gradual de la espalda de su padre—. ¿Te hace Adeline feliz?

—Es una mujer maravillosa —respondió él mientras se volvía para mirar a Bonnie—. Soy muy feliz.

—¿Y Nick? ¿Crees que se está regenerando de verdad?

—Sí, creo que sí. ¿Por qué no le das una oportunidad?

—No confío en él.

—Es tu hermano.

—Destrozó el corazón a nuestra madre.

—Él no es responsable de su muerte, Bonnie —dijo su padre.

Bonnie tragó saliva, se secó las lágrimas de los ojos con impaciencia, no contestó.

—Tengo que irme. —Se puso en pie y se dirigió hacia el vestíbulo. Su padre la siguió.

—¿Va todo bien? —preguntó Adeline asomándose por la puerta de la cocina con una gran cuchara de madera en la mano.

—Todo va bien —respondió su marido, y miró a Bonnie en busca de su confirmación. Ella asintió con la cabeza, su mirada vagando por la escalera.

—Estoy haciendo tarta de manzana —dijo Adeline—. Ya hay una en el horno. Estará lista enseguida, si te apetece un trozo.

—Tengo que irme, de verdad —dijo Bonnie casi sin darse cuenta, atraída por la escalera, como si de un imán se tratase.

—¿Te gustaría ver los cambios que hemos hecho en los dormitorios? —preguntó Adeline.

Bonnie ya tenía el pie derecho en el primer escalón, la mano izquierda apoyada en la pared. Algo la atraía escaleras arriba, algo que la animaba a continuar. ¿Qué estaba haciendo? Ascendió con lentitud un escalón tras otro; vio como las blancas paredes se oscurecían y se llenaban de flores, y el olor de las flores se filtró en su cabeza e hizo que se marease. «No seas tonta —se dijo mirando hacia el dormitorio que había al final de la escalera—. Son las tartas de manzana que hay en el horno. No huele a otra cosa. No hay flores.»

«Y tampoco hay nadie esperándote en el dormitorio de arriba», añadió para sí cuando llegó al rellano superior y cruzó el pasillo. Abrió la puerta del dormitorio que había sido de su madre.

La mujer estaba sentada en el centro de la cama, el rostro en sombras.

—Como verás, lo hemos cambiado todo —dijo la voz de Adeline detrás de ella—. Creíamos que el azul era adecuado para un dormitorio, y yo siempre he tenido debilidad por los espejos.

—¿Te importa dejarme sola unos minutos? —preguntó Bonnie, con los ojos clavados en la imprecisa figura que había en el centro de la cama.

—En absoluto —contestó Adeline, y la confusión hizo que sus palabras temblaran en el aire—. Te esperamos abajo.

Bonnie oyó que la puerta se cerraba a su espalda. Y fue entonces cuando la figura que había en la cama salió de las sombras e hizo señas a Bonnie para que se acercara.

25

—Acércate más para que pueda verte —dijo la figura, con una voz sorprendentemente fuerte.

Bonnie obligó a sus pies a aproximarse más a la cama y vio su imagen reflejada en el espejo de pared que había detrás de la ligera cabecera de la cama, el cual, a su vez, se reflejaba en el espejo más pequeño que había sobre la cómoda de la pared opuesta. Pero en lugar de ver a una mujer con un holgado vestido color marfil vio a una niña de once años, con un vestido de algodón blanco, y con el cabello, largo y castaño, recogido en una cola de caballo con una reluciente cinta rosa.

—¿Cómo te encuentras? —preguntó la niña a la mujer que estaba acostada en la cama, acercándosele con cautela.

Las sombras danzaban sobre el rostro de la mujer, como olas.

—Me temo que no muy bien.

—Te he traído algo para desayunar. —La niña levantó una pesada bandeja de plástico para que la mujer examinara su contenido.

—Me siento incapaz de comer.

—¿Por qué no lo pruebas? Lo he hecho yo. Dos huevos pasados por agua, como a ti te gustan.

—No me apetecen.

—Entonces un poco de zumo de naranja. —La niña dejó la bandeja sobre la mesilla de noche, cogió el vaso y se acercó con él a la cama.

—Qué buena eres —dijo la mujer, y se apoyó de nuevo contra

las almohadas, ignorando el largo vaso de zumo que la niña tenía en la mano.

La niña se inclinó más y acercó el vaso a los labios de la mujer.

—¿Tienes un mal día? —preguntó.

—Me temo que sí.

—¿Dolor de cabeza?

—Jaqueca —especificó la mujer, que se llevó las manos a las sienes y cerró los ojos.

Las olas recorrieron el rostro de la mujer y luego desaparecieron, llevándose consigo todo rastro de vida, dejando sólo una máscara pálida, algo hinchada, donde era evidente el dolor, incluso en reposo. A la niña le gustaba imaginarse que, perdida en algún lugar en medio de todo aquel dolor, había una mujer hermosa, una mujer con relucientes ojos azules y una sonrisa amplia y brillante.

La niña dejó el vaso en la bandeja, sobre la mesilla de noche, y llevó sus pequeñas manos al rostro de la mujer, le apartó el grueso cabello oscuro de la frente, y comenzó a darle suaves masajes en los altos pómulos.

—No tan fuerte —le advirtió la mujer, y la niña disminuyó la presión de sus dedos—. Así está mejor. Aquí —le indicó, señalando la zona alrededor de su nariz, algo respingona—. Me he pasado media noche despierta por culpa de la nariz. No creo que tu padre haya podido dormir. —Abrió los ojos—. ¿Dónde está? ¿Ha salido ya?

—Son más de las once —respondió la niña—. Dijo que tenía trabajo que hacer.

—¿Un sábado?

La niña siguió con los masajes, y no respondió.

—Ha salido con una de sus amantes —aseguró su madre.

—Dijo que tenía trabajo.

—¡Menudo trabajo!

La niña se apartó.

—No, no te detengas. Me sienta bien. Tienes buenas manos. Haces que tu madre se sienta mucho mejor.

—¿Sí? ¿Hago que te sientas mejor?

Un repentino e intenso sonido resonó por toda la casa. Bonnie volvió, su cuerpo de adulta colisionó con la niña del espejo.

—¿Qué ha sido eso? —oyó decir a su padre en el piso de abajo.

—Nada, Steve —contestó la voz de Adeline—. Se me ha caído un cuenco. No ocurre nada.

—¿Qué ha sido ese ruido? —preguntó la mujer que estaba acostada en la cama, y Bonnie regresó al cuerpo de la niña de once años.

—Nick está jugando a policías y ladrones otra vez —contestó la niña.

—¡Bang, bang! —gritó Nick; irrumpió en la habitación con una enorme estrella de latón y blandiendo una pistola de juguete—. ¡Bang, bang! Estáis muertas.

—Nick, no hagas ruido —le reprendió la niña—. Mamá no se encuentra bien.

—¡Bang, bang! —insistió Nick sin hacer caso de su hermana—. Te he dado. Estás muerta.

—Me has dado —accedió la mujer, con un amago de risa en la voz—. Estoy muerta. —Cerró los ojos, y su cabeza se desplomó sobre el hombro derecho.

Nick se rió y salió corriendo de la habitación, su hermana de once años persiguiéndolo. Bonnie los vio marcharse desde donde estaba sentada, en los pies de la cama.

—Acércate más. —La mujer que estaba en la cama le hizo señas de nuevo.

Bonnie irguió los hombros y se acercó a la cama, acariciando con los dedos el edredón azul celeste. Al instante, el edredón se cubrió de flores. Bonnie miró hacia el espejo, y vio otra figura tomando forma, ésta más alta que la niña, con las caderas más redondeadas, los senos más desarrollados. La imagen giró sobre sí misma, se hizo más ancha, luego más delgada, distorsionándose varias veces, como en un espejo de parque de atracciones.

—Tu padre nos ha abandonado —dijo su madre desde la cama, con la cara tensa de ira.

—Volverá —le aseguró la chica.

—No, no volverá.

—Sólo necesitaba un poco de tiempo para sí mismo. Pronto volverá a casa.

—No, no volverá —repitió la mujer—. Está con ella.

—¿Ella?

—Ésa con quien sale.

—No se quedará con ella.

—No volverá.

Bonnie vio cómo los ojos de la chica se llenaban de lágrimas.

—Yo cuidaré de ti, mami —la oyó decir.

—El viernes tenía que ir a ver al doctor Blend. ¿Cómo voy a ir?

—Yo te llevaré.

—Me temo... —se lamentó la mujer, y la muchacha se le acercó más—. El corazón me late tan deprisa que me temo que tendré un infarto.

—¿Qué puedo hacer?

—Dame las pastillas. Están aquí mismo, junto a la cama.

La chica se apresuró a abrir el pequeño tarro de cápsulas rojas y amarillas. Se echó dos en la palma de la mano y las acercó a los labios de la mujer. Vio cómo se las tragaba con facilidad, sin agua.

—¿Te encuentras mejor?

La mujer sacudió la cabeza.

—¿Qué puedo hacer?

—Nada. Qué buena eres. —Se secó el sudor de la frente con el dorso de la mano, recorrió con la mirada la habitación en penumbra—. ¿Dónde está Nicholas?

—Escondido, para que no lo vean los vecinos —dijo la muchachita; aunque temía disgustar a su madre, era incapaz de mentir—. Puso unas esposas a la señora Gradowski, y luego tiró la llave al retrete. El señor Gradowski tuvo que llamar al cerrajero para que se las quitara. Está enfurecido.

Su madre se echó a reír, encantada como siempre con las travesuras de Nick. Al parecer no encontraba mal nada de cuanto él hacía. La chica meneó la cabeza, asombrada y consternada, y luego se esfumó.

—Sigo sin verte —dijo la figura que estaba en la cama—. Tendrás que acercarte.

Bonnie avanzó un poco por un lado de la cama. Pero alguien en medio le bloqueaba el paso: una mujer joven a quien conocía íntimamente; se calzó sus zapatos, adoptó su pose cautelosa, y la respiración de mujer se apretó en su pecho.

—Me voy a casar —anunció, y se quedó esperando—. ¿Me has oído mamá? He dicho que Rod y yo vamos a casarnos.

—Te he oído. Felicidades.

—No pareces muy contenta.

Su madre se mordió el labio inferior.

—Así pues, tú también me abandonas —dijo.

—No, claro que no. Nadie te abandona.

—Te vas de aquí.

—Porque me caso.

—¿Quién cuidará de mí?

—El doctor Monson dice que estás lo bastante bien para cuidar de ti misma.

—No pienso volver al doctor Monson.

—Buscaremos un ama de llaves.

—No quiero extraños en mi casa.

—Ya se nos ocurrirá algo. Mamá, por favor, quiero compartir mi felicidad contigo.

La mujer que estaba en la cama apartó la cabeza y se echó a llorar.

—No llores, mamá. Ahora no. Ahora hemos de estar felices —dijo Bonnie, su voz rebotando una y otra vez en los dos espejos, resonando contra el silencio de la habitación—. ¿Es que nunca vas a alegrarte por mí?

—Siéntate, Bonnie —dijo su madre.

La joven embarazada sustituyó a la acongojada novia. Se sentó, nerviosa, en el borde del floreado edredón.

—Tenemos que hablar —dijo su madre.

—Has de descansar, mamá. El doctor Bigelow dice...

—El doctor Bigelow es un inútil. ¿Acaso no has aprendido nada en todos estos años?

—Dice que has tenido un ataque de apoplejía que ha sido peor que el anterior.

—Quiero hablarte de mi testamento.

—Mamá, por favor, ¿no podemos hablar de eso cuando te encuentres mejor?

—Quiero que lo entiendas.

—¿Que entienda·qué?

—Por qué he hecho lo que he hecho.

—¿De qué me hablas?

—Voy a dejar la casa a Nick.

—Mamá, no quiero hablar de eso ahora.

—Necesita algo sólido en que apoyarse.

—Te pondrás bien. Hablaremos de eso cuando te sientas más fuerte.

—Él no es tan fuerte como tú —prosiguió su madre, utilizando las palabras de Bonnie—. Por eso siempre anda metido en líos. Tienes que ayudarle.

—Nick es ya mayorcito, mamá. Puede cuidar de sí mismo.

—Él no ha intentado matar a nadie. Tú lo sabes. Ya lo verás, lo absolverán. Como la última vez. No tendrá que ir a prisión. Todo ha sido un error horrible.

—Mamá, tienes que dejar de pensar en él. Preocuparte no te hace ningún bien.

—Tu hermano siempre fue una lata de niño —dijo su madre, casi con orgullo—. No como tú. Yo siempre podía contar con que tú te portarías bien. Qué niña tan buena eras. —Sus labios intentaron esbozar una sonrisa, pero el ataque le había dejado gran parte del rostro paralizado, y la sonrisa se esfumó de inmediato—. Pero cómo me hacía reír con sus jueguecitos. Iba todo el día disparando su pistola. Bang, bang —dijo su madre, y sus ojos sonreían aunque sus labios no pudieran hacerlo—. Lo entiendes, ¿verdad, Bonnie? —reiteró su madre—. Tú tienes una casa, y un marido, y un bebé en camino. Nick, nada. Necesita algo sólido en que apoyarse.

—Haz lo que quieras, mamá —dijo Bonnie—. La casa no me interesa. Nada me interesa.

—Mentiste, ¿verdad? —le preguntó la figura que estaba en la cama, tendiendo la mano para alcanzar la de Bonnie, e impedir que se alejara de su reflejo—. Nunca supiste mentir.

Bonnie intentó apartarse, pero la mano de la mujer era demasiado ágil, demasiado fuerte. Sintió que la arrastraba, inexorable, hacia la figura que había en la cama.

—No —protestó—. Déjame en paz, por favor.

—Mírame —le ordenó la mujer.

Bonnie se tapó los ojos.

—No. No.

—Mírame —ordenó otra vez la mujer, apartando las manos de Bonnie de su rostro con los esqueléticos dedos.

Bonnie bajó las manos, las dejó colgando a los lados. Abrió los ojos y miró a la mujer que estaba en la cama mientras todas las sombras de su pasado se desmoronaban.

Su madre la observó con atención, el grueso cabello oscuro recogido y atado con un antiguo pasador de plata, los ojos profundos y fríos como un océano ártico, la pálida piel tensa sobre unas orgullosas mejillas, la delicada y respingona nariz sobre una sonrisa poco convincente.

—Pareces cansada —dijo su madre, abrochándose el último botón de la blanca bata de cuadros.

—De un tiempo a esta parte no me encuentro demasiado bien —dijo Bonnie.

—¿Has ido al médico?

—Sí. —Hizo una pausa, y tragó saliva—. Pensé que a lo mejor podías ayudarme.

—¿Yo? ¿Cómo?

—No estoy segura.

—¿Por qué has venido?

—Quería verte.

—¿Qué crees que puedo hacer por ti?

—No lo sé —respondió Bonnie, con sinceridad, sondeando las paredes en busca de respuestas, pero en vano—. ¿Sabías que Nick vendió la casa a papá poco después de tu muerte?

—Necesitaba dinero para pagar a los abogados.

—Tú le habías dado ya dinero para pagar a los abogados.

—La casa era demasiado grande para él. Además, le encantaba viajar. Recuerda aquel viaje que hizo cuando terminó los estudios; recorrió todo el país solo...

—Deja de inventar excusas para él.

—Es mi hijo.

—¡Y yo soy tu hija!

Su madre no dijo nada. Bonnie se quedó contemplando el espejo, enfrentándose a las interminables repeticiones de madre e hija que se reflejaban en él. Generaciones de madres e hijas, tan cercanas como sus propios reflejos, y tan inalcanzables.

—No me había dado cuenta de que la casa significaba tanto para ti —dijo su madre.

—No es la casa —gritó Bonnie—. La casa no me importa.

—Entonces no lo entiendo.

—La que me importas eres tú. Te quiero a ti.

—Yo también te quiero —dijo su madre, imperturbable.

—No —protestó Bonnie—. En tu corazón sólo había sitio para un hijo, y ese hijo era Nick.

—Eso es ridículo, Bonnie. Siempre te he querido.

—No. Tú dependías de mí. Contabas conmigo. Yo era tu niña buena, ¿recuerdas? La niñita encantadora. La buenaza, como solías llamarme. Tú confiabas en mí. Pero querías a Nick.

—Estás diciendo tonterías, Bonnie —protestó su madre, y el agravio apretaba cada una de sus palabras como una goma elástica—. Esperaba más de ti.

—Siempre esperaste más de mí —repuso Bonnie—. Y yo siempre cumplí tus esperanzas. ¿No es así? ¿No salí siempre airosa? ¿No corrí siempre ese kilómetro extra?

Su madre no replicó.

—Me he pasado la vida intentando hacerte feliz. Tratando de complacerte. Procurando que te encontraras mejor. Cuando era pequeña, solía pensar que quizá estabas enferma por algo que yo había hecho, y pensaba que si conseguía ser la niña perfecta y no causarte problemas, tú te pondrías mejor. Incluso cuando fui mayor, y comprendí que tus problemas no tenían nada que ver conmigo, seguía pensando que quizá yo conseguiría que volvieras a ponerte bien. Hacía tratos con Dios. Le prometía todo con la condición de que te pusieras bien, de que fueras feliz. Y cuando papá se marchó, me sentí más responsable aún. Me esforzaba todavía más. Cocinaba, limpiaba la casa, en el colegio sólo sacaba sobresalientes. Cuando Nick empezó a meterse en líos, yo me portaba aún mejor, para compensártelo. Pero por mucho que me esforzase, por mucho que rezase, por muy buena que fuese, tú no mejorabas. Nunca salías de casa, salvo para ir al médico. ¿Te das cuenta de que ni una sola vez fuiste a verme en una obra de teatro del colegio? ¿Que jamás conociste a ninguno de mis maestros? ¿Que ni siquiera asististe a mi graduación en el instituto?

—¡Estaba enferma!

—¡Siempre estabas enferma!

—¿Te atreves a culparme?

—¡No! —gritó Bonnie. Y luego—: ¡Sí! ¡Sí, te culpo! —Soltó un hondo y angustiado lamento—. ¿Era aquello vida para unos niños? No podíamos invitar a nuestros amigos. Sólo podíamos hablar en susurros. Nos estaba prohibido poner la radio fuerte, tener mascotas, pelearnos... Teníamos que vigilar todo cuanto hacíamos y decíamos por si te molestaba y te hacía empeorar. Los médicos siempre te animaban a levantarte de la cama, a salir de casa. Te decían que podías hacer vida normal, que no eras ninguna inválida, que no necesitabas guardar cama.

—¡Médicos! —volvió a decir su madre con desprecio—. ¿Para qué sirven?

—Pues mira por donde, deberías saberlo. Tuviste cientos. Cambiabas de médico cada vez que uno te decía algo que no querías oír. Siempre encontrabas a otro nuevo dispuesto a escuchar tu letanía de dolores y molestias, alguien dispuesto a recetarte más pastillas. ¿Te has planteado alguna vez que quizá fuera la combinación de todas las pastillas que te tomabas lo que te provocó el ataque de apoplejía?

—¡Tonterías! Sabes tan bien como yo que tenía el corazón delicado...

—Un soplo cardíaco. Hay millones de personas que tienen lo mismo, y llevan una vida de lo más normal y productiva.

—Tenía alergias y jaquecas.

—Y un marido y dos hijos que te necesitaban.

—Hacía lo que podía.

—¡No hacías nada! —Bonnie cerró los ojos, notó que la habitación daba vueltas—. Tú nos abandonaste mucho antes que papá.

Hubo un silencio.

—No era la casa lo que me importaba —añadió Bonnie, obligando a sus pensamientos a traducirse en palabras, intentando poner en orden todo lo que sentía—. A nivel racional entendí por qué se la dejabas a Nick. Lo entendí. Pero hizo que me sintiera tan marginada... Tan abandonada una vez más.

Bonnie se levantó, anduvo hasta la cómoda, y miró fijamente a su madre a través de las capas de cristal.

—Cuando supe que estaba embarazada, me moría de ganas de decírtelo. Habíamos pasado unos meses horribles: la detención de Nick, tu ataque... Y pensé que mi noticia te salvaría. —Bonnie se echó a reír—. Después de tantos años, después de todo lo que había pasado yo seguía con la idea de que tenía el poder de curarte. Y si yo no lo conseguía, sin duda mi hija, sí. Mi bebé haría que resurgieras, te daría la fuerza que necesitabas, las ganas de vivir. El deseo de recibir su primera sonrisa, de verle dar su primer paso te haría cambiar. Me convencí de que estarías al lado de mi niña como nunca habías estado al mío, de que serías la abuela perfecta, le harías ropita a punto de media y pasteles de manzana. —A su pesar, se imaginó a Adeline, que estaba abajo en la cocina—. Pero ni siquiera eso fuiste capaz de hacer, ¿verdad? —Bonnie siguió presionando—. Tuviste que morirte antes de que naciera Amanda. Ni siquiera me permitiste el placer de enseñarte a mi hija.

—¿Crees que lo hice a propósito? —preguntó su madre.

—Eso me trae sin cuidado —dijo Bonnie—. Lo que me importa es que no estuviste allí, que nunca has estado a nuestro lado. Ni con papá, ni con Nick, ni con Amanda, y conmigo mucho menos.

Su madre se cruzó de brazos, contemplando su regazo.

—¿Qué te ha ocurrido, Bonnie? —preguntó con amargura—. Siempre fuiste una niña tan buena.

—¡Yo no era buena! —chilló Bonnie; vio cómo temblaban los espejos, haciendo chocar los reflejos pasados (la ansiosa niñita con su vestido blanco, la preocupada adolescente, la consternada joven veinteañera, la nerviosa novia, la agitada mujer encinta...; todas ellas se acobardaron, se taparon los oídos)—. ¿Sabes cuántas veces deseé verte muerta? —gritó Bonnie—. ¿Tienes idea de cómo deseaba que tu corazón dejara de latir? —inquirió, y al reconocerlo sintió que su corazón se rasgaba, y luego se rompía—.

¿Sabes que al tiempo que rezaba para que te pusieras mejor rezaba para que te durmieras y no te despertaras más? ¡Dios mío, yo no soy buena! No soy nada buena. —Bonnie se derrumbó junto al borde de la cama. Apoyó la cabeza en el regazo de su madre y estalló en sollozos.

Pasados unos minutos sintió que la mano de su madre le acariciaba la nuca con los dedos.

—Te quiero —susurró su madre, su voz cada vez más débil.

—Yo te quiero más —lloró Bonnie.

—No pasa nada —decía una voz—. Tranquilízate, Bonnie. Todo se arreglará.

Cuando levantó lentamente la cabeza, vio que Adeline, de pie a su lado, le acariciaba la nuca con los dedos. Bonnie miró la cama, palpó el edredón azul celeste, liso y plano al tacto de sus manos. La cama estaba vacía. Su madre se había ido.

—Tu padre y yo te hemos oído llorar —explicó Adeline—. Estábamos preocupados.

—Lo siento —se disculpó Bonnie secándose los ojos—. No era mi intención preocuparos.

—No te disculpes. No hay nada malo en estar triste. Ni tampoco en llorar.

Bonnie asintió con la cabeza, y se obligó a ponerse en pie.

—Tengo que irme.

—¿Seguro, Bonnie? —preguntó Adeline—. Nick acaba de llamar por teléfono. Cuando le he comentado que estabas aquí, ha dicho que llegaría dentro de unos minutos.

—No puedo esperar. Tengo que volver a casa.

—A tu padre y a mí nos encantaría que te quedaras a cenar. Podrías avisar a tu casa e invitar a toda la familia. Para nosotros sería un placer...

—Gracias, pero no puede ser. Rod está fuera de la ciudad, y yo no me encuentro muy bien.

—Entonces otro día quizá.

—Quizá —repitió Bonnie. Echó un último vistazo a la habitación antes de dejar atrás los fantasmas y las sombras de su pasado.

26

Al llegar a su casa, Bonnie lo encontró allí, esperándola.

—Josh —dijo Bonnie con una mezcla de sorpresa y agradecimiento. Cuando lo vio de pie, en el camino a la casa, salió del coche y tuvo que contener el impulso de arrojarse en sus brazos.

—Veo que tu coche funciona ya —dijo él.

Bonnie miró su reloj, bastante abochornada por lo mucho que le había alegrado verlo; confiaba en que no se le hubiera notado demasiado en la expresión. Eran casi las cinco.

—¿Qué haces aquí? —preguntó.

—Se me ha ocurrido pasar para ver cómo estabas. Te he traído un poco de caldo de pollo. —Le mostró un enorme tarro lleno de líquido claro.

Bonnie se atusó el corto cabello con timidez y abrió la puerta de la casa. Antes de hacerle señas para que entrara con ella, examinó el suelo con mirada cautelosa.

—¿Hola? —llamó. Se dirigió a la cocina, cogió a Josh el tarro de caldo y lo dejó sobre el mármol—. ¿Hay alguien en casa? ¿Lauren? ¿Amanda? —Regresó al vestíbulo y consultó de nuevo su reloj—. ¿Sam? —Escudriñó otra vez el suelo con mirada atenta—. ¿*L'il Abner*? —murmuró por lo bajo. ¿Dónde se habían metido todos?

—Están en casa de Diana —dijo Josh a su espalda.

Bonnie se volvió en redondo, tan deprisa que le dio vueltas la cabeza.

—¿Qué?

Josh le mostró una hoja de papel.

—Te han dejado una nota en la mesa de la cocina. Toma. —Le tendió la hoja. Bonnie tendió la mano para cogerla, perdió el equilibrio, y notó que su cuerpo oscilaba. Al cabo de un instante estaba en brazos de Josh, y la habitación bailaba alrededor de su cabeza.

—Deja que te dé un poco de agua —se ofreció Josh. La condujo a la cocina, e hizo que se sentara en una silla, y mientras la vigilaba, fue al fregadero y llenó un vaso con agua fresca.

—Me parece que no es la primera vez que pasamos por esto —dijo Bonnie.

Él sonrió. Le acercó el vaso a los labios.

—¿Te encuentras bien? ¿Quieres que llame a un médico?

Bonnie dio un largo trago.

—He ido al médico esta mañana. Me ha recetado unas pastillas.

—¿Te toca tomar alguna ahora?

Bonnie miró su reloj, pero fue incapaz de distinguir la manecilla larga de la corta. Se desenfocaban y se entrelazaban, perdidas entre números que a Bonnie nada le decían.

—No, hasta dentro de una hora —dijo Bonnie recordando que hacía pocos minutos eran casi las cinco. Bebió otro sorbo de agua—. No es nada. Creo que hoy me he cansado demasiado. —Se dio cuenta de que estaba agotada, y que necesitaba acostarse un poco. Tanto conducir. Todos aquellos recuerdos. Hablar con la familia de origen no era precisamente como pasear por la playa. Se imaginó a Rod en Florida; luego se preguntó qué estarían haciendo sus hijos en casa de Diana.

—¿Qué dice la nota? —preguntó Bonnie.

—«Bonnie —leyó Josh en voz alta—, hemos ido a casa de Diana para empezar a empapelar el cuarto de baño. Nos hemos llevado a Amanda. Volveremos sobre las seis.» Firmado: «Sam y Lauren». —Volvió a dejar la hoja encima de la mesa—. ¿Quieres que te caliente un poco de caldo?

Bonnie sonrió.

—Gracias. Creo que me sentará bien.

Sin más demora, Josh vació el contenido del frasco en un cazo, y se puso a removerlo lentamente mientras se calentaba al fuego.

—Está delicioso —dijo Bonnie momentos después mientras saboreaba el relajante líquido que le bajaba por la garganta.

—Es una receta secreta de mi madre.

—¿En serio?

—No. Mi madre no sabía cocinar. Y yo no sé decir mentiras. Lo he comprado en una pequeña *deli*[1] de Wellesley.

—Yo tampoco sé decir mentiras —replicó Bonnie, contenta de que Josh estuviera allí—. Gracias por el caldo. Ha sido muy amable por tu parte que te acordaras de mí.

Josh sonrió.

—De nada.

—Me parece que me echaré un rato antes de que vuelvan —dijo, y se terminó la última cucharada.

Josh la ayudó a llegar al salón, y se quedó mirando cómo Bonnie se tumbaba en el sofá.

—¿A qué hora llega tu marido a casa?

Bonnie se colocó en posición fetal, apoyó la cabeza en un almohadón verde pálido y cerró los ojos.

—Esta semana se encuentra fuera. En una convención que se celebra en Miami.

—¿Sabe que estás enferma?

—No permanecerá allí muchos días. —Bonnie levantó la barbilla lo justo para mirar por entre sus pestañas sin tener que abrir los ojos del todo. Vio que Josh se acomodaba en una de las butacas que había enfrente del sofá—. No hace falta que te quedes. Estoy bien.

—Creo que será mejor que espere a que llegue alguien a casa. No me parece oportuno dejarte sola —dijo él, indicando con su tono de voz la inutilidad de una discusión.

«Gracias», dijo Bonnie, aunque sin palabras, y al instante se quedó dormida.

---

1. *Delicatessen* (establecimiento especializado en comidas —preferentemente exóticas— preparadas).

—¡Mami! —chilló Amanda. Bonnie abrió los ojos y vio a su hija abalanzándose hacia ella—. Hemos estado empapelando paredes. Ha sido muy guay.

Bonnie se incorporó en el sofá, puso los pies en el suelo, e inmediatamente Amanda saltó sobre su regazo.

—Ya veo que has estado muy atareada. —Bonnie limpió un poco de pasta blanca de la mejilla de la niña.

—Ha sido muy divertido. Sam dice que tengo... talento innato —dijo Amanda entre risas.

—¿Ah, sí?

Amanda asintió con la cabeza, orgullosa, y añadió:

—¿Qué quiere decir talento innato?

Bonnie se echó a reír, y en ese momento Sam y Lauren entraron en la habitación. Los dos iban vestidos a la última moda: tejanos rotos y desteñidos, camisetas viejas, y llevaban el cabello recogido en una cola y salpicado de polvo blanco. Hasta el pendiente que Sam llevaba en la nariz estaba manchado de blanco.

—¿De quién es el coche que hay en el camino? —preguntó Sam.

—Mío —contestó Josh entrando en la sala.

«¿Dónde se había metido?», se preguntó Bonnie, y también se preguntó qué hacía allí. ¿Había ido sólo para saber cómo se encontraba?

—Hola, señor Freeman —dijo Sam—. ¿Qué hace por aquí?

—Pues en la cocina —respondió el profesor—, trabajando como un esclavo. Os estoy preparando la cena —explicó—. Me pareció que Bonnie estaba demasiado cansada para cocinar, y yo sé hacer unos perritos calientes deliciosos.

—¿Perritos calientes? —Amanda se puso a dar palmadas, loca de alegría.

—Y judías blancas —añadió Josh guiñando un ojo.

—No hacía falta, Josh —dijo Bonnie.

—¿Es ya la hora de la pastilla? —preguntó él.

—¿Qué pastilla? —preguntó Lauren.

—Bonnie ha ido al médico —explicó Josh—. Y éste le ha recetado unos antibióticos. Voy a buscarlos. —Volvió a la cocina antes de que Bonnie hubiera tenido tiempo de protestar.

—¿Qué te ha dicho el médico? —preguntó Lauren.

—No gran cosa en realidad, sólo que podría tratarse de una infección del oído interno. —Se encogió de hombros—. Pero no es seguro.

—En casa de Diana hemos jugado a disfrazarnos —intervino Amanda.

—Se ha metido en el armario de Diana —dijo Lauren con timidez—. He intentado impedírselo.

—Diana tiene ropa muy bonita —intervino Amanda.

—Sí —dijo Bonnie—. Pero no creo que le guste mucho que tú juegues con ella. Espero que lo hayas dejado todo tal como lo encontraste.

Amanda se puso a hacer pucheros, frunciendo los labios de tal manera que daban ganas de comérsela a besos.

—Yo la he ayudado —dijo Lauren.

Sonó el teléfono.

—¿Quieres que conteste yo? —preguntó Josh Freeman desde la cocina.

—Sí, por favor. —Bonnie pensó que seguramente sería Rod, y se preguntó cómo reaccionaría al oír que una voz masculina contestaba al teléfono de su casa.

—¿Quién demonios es Josh Freeman? —preguntó Rod segundos después, cuando Bonnie cogió el teléfono de manos de Josh y se sentó en una silla de la cocina que el hombre había apartado para ella.

—El profesor de artes de Sam —susurró Bonnie—. ¿Te acuerdas? Estaba en el funeral de Joan.

—¿Qué hace en casa?

—Ha venido a ver cómo me encontraba. ¿Qué tal va todo por Miami? —preguntó Bonnie. Quería cambiar de conversación; tampoco ella estaba muy segura de qué hacía Josh Freeman en su casa.

—Muy bien. Todo va saliendo mejor de lo que esperábamos. Los asociados están enamorados de Marla. Se los ha metido en el bolsillo.

Josh tendió el brazo y le mostró la palma de la mano. Una tableta blanca descansaba sobre su larga y firme línea de la vida.

Bonnie cogió la pastilla, se la metió en la boca y se la tragó con la ayuda del agua que Josh le había llevado en un vaso.

—¿Qué tal te encuentras? —preguntó Rod, como si se hubiese acordado por casualidad de que Bonnie estaba enferma.

—Más o menos igual. He ido al médico. Me ha recetado unos antibióticos.

—¿Qué médico?

—El doctor Kline.

—¿Quién es?

—Uno que me recomendó Diana —mintió Bonnie; le pareció que sería más fácil que contarle que había ido a ver al doctor Greenspoon. No porque pretendiera guardarlo en secreto, sino porque habría sido demasiado complicado explicárselo por teléfono.

—¿Habéis encontrado la serpiente?

Automáticamente Bonnie dirigió la mirada a sus pies.

—Todavía no.

—Bueno, intenta no preocuparte demasiado por eso. Creo que ha pasado a la historia.

Bonnie asintió con la cabeza, vio a Sam entrar en la cocina, y sacar un refresco de la nevera.

—¿Estás ahí, Bonnie?

—Sí, perdona. Intentaré no preocuparme.

—Muy bien. Oye, tengo que irme corriendo. Marla ha organizado no sé qué reunión con uno de los jefazos de la cadena a las siete en punto, y he de repasar unas notas. Te llamaré mañana. Te echo de menos —añadió antes de cortar la comunicación.

—Hasta mañana —dijo Bonnie, y colgó el auricular mientras Josh Freeman ponía una bandeja llena de perritos calientes en la mesa de la cocina.

—La cena está servida —anunció. Sam, Lauren y Amanda se sentaron con avidez alrededor de la mesa—. Perritos calientes para todos. —Miró a Bonnie, y añadió—: Caldo de pollo para ti.

El teléfono sonó a las dos y veintitrés de la madrugada. Bonnie se incorporó de un brinco, sacudiendo con violencia los brazos ante ella, como si quisiese protegerse del sonido. Tardó unos segundos en comprender qué ocurría, y unos segundos más en encontrar el teléfono y acercarse el auricular al oído.

—¿Diga? —contestó sin aliento.

Nada.

—¿Diga? ¡Maldita sea! ¿Quién es?

Silencio, luego un extraño chasquido y el silencio de nuevo.

—¿Diga? ¿Quién es? ¿Hay alguien ahí?

El pitido que indicaba que se había cortado la comunicación fue la única respuesta que obtuvo. Bonnie colgó el auricular con rabia y se puso a llorar. Era la primera vez que dormía bien desde hacía varios días, sin que las náuseas, las pesadillas y los porfiados retortijones la molestaran, pero el sueño había sido echado a perder. Al menos parecía que los antibióticos estaban haciéndole efecto. Se enjugó las lágrimas y se levantó de la cama; encendió la luz y revisó el suelo, el alféizar y las cortinas.

Salió al pasillo. Decidió aprovechar la ocasión para realizar una de sus rondas nocturnas. Avanzó en la oscuridad, siguiendo los zócalos con la mirada, hasta la habitación de Sam; vio el terrario de la serpiente iluminado, los dos ratones blancos hechos un ovillo sobre el fondo cubierto de piedrecillas. Primero serpientes, y ahora ratas. «No puedo creer que esto me esté pasando a mí», pensó Bonnie, y siguió caminando por el pasillo; se detuvo ante la puerta abierta de Amanda, con el corazón encogido.

¿Acaso no había advertido a Amanda que debía dejar la puerta de su habitación cerrada hasta que encontraran a *L'il Abner*?

—Acuérdate de cerrarla siempre si te despiertas de noche y tienes que ir al cuarto de baño —le había repetido varias veces. Y allí estaba, abierta de par en par.

¿Qué se le iba a hacer? Entró en la habitación de su hija y escudriñó la oscuridad. Amanda era una chiquilla, ni siquiera tenía cuatro años. No podía esperar que se preocupara por aquellas cosas. Para eso estaban las madres.

Bonnie se acercó a la cama de la pequeña con paso lento, ajustando sus ojos a la oscuridad; posó una mano sobre el enorme canguro de peluche y escuchó la acompasada respiración de Amanda. Con cuidado encendió la lámpara Big Bird que había junto a la cama. La niña se movió un poco, pero no llegó a abrir los ojos. Bonnie echó un rápido vistazo a su alrededor. Había osos, perros, ranas... Pero ni rastro de serpientes, comprobó con alivio. Apagó la luz y regresó al pasillo.

La puerta de Lauren estaba cerrada. Bonnie la entreabrió y se asomó; la cerró enseguida tras oír el delicado ronquido de Lauren. Luego volvió a su habitación y se metió en la cama, donde se quedó acostada despierta, hasta que se hizo de día.

Josh Freeman la llamó por teléfono al día siguiente por la tarde.

—Tengo un rato libre. Llamaba para saber cómo te encuentras.

—¿Me telefoneaste anoche? —preguntó Bonnie.

—¿Anoche? ¿Cuándo? ¿Te refieres a después de que me marchara?

—Me refiero a anoche, a las dos y veintitrés minutos exactamente.

—¿Por qué iba a llamarte yo a las dos y media de la madrugada?

—Perdona —se disculpó Bonnie—. Estoy un poco confusa. Claro que no eras tú.

—¿Te han llamado a las dos y media de la madrugada? ¿Qué te han dicho?

—Nada. Sólo esperaron unos minutos, y luego colgaron.

—¿Has avisado a la policía?

—¿Para qué? Sería un chiflado.

—De todas formas no estaría de más que informaras a la policía —la aconsejó él.

Bonnie asintió con la cabeza, pero no respondió.

—¿Cómo te encuentras?

—La verdad es que me siento un poco más fuerte —dijo Bonnie desde la cama—. Parece ser que los antibióticos me están sentando bien.

—¿Necesitas más sopa de pollo?

—Creo que con la que me trajiste tengo para toda una semana.

—¿Y qué dices de un poco de compañía?

—¿Por qué? —preguntó ella, y a los dos les sorprendió la pregunta.

—¿Por qué? —repitió él.

Bonnie vaciló.

—Al principio no querías hablar conmigo —le recordó quedamente; pensaba lo mucho que le apetecía verlo—. Y ahora me traes sopa de pollo y preparas la cena a mis hijos. ¿Qué ocurre?

Hubo una larga pausa.

—Me caes bien —dijo él sencillamente—. Y me pareció que necesitabas un amigo. Igual que yo.

Sonó el timbre de la puerta.

—Llaman a la puerta —dijo Bonnie, agradecida por aquella oportuna interrupción—. Será mejor que vaya a ver quién es.

—Telefonearé más tarde, si te parece bien.

—Sí —dijo ella—. Me parece bien.

El timbre de la puerta volvió a sonar cuando Bonnie llegaba al último escalón. Se tapó a conciencia con la bata.

—Un momento —dijo, con las piernas fatigadas por el súbito ejercicio—. ¿Quién es?

—Tu presidiario reincidente favorito —fue la respuesta.

Bonnie apoyó la frente en la dura madera de la puerta de su casa. «¿En qué momento perdí las riendas de mi vida?», se preguntó.

—¿Qué quieres, Nick?

—Verte.

—No me encuentro demasiado bien.

—Eso tengo entendido. Déjame entrar. Quiero hablar contigo.

Bonnie inspiró hondo y abrió la puerta.

—Madre mía, ¿qué te has hecho en la cabeza? —preguntó Nick; él llevaba el oscuro cabello rubio cortado y cepillado a conciencia, dejándole la frente al descubierto. Tenía la delicada nariz de su madre, constató Bonnie. Se apartó para dejarle entrar.

—¿Me llamaste por teléfono anoche?

—¿Anoche? No. ¿Tenía que llamarte?

—Alguien me llamó a las dos y veintitrés de la madrugada —dijo Bonnie; entró en la cocina, sacó el tarro de caldo de pollo de la nevera, puso un poco en un cazo y encendió un fogón—. ¿Te apetece un poco de caldo?

—¿Crees que te llamé en plena madrugada? No, no quiero caldo.

—No sería la primera vez que lo haces —le recordó su hermana.

—Pero aquello fue porque dijiste a Adeline que te interesaba mucho localizarme.

—Así que no fuiste tú quien llamó anoche —dijo Bonnie.

—No, no fui yo. —Retiró una silla y se sentó—. ¿Quieres contarme qué ocurrió?

Bonnie se encogió de hombros.

—No hay nada que contar. Alguien llamó, y luego colgó. Fin de la historia.

—Tengo entendido que Rod está en Florida —dijo Nick tras una pausa.

—¿Qué insinúas?

—Nada. Se llama conversación.

—Creía que insinuabas que quizá había sido Rod.

—Ni se me ha pasado por la imaginación. ¿Por qué? ¿Crees que pudo haber sido él?

—Por supuesto que no —dijo Bonnie enseguida. (¿Verdad que no?)

—Mira —dijo Nick—, sólo he pasado para ver cómo estabas. Adeline me había contado que habías ido a verles ayer. Yo esperaba que todavía estuvieras allí cuando volviera del trabajo, pero Adeline me dijo que tuviste que marcharte porque no te encontrabas muy bien.

—¿Qué más te contó Adeline?

—Que papá y tú tuvisteis una larga charla.

—¿Eso te dijo papá?

—Ya conoces a papá. Él...

—No habla demasiado —dijo Bonnie terminando la frase por su hermano.

—Lo que sí sé es que estaba contento de tu visita, Bonnie. Se le notaba en la cara. Era como si le hubiesen quitado una larga sombra de ella.

La sopa empezó a hervir. Bonnie retiró el cazo del fuego, y echó sopa caliente en un cuenco.

—¿Seguro que no quieres un poco?

—Prefiero una cerveza, si tienes.

Bonnie señaló la nevera.

—Sírvete tú mismo.

A continuación se sentaron frente a frente a la mesa de la cocina, Bonnie tomando su sopa; Nick, su cerveza. «¿Quién lo iba a decir?», pensó Bonnie, admirada de la inagotable capacidad de sorpresa del cerebro humano.

—¿Cómo va la investigación del asesinato? —preguntó Nick de súbito.

La pregunta pilló desprevenida a Bonnie: empezó a temblarle la mano, y el caldo de la cuchara cayó en la mesa.

—¿Qué?

—Ten cuidado —la avisó Nick—. Quema. —Cogió una servilleta que había encima del mármol y limpió la mesa—. Te he preguntado si hay alguna novedad respecto a la investigación de la policía.

—¿Por qué me lo preguntas?

Nick se encogió de hombros.

—Hace tiempo que no leo nada en los periódicos. Sólo preguntaba si sabrías algo.

—¿Como qué?

—Pues, por ejemplo, si la policía tiene alguna pista para descubrir al asesino de Joan.

—Sé lo mismo que tú —dijo Bonnie mirándolo a los ojos, intentando leer los pensamientos que se ocultaban detrás de ellos.

Nick se llevó la botella de cerveza a los labios, echó la cabeza hacia atrás, torciendo el cuello por completo, y bebió el rico líquido marrón como si inhalara el humo de un cigarrillo.

—No hay nada como una buena botella de cerveza fría —dijo.

—¿Y tú? ¿Has oído algo? —preguntó Bonnie.

—¿Yo? —se echó a reír—. ¿Qué quieres que oiga yo?

—A lo mejor la policía ha vuelto a interrogarte.

—¿Todavía crees que pude haber matado a Joan?

—¿La mataste?

—No. —Bebió otro sorbo de cerveza—. Tengo una coartada, ¿lo has olvidado?

—No estoy segura de que nuestro padre pueda ser considerado un testigo imparcial.

—No sería la primera vez que te equivocas con él.

Hubo un silencio.

—Quizá también te equivocas conmigo —añadió Nick.

—Lo dudo —repuso Bonnie con terquedad. Se tomó lo poco que quedaba de caldo en el cuenco y dejó éste en el fregadero de la cocina. Sintió que el suelo oscilaba bajo sus pies—. No sería la primera vez que estás relacionado con un asesinato, ¿verdad? —preguntó—. ¿O sigues insistiendo en que te engañaron?

—Yo estaba en el coche mientras Scott Dunphy preparaba el golpe... —le recordó Nick, mienras ella veía danzar ante sus ojos viejos recortes de periódico. «Los recortes del álbum de Joan», comprendió, y sintió que le costaba trabajo respirar.

—Se encontraban de pie a medio metro de ti —lo interrumpió ella—. ¿Cómo no ibas a oír lo que decían?

—La ventanilla del coche estaba cerrada.

—De modo que no oíste ni una palabra, y tampoco tenías ni idea de por qué tu sospechoso socio entregaba diez mil dólares en metálico a un perfecto extraño. ¿Y pretendes que me lo crea?

—Es más complicado de lo que te imaginas.

—No me digas.

Hubo otro momento de silencio.

—Yo no maté a Joan —dijo Nick finalmente.

Bonnie asintió con la cabeza, sin hacer comentarios. ¿Para qué? Vio como la habitación se inclinaba de pronto y el techo descendía hacia el suelo. Se apoyó en el mármol de la cocina, intentó fijar la vista en el gran arce que había fuera, frente a la ventana, y sus ramas se mecían con la suave brisa. Dirigió la mirada hacia la litografía de Chagall que había en la pared, y la vaca del cuadro caía por el tejado de la casa. Sintió que se le doblaban las rodillas. Vio el dibujo de Amanda, aquellas personas con la cabeza cuadrada, y notó que su cabeza también tenía la forma de una caja. ¿Qué le ocurría? ¿Le tocaba ya tomar otra pastilla? Intentó fijar la vista en su reloj, pero dejó de intentarlo al constatar que no distinguía los números. Miró el reloj de pared digital que había sobre la encimera, pero también ése estaba borroso para ella: sus números se movían sin cesar. «El reloj de mi coche es digital», recordó haber dicho a la policía, y haberse reído después de lo absurdo que resultaba todo. ¿Por qué nadie le dijo entonces que todo aquello no iba a hacer otra cosa que empeorar?

—Bonnie —dijo Nick, su voz acercándose hacia ella pesadamente, como si estuviese cubierta de una densa melaza—. ¿Qué te ocurre? ¿Estás bien?

Bonnie dio un paso atrás, y se horrorizó cuando comprobó que no notaba el suelo bajo sus pies.

—¡Ayúdame! —gritó. La habitación se oscureció por completo, y Bonnie notó que resbalaba de cabeza hacia el abismo.

27

Cuando abrió los ojos, se encontró en la cama, con Nick a su lado, sentado en una silla.

—¿Qué ha ocurrido? —preguntó, incorporándose con lentitud y apoyando la espalda contra el cabezal de la cama.

—Te has desmayado —respondió su hermano. Se acercó a la cama y se sentó con cuidado en el borde.

Bonnie miró a su alrededor, fuera todavía había luz.

—¿Cuánto rato hace de eso?

—No mucho. Quizá una hora.

—¿Y los niños?

—Sam y Lauren han venido del instituto pero se han vuelto a marchar enseguida. Dijeron algo de empapelar el cuarto de baño de Diana. Amanda todavía no ha llegado.

—No. La han invitado a pasar la tarde en casa de una amiguita. La traerán sobre las cinco y media. Tengo que levantarme y ponerme a preparar la cena. —Inspiró hondo. Notaba la cabeza bastante pesada, como si su cuello no pudiera con ella. ¿Qué le ocurría? ¿Sufría una recaída? Se encontraba peor que nunca.

—Quédate donde estás. Ya he dicho a los chicos que cuando volvieran a casa encargaríamos pizzas.

—Esto es ridículo —se quejó Bonnie—. No puedo pasarme la vida en la cama.

—¿Quién ha dicho que te pases la vida en la cama? —preguntó Nick—. Tú no eres nuestra madre, Bonnie. Unos cuantos días no son toda la vida.

Bonnie intentó sonreír, pero sus labios temblaron y luego se contrajeron; entonces Bonnie desistió.

—¿Desde cuándo eres un tipo tan amable? —preguntó.

—Te han llamado por teléfono mientras dormías —dijo Nick, ignorando la pregunta—. Dijo que se llamaba Josh Freeman, y que era un amigo tuyo.

Bonnie asintió con la cabeza.

—Es un profesor del Instituto Weston. Ayer vino a verme y me trajo caldo de pollo.

—Vaya —dijo Nick, dándole unas palmaditas en los pies—, al parecer no faltan hombres dispuestos a cuidar de ti.

«Excepto mi marido», pensó Bonnie.

—Excepto tu marido —dijo Nick.

Sonó el teléfono. Era Rod.

—¿Todavía estás en la cama? —preguntó, incrédulo.

—Por lo visto no consigo librarme de este virus.

—¿Qué dice el médico?

—Que mañana me llamaría con los resultados de los análisis —respondió ella. Sabía que no era la respuesta a la pregunta formulada por Rod, pero la consideró válida. Se quedó mirando a Nick, que paseaba, nervioso, entre la cama y la ventana.

—¿Cómo están los niños? —preguntó Rod.

—Creo que bien. Lauren está bien. De momento, nadie más ha caído enfermo. «Gracias a Dios», pensó Bonnie.

—¿Cuándo piensa volver a casa? —preguntó Nick.

—¿Qué? —dijo Rod—. ¿Quién es? ¿Está ese profesor contigo otra vez?

—Es Nick —contestó Bonnie.

—¿Nick? ¿Qué demonios hace ahí?

—Estoy cuidando a mi hermana —gruñó Nick arrebatando el auricular a Bonnie—. Cosa que deberías estar haciendo tú.

—Nick —protestó ella, pero fue una protesta débil, y tuvo que admitir que no era sincera.

—¿Qué demonios está ocurriendo ahí? —inquirió Rod, con voz lo bastante fuerte para que Bonnie lo oyera.

—Tu mujer está enferma. Se ha desmayado hace menos de

una hora, y menos mal que yo estaba aquí para cogerla cuando se cayó.

—¿Que se ha desmayado?

—¿Cuándo piensas volver? —volvió a preguntar Nick.

—Tengo reservado el billete para el sábado por la mañana.

—Pues cambia la reserva —dijo Nick.

Se quedaron los tres callados, como para recobrar el aliento. Luego Rod dijo:

—Déjame hablar con Bonnie.

Nick pasó el auricular a su hermana.

—Rod...

—¿Qué demonios está ocurriendo ahí, Bonnie?

—No me encuentro bien, Rod.

—Quieres que interrumpa mi viaje, que vuelva a casa antes de lo previsto, ¿no es eso? —Su voz estaba suplicando un simple «No».

Bonnie cerró los ojos, tragó saliva; tenía las encías impregnadas de un rancio sabor a sangre.

—Sí —respondió.

Hubo un incómodo silencio.

—Muy bien —dijo Rod—. Veré si puedo conseguir plaza en alguno de los vuelos que salen mañana.

Bonnie se echó a llorar.

—Lo siento, Rod. No sé qué me sucede. No sé qué hacer. Estoy asustada.

—No tienes por qué asustarte, cariño. —Rod se esforzó para que su voz sonara comprensiva—. Sólo se trata de una gripe fuerte. Para cuando yo llegue a casa, seguro que te encuentras mucho mejor.

—Eso espero.

—Está bien, mira, será mejor que me vaya si quiero cambiar mi programa. Nos veremos mañana, cariño. Conserva la calma. Intenta dormir un poco. Y deshazte de ese hermano tuyo. Estabas muy bien hasta que él empezó a aparecer por casa.

Bonnie devolvió el auricular a Nick, que esperaba con el brazo tendido. Le miró cómo colgaba el auricular, y, por primera vez, se fijó en lo marcados que tenía los músculos de los brazos.

«Debía de tener mucho tiempo para hacer gimnasia en la cárcel», pensó mientras intentaba no dar importancia a las palabras de Rod: «Estabas muy bien hasta que él empezó a aparecer por casa.»

«Creí que si me enfrentaba a mi pasado me encontraría mejor», pensó Bonnie, y volvió a taparse con las mantas.

—Vendrá mañana —dijo antes de quedarse dormida.

Cuando abrió los ojos otra vez ya era de noche. Se incorporó, sobresaltada, y una serie de pequeñas bombas de calor explotaron en su interior, empapando su cuerpo en sudor.

—¿Bonnie? —preguntó una voz en la oscuridad.

Ella se asustó, se arrodilló sobre la cama y, reuniendo las mantas a su alrededor, intentó decidir si estaba despierta o dormida.

—No pasa nada. Soy yo, Nick —continuó la voz acercándose un poco más.

Bonnie vio la figura perfilada en la penumbra, el largo cabello rubio, los brazos musculosos, la nariz casi femenina en el centro de aquel rostro tan masculino.

—¿Qué hora es? —preguntó ella. ¿Cuántas veces había formulado aquella pregunta últimamente? ¿Y qué más daba?

—Más de las diez —contestó Nick.

—¿Más de las diez? ¿Y Amanda?

—Durmiendo.

—¿Y Sam y Lauren?

—En sus habitaciones respectivas.

—¿Qué haces aquí todavía?

—Asegurarme de que estás bien.

—No lo entiendo —dijo Bonnie—. ¿A qué viene tanto interés de repente?

—Siempre me has interesado.

Se oyeron unos tímidos golpecitos en la puerta del dormitorio.

—¿Sí? —contestó Bonnie con voz débil.

Sam entró en la habitación con paso casi furtivo, como si temiera tocar el techo con la cabeza, llevaba el cuello estirado y los hombros caídos, buscando a Bonnie en la oscuridad.

—He oído voces y he venido a ver cómo estabas —explicó—. ¿Cómo te encuentras?

—No demasiado bien.

—¿No te hacen efecto las pastillas?

Bonnie se frotó la frente. No recordaba a qué hora se había tomado la última.

—Me parece que ahora me toca tomarlas —dijo.

—¿Dónde están? —preguntó Nick.

—En la cocina.

—Iré a buscarlas —se ofreció Sam, y salió de la habitación.

—Es un chico raro —comentó Nick.

—También tú lo eras —le recordó ella—. Sólo jugabas a policías y ladrones. Pero en aquella época siempre eras el bueno. ¿Qué te ocurrió, Nick? ¿Qué te hizo cambiar de bando?

—Cosas que pasan —dijo Nick—. La gente cambia.

—¿Qué sucedió? ¿Qué cambia?

Nick se apartó el cabello de la frente, y su rostro adoptó una expresión curiosa; miró a su hermana con una intensidad que ni siquiera la oscuridad de sus ojos ocultaba. Bonnie se dio cuenta de que estaba asustada.

¿Qué hacía Nick allí? ¿A qué había acudido a su casa? ¿Por qué había entrado de nuevo en su vida, y precisamente ahora? ¿Qué relación tenía con Joan? ¿Y con su muerte? ¿La había matado él? ¿Pensaba matar también a su propia hermana? ¿Era ésa la razón por la cual se había empeñado en volver a su vida? ¿Por eso estaba en su casa esa noche? Se encontraba tan mal que casi no le importaba. «Si estás decidido, hazlo de una vez», rezó Bonnie en silencio. Cualquier cosa sería preferible al malestar que sentía desde hacía varias semanas.

«Pero no hagas daño a mi hija», resumió su callada súplica mientras Nick se volvía. Aquel pensamiento la obligó a enderezar la columna vertebral. Se mentalizó de que necesitaba conservar las fuerzas. No permitiría que le ocurriera nada a su hijita.

—Te he traído un poco de caldo —dijo Sam al entrar con sigilo en la habitación. Llevaba una taza humeante para Bonnie. Se acercó al borde de la cama, depositó el antibiótico en la palma de la mano de su madrastra, y luego le pasó el caldo—. Ten cuidado, quema mucho. La he calentado en el microondas.

Bonnie se puso la pastilla en la lengua, sopló ligeramente el líquido de la taza y luego tomó un sorbo. La pastilla bajó trabajosamente por su garganta, como una bola de las máquinas del millón. Tomó otro sorbo de caldo, notó que le quemaba la punta de la lengua, pero se lo tragó de todos modos.

—¿Cómo está quedando el cuarto de baño de Diana? —preguntó.

—Fantástico —contestó Sam—. Creo que le gustará.

—Seguro que sí. —Bonnie bebió otro sorbo de caldo.

—Llega este fin de semana. Entonces lo sabremos. —Sam pasó el peso de su cuerpo de un pie a otro—. Estoy un poco cansado —dijo—. ¿Te importa que vaya a acostarme?

—Claro que no —respondió Bonnie.

—Por mí no te preocupes, sé dónde está la puerta —dijo Nick.

Sam sonrió. Caminó arrastrando los pies hacia la puerta, pero antes de salir al pasillo se detuvo.

—Espero que mañana te encuentres mejor.

—Yo también. —Bonnie se volvió hacia Nick—. Estoy segura de que tienes cosas más importantes que estar aquí.

—Nada de eso. En realidad estaba pensando en quedarme a pasar la noche.

—¿Qué? Vamos, no seas tonto. ¿Cómo vas a hacer eso?

—¿Por qué no? Dormiré aquí mismo, en esta butaca. Así me tendrás cerca si necesitas algo.

—No necesitaré nada.

—De todos modos no pienso marcharme —sentenció Nick.

Al principio creyó que los gemidos formaban parte de su sueño.

Estaba de pie en medio de la cafetería del instituto, con la bandeja de plástico del almuerzo en la mano, haciendo cola en el autoservicio.

—Muévete —la instó una voz, y ella avanzó unos centímetros.

332

Entonces, un agudo gemido salió del respiradero del aire acondicionado que había junto a sus pies, lamiendo sus piernas desnudas.

—¿Ocurre algo con el conducto del aire acondicionado? —preguntó a Rod, que iba vestido con el uniforme del vigilante del instituto.

—¿Por qué no echas un vistazo? —sugirió él al tiempo que retiraba la rejilla de ventilación cuadrada que tenía junto a las piernas. De inmediato, el gemido se intensificó, haciéndose más pronunciado. Bonnie se dio cuenta de que alguien había quedado atrapado dentro, y se acercó un poco más.

—Ten cuidado, podría haber serpientes —la previno Rod mientras ella se metía dentro del largo conducto.

—¿Hay alguien? —llamó Bonnie, y su voz rebotó en las paredes del conducto, golpeándole los lados del rostro, como un viento amargo.

—¿Mami? —dijo una vocecilla—. ¡Mami, ayúdame! ¡Ayúdame!

—¿Amanda? —jadeó Bonnie, avanzando a gatas hacia aquella llamada. Pero cuanto más se acercaba, más se alargaba el túnel, y mayor era la distancia que las separaba. La tierra de las paredes del conducto del aire acondicionado empezó a caer sobre la cabeza de Bonnie, amenazando con enterrarla viva.

—¡Mami! —gritó Amanda otra vez, el sonido de su voz desapareciendo en aquel gemido ahora conocido.

—¡Amanda! —gritó Bonnie, bañada en sudor, tanteando en la oscuridad que la rodeaba, agitándola a ciegas.

Su mano tocó el fresco aire del mundo real, y entonces se despertó con el sudor de la frente goteándole hasta el cuello. «¡Dios mío!», pensó. Se incorporó en la cama, y distinguió el cuerpo dormido de su hermano en la butaca, en el extremo opuesto de la habitación. Otra pesadilla que añadir a su colección.

Entonces oyó los gemidos, y comprendió que eran reales; su subconsciente no había hecho más que incorporarlos al sueño, pero no los había inventado.

—¡Amanda! —susurró con apremio; se levantó de la cama y corrió por el pasillo hacia la habitación de su hija; los gemidos se hacían más fuertes con cada uno de sus frenéticos pasos.

Bonnie llegó ante la habitación de Amanda, y cuando vio que la puerta del dormitorio estaba abierta de par en par su respiración se le hizo una prieta bola en el centro del pecho. Musitando una silenciosa plegaria, el aire saliendo de sus pulmones en una serie de breves y dolorosos espasmos, entró en la habitación y encendió la lámpara del techo.

Amanda estaba sentada en la cama, su cuerpecito apretado con fuerza contra la cabeza, las manos sobre la boca abierta, las mejillas llenas de lágrimas, los ojos casi fuera de las órbitas, las mantas en el suelo, rodeada por todas partes de animales: el panda rosa al lado de su cabeza, varios perros blancos y negros alrededor de su cintura, la serpiente viva a sus pies.

Se quedó paralizada ante la escena casi irreal que tenía delante.

La serpiente se había enroscado alrededor del tobillo desnudo de Amanda, y su cuerpo oscilaba con movimientos hipnóticos hacia ella.

—Mami —gimoteó Amanda al ver a su madre inmóvil en el umbral—. Me está apretando el pie, mami. Me duele. Quítamela.

«¡Dios mío!», pensó Bonnie. Notó que su cuerpo vacilaba, que se le iba la cabeza, y entonces se dio cuenta de que iba a desmayarse... ¡No! No podía desmayarse. ¡No iba a desmayarse! Tenía que salvar a su hija. Era lo único que importaba. Aquélla era su hijita, más valiosa para ella que su propia vida. No permitiría que nada malo le ocurriera. Haría cualquier cosa para protegerla.

Un instante después notó que abandonaba su cuerpo, del mismo modo que las serpientes se deshacen de su piel e, ingrávida, se arrojó hacia la cama de Amanda, sin pensar en nada, convertida en animal, actuando movida únicamente por su instinto y su adrenalina. Se lanzó sobre la serpiente, la agarró por la cabeza con una mano, por los tiesos anillos de la cola con la otra. La serpiente se tensó, se volvió más pesada en sus manos, y Bonnie tuvo la impresión de haber asido una barra de hierro. Entonces el reptil empezó a retorcerse, estirando la cabeza hacia la palma de la mano de Bonnie, su largo cuerpo tensándose y apretando en todas direcciones a la vez. Ella se esforzó en soltar los anillos que la serpiente había formado alrededor del pequeño tobillo, pero era como si el animal tuviera sus propios dedos, pulsando rítmicamente contra los de Bonnie. «Qué fuerza tiene», pensó, sin saber si ella tendría la suficiente para sujetarla.

Oyó gritos, sus propios gritos, mientras intentaba soltar la serpiente del tobillo de Amanda. «Ya casi está», se dijo, hincando los dedos en la sedosa piel de la serpiente. Ya casi estaba.

Tiró con todas sus fuerzas y oyó un ruido parecido al de una ventosa al soltarse; la serpiente había dejado libre a Amanda y se retorcía en sus brazos. Pesaba tanto, y era tan fuerte. Bonnie supo que no podría sujetarla mucho rato más; oyó voces, se volvió y vio a Nick en el umbral, con los ojos casi fuera de las órbitas, los brazos extendidos, delante de él con una pistola en las manos que apuntaba directamente a la cabeza de Bonnie.

Ella se quedó boquiabierta y dejó de luchar con la serpiente; abrió las manos y el animal cayó de golpe.

Dio contra el suelo con un ruido sordo y se enroscó, furiosa, dispuesta a defenderse.

—¡No le dispares! —gritó Sam. Apartó a Nick de un empujón y se precipitó en la habitación, arrojándose sobre la furiosa boa constrictor.

La mirada de Bonnie seguía clavada en su hermano, que seguía con la pistola en la mano. ¿Era la misma arma que había utilizado para matar a Joan? ¿Iba a matarla a ella también?

Por el rabillo del ojo vio a Sam que hacía una mueca de dolor, y luego se ponía en pie, la serpiente ofreciendo todavía una resistencia impresionante. Agitado y con la respiración entrecortada, Sam se llevó al reptil de la habitación, limitándose a lanzar a Nick una fugaz mirada.

Bonnie esperó hasta que oyó a Sam cerrar la tapa del terrario; entonces cayó de rodillas y se echó a llorar.

—¡Mami! —gritó Amanda saltando de la cama a los brazos de su madre.

—¿Estás bien, cariño? —preguntó Bonnie. Besó las mejillas de su hijita, le acarició el cabello, y también la amoratada señal que empezaba a formar una pulsera alrededor del tobillo de la niña, como la quemadura de una cuerda.

—¿Qué ocurre? —preguntó una voz desde el umbral. Bonnie

se volvió; Lauren se hallaba de pie, detrás de Nick. Pero no vio la pistola. ¿Era posible que se lo hubiera imaginado?

—Hemos encontrado la serpiente —dijo Amanda.

Bonnie oyó risas, hasta que se dio cuenta de que era ella la que reía.

—Sí, la hemos encontrado —corroboró.

—¿Está aquí? —Lauren se apartó, mirando con recelo alrededor de sus pies.

—Sam se la ha llevado.

Lauren miró a Nick.

—¿Qué haces aquí tan tarde? —preguntó, sin duda aturdida por cuanto ocurría.

—No gran cosa —dijo Nick, y se echó a reír. Se acercó a Bonnie y la ayudó a levantarse—. ¿Estás bien?

—Creo que sí —contestó su hermana, apartándose de él—. Pero me parece que *L'il Abner* ha mordido a Sam.

—No es la primera vez que le muerde —dijo Lauren—. Sus mordeduras duelen, pero no son venenosas.

Bonnie cogió a su hija en brazos; todavía sentía el peso de la serpiente en sus manos. ¿Cómo era posible que aún le quedaran fuerzas?

—Has estado impresionante —dijo Nick—. Recuérdame que nunca me pelee contigo.

Bonnie miró fijamente a su hermano . «Explícate», decían sus ojos.

Nick le devolvió la mirada. «Después», respondieron los suyos.

—¿Vas a matarnos? —preguntó Bonnie a su hermano cuando por fin los chicos se quedaron dormidos. La serpiente estaba en su terrario; las ratas habían desaparecido.

—¿Es, eso lo que piensas? —preguntó Nick—, ¿que he venido a mataros?

—Ya no sé qué pensar —dijo Bonnie con sinceridad. Todos los músculos de su cuerpo le pedían a gritos que se acostara.

—No he venido para haceros daño, Bonnie.

—¿Para qué entonces?

—Pensé que así te protegería —dijo él después de una pausa.

—No sabía que los expresidiarios pudieran ir armados.

—No pueden.

Bonnie se sentó a los pies de su cama. ¿Qué sentido tenía intentar hablar con su hermano? ¿De verdad pensaba que le diría algo?

—¿Crees que deberíamos haber insistido a Sam para que fuera al hospital? —preguntó.

—Ha dicho que con unas cuantas tabletas analgésicas de las fuertes no tendría problemas para pasar la noche, y que, si le parecía necesario, mañana temprano iría al médico para que le examinaran las mordeduras.

Bonnie asintió con la cabeza. Había ayudado a Sam a lavarse la herida a conciencia, y había vigilado que se aplicara un ungüento antiséptico especial. Sam no había nada comentado acerca de la pistola. Quizá ella lo había imaginado todo.

Había acostado a Amanda en la habitación de Lauren, y la pequeña se ovilló enseguida junto a Lauren, que la rodeó con sus brazos. El sonido de la respiración de las dos se fue confundiendo a medida que se quedaban dormidas.

—¿Es ésa la pistola que mató a Joan? —preguntó Bonnie fijándose de pronto en que el extremo de la culata del arma sobresalía bajo el cinturón de su hermano.

—El arma que mató a Joan era un 38 —dijo Nick con pragmatismo—. Ésta es una Magnum 357.

—¿Y se supone que eso debería tranquilizarme? —preguntó Bonnie constatando que en verdad la tranquilizaba.

—Yo sería incapaz de hacerte daño, Bonnie. ¿Acaso no lo sabes?

—¿Qué ocurre, Nick? —preguntó ella.

Él no respondió.

—Mira —empezó Bonnie—, estoy enferma; cansada; me parece que mi marido me pone los cuernos; me he pasado media noche practicando lucha libre con una serpiente. No estoy segura de cuánto más seré capaz de aguantar. Comienzo a perder la cabeza, Nick. Mi vida ya no tiene sentido. Y si tú no empiezas a darme unas cuantas respuestas pronto, tendrás que disparar contra mí, porque, de otra forma, cogeré el teléfono, llamaré a la policía y les diré que mi hermano, el presidiario reincidente, está en mi dormitorio con una Magnum 357 metida en la cinturilla de sus tejanos.

—No creo que eso sea necesario.

—Si no quieres hablar conmigo, quizá tengas que hacerlo con la policía —dijo ella.

—Bonnie —repuso su hermano con calma, caminando hacia ella—. Yo soy la policía.

28

Cuando Rod llegó a casa, Nick se había marchado ya.

—¿Cómo estás, cariño? —preguntó él abrazando con cariño a Bonnie en la puerta; luego se apartó de ella y la contempló con una larga y concienzuda mirada—. Tienes un aspecto espantoso —sentenció.

Bonnie se llevó una mano a la cabeza, intentando estirarse el flequillo con los dedos. Casi se echó a llorar. Se había pasado casi una hora en el cuarto de baño tratando de estar presentable para la vuelta de Rod. Se había duchado y luego aplicado un producto que prometía infundir nueva vida a los cabellos castigados; después se había cepillado los dientes, con cuidado para no dañarse las encías, aunque le sangraron de todos modos. Hasta se había maquillado, intentando disimular las hundidas mejillas con un colorete rosa pálido, añadiendo varias capas de rímel a sus escasas pestañas y retocando sus resecos labios con un carmín de brillo rosado. Y se había arreglado por primera vez desde hacía varios días, cambiando su bata empapada de sudor por un bonito vestido con flores estampadas. Y aun así, él le decía que tenía un aspecto espantoso. Bueno, quizá después de estar con la reina de la silicona, Marla Brenzelle, su marido había olvidado cómo era una mujer de verdad, en especial cuando no se encontraba bien. «Las mujeres de verdad no van a Miami a pelearse con ejecutivos de la televisión —pensó mientras miraba escaleras arriba—. Se quedan en Boston y se pelean con serpientes.»

—¿Cómo están los niños? —Rod entró en la cocina y repasó su correo.

Bonnie lo siguió.

—Bien. —Miró la hora. Era la una y diez, o las dos y cinco, no fue capaz de distinguirlo. De un modo u otro, los niños estaban en el colegio.

—¿Has hablado con el médico? —preguntó él.

—Le he llamado por teléfono esta mañana, pero todavía no había recibido los resultados de los análisis. Al parecer, en el laboratorio tenían mucho trabajo.

—¿Y de qué médico se trata?

—Del doctor Kline —contestó Bonnie—. Ya te lo dije. Diana me lo recomendó.

—Tenía entendido que su médico se llamaba Gizmondi.

—¿Ah, sí?

—¿No te acuerdas? Una noche se pasó horas hablándonos de él. Me acuerdo porque es un nombre poco corriente.

—Quizá ha cambiado —dijo ella con voz débil. No le apetecía contarle la verdad acerca de quién le había recomendado al doctor Kline. Al menos no de momento. Decidió que en cuanto se encontrase mejor, le hablaría de sus visitas al doctor Greenspoon, e inmediatamente se preguntó cuándo sería eso. ¿No le había comentado el doctor Kline que las infecciones del oído interno a veces duraban meses?

—Parece que lleves varios días sin dormir —dijo Rod.

¿Desde cuándo tenía esa inclinación a manifestar lo que resultaba obvio?

—Hemos encontrado la serpiente.

—¿Ah, sí? ¿Dónde?

—En la habitación de Amanda —contestó ella, sin entrar en detalles. Otra cosa que no pensaba contarle. «Tenía que haber estado aquí», se dijo, y en ese instante, imágenes de su hermano acudieron a su mente.

Por supuesto que no había dormido. Se desplomó en una de las sillas de la cocina y se quedó observando a su marido mientras éste revisaba el correo, repasando los sucesos de la noche anterior, reviviendo con todo detalle la conversación mantenida;

algo que había hecho ya varias veces desde que Nick se marchó de la casa por la mañana.

«Bonnie —todavía le oía decir—, yo soy la policía.»

El pánico y la curiosidad se mezclaron.

—¿Qué quieres decir? ¿De qué estás hablando?

—Quiero decir que todavía juego a policías y ladrones, hermanita; que sigo persiguiendo a los malos.

—No lo entiendo. Pero si tú eres de los malos. Te metieron en la cárcel.

—Sí, me metieron en la cárcel.

—¿Desde cuándo los expresidiarios se convierten en agentes de policía? —La ira hervía dentro de ella y amenazaba con hacer erupción. Aquello era demasiado. Si su hermano decía la verdad, entonces la sociedad estaba metida en un lío.

—Incluso mi entrada en la cárcel era una parte necesaria del plan —respondió él—. La continuación de una elaborada estratagema para atrapar a Scott Dunphy, desmontar su operación, meterlo en chirona.

Bonnie se echó a reír, agitó la cabeza, se mareó.

—¿Quieres decir que eres un agente infiltrado? ¿En serio?

—Se llama *secreto*, agente secreto, si te interesa el término exacto —dijo Nick—. Sí, eso quiero decir, en serio. —Hizo una pausa, como si no estuviese seguro si continuar o no—. No debería contarte esto. Me arriesgo mucho con ello, Bonnie. Estoy confiando en ti.

—Estás confiando en mí —repitió Bonnie, impasible.

Nick asintió con la cabeza.

—Y se supone que yo tengo que confiar en ti, ¿verdad? —preguntó Bonnie—. Se supone que he de creerme que todos estos años has estado llevando una especie de doble vida, entablando amistad con gente como Scott Dunphy, entrando a formar parte de su organización, sólo para reunir pruebas suficientes para meterlos en la cárcel, ¿no?

—Eso es lo que hago, Bonnie.

—Pues todo apunta a lo contrario.

—Las cosas no son siempre lo que parecen.

—Eso me han dicho. —Inspiró hondo. Intentó ordenar sus

pensamientos, infundirles cierta coherencia—. Y el proyecto de la urbanización...

—Formaba parte de la estratagema.

—Pero te declararon inocente, fuiste absuelto.

—Ahí la fastidiamos. Alguien se precipitó. No había suficientes pruebas para condenarlo, y tuvimos que empezar de nuevo.

—¿Y la otra acusación? ¿Conspiración para cometer asesinato?

—Esa vez lo pillamos.

—Pero te metieron en la cárcel.

—Tenía que proteger mi tapadera.

—No te creo.

—Es la verdad.

—¿Eres policía? —preguntó ella perpleja, incrédula. Tenía miedo de creerle, pero más miedo aún de no creerle—. ¿Cómo es posible que no lo supiéramos? ¿Cómo pudiste ocultarlo a tu familia?

—No tenía alternativa. Debía hacerlo así para protegernos, a vosotros y a mí mismo.

—¿Con esto quieres decir que esos años que permaneciste fuera, los años que se supone estuviste viajando por todo el país...? —empezó Bonnie.

—Estaba entrenándome en el Federal Bureau of Investigation —acabó Nick la frase por ella. A Bonnie le produjo alivio que su hermano no utilizara las siglas FBI.

—¿Y nadie podía saberlo, ni siquiera tu propia madre cuando estaba a punto de morir?

—Yo ignoraba que se estaba muriendo.

—La dejaste morir creyendo...

—Yo ignoraba que se estaba muriendo —repitió él, con una voz quebrada que amenazaba con disolverse—. Maldita sea, Bonnie, llevaba toda la vida muriéndose. —Alzó una mano y se apartó el cabello de la frente—. Pero no murió por mi culpa, Bonnie. Tienes que saberlo. Has de saber que yo no fui el causante de su muerte.

Bonnie agachó la cabeza.

—Ya lo sé —susurró después de una larga pausa—. Supongo que siempre lo he sabido. —Apartó la mirada, pero luego la dirigió de nuevo hacia Nick—. Me resultaba más fácil culparte de su muerte que aceptar el hecho de que era una hipocondríaca egocéntrica que abusaba de la medicación que le recetaban y cuyo cuerpo dijo basta. —Inspiró hondo, luego exhaló el aire con lentitud—. Es curioso —añadió—. Siempre he pensado que no sabía mentir. Pero me he pasado años mintiéndome a mí misma, y bastante bien además.

De pronto, los dos se abrazaron, y se echaron a llorar uno sobre el hombro del otro.

—No llores —dijo Nick, también él con lágrimas en los ojos—. Las cosas están ya aclaradas. Todo se arreglará.

—¿Sabe papá la verdad? —preguntó cuando ambos se hubieron secado las lágrimas.

—Sí —respondió Nick.

—¿Y el capitán Mahoney? ¿También lo sabía?

—Al principio no. Yo era un sospechoso más, como el resto.

—Pero ¿ya lo sabe?

—Sí. Sin embargo, cuantas menos personas lo sepan, más seguro estaré, claro. Es así de sencillo.

—Nada de esto es sencillo.

Nick esperó, la miró fijamente, con la máxima seriedad.

—No cuentes nada de este asunto a Rod, por favor.

Bonnie se dio masajes en las doloridas muñecas. La última persona que le había dado aquel consejo era Joan, y había sido asesinada.

—Pero es mi marido.

—¿Significa eso que confías en él? —preguntó.

Bonnie se quedó callada por unos segundos.

—¿Hay algún motivo para que no lo haga?

—Su ex mujer ha sido asesinada —le recordó Nick, aunque no era necesario—. Tu marido podrá beneficiarse sustancialmente de su muerte, como le ocurriría con la tuya. Sabemos que Joan estaba preocupada por ti, y que estaba enterada de algo que no debía saber.

—¿Qué quieres decir? —preguntó Bonnie—. ¿Qué sabes? ¿Qué me estás ocultando? ¿Qué tienes tú que ver en este asunto? ¿Qué relación había entre tú y Joan?

—Me llamó por teléfono unas semanas antes de morir —explicó Nick—. Mejor dicho, llamó a papá. No sabía que yo había vuelto a casa. Le dijo que estaba muy preocupada por ti, pero no quiso decir el porqué; sólo le pidió que te vigiláramos muy de cerca. Papá no supo cómo interpretar aquello. Dijo que le pareció que Joan estaba bebida, pero a pesar de todo, una llamada de ese tipo, caída del cielo... Así pues, me puse en contacto con ella y fui a verla. Intenté averiguar qué estaba pasando; mas no conseguí sacarle nada más. Una cosa era indudable: estaba sinceramente preocupada. Fui a la emisora de televisión a ver a Rod, e intenté sondearle, fingí que se me había ocurrido una idea absurda para una serie televisiva. Por unos momentos pensé, horrorizado, que le había gustado mi idea. En fin, estuvo tan afable como de costumbre. No me pareció ver nada sospechoso. Empecé a pensar que Joan sufría de paranoia a causa de la bebida, pero poco después me enteré de su muerte. Y tú eras la principal sospechosa del asesinato.

—Yo no la maté.

—Ya lo sé.

—Y sin embargo no has dejado de vigilarme.

—Para protegerte.

—De modo que tú eras la persona que vi en el patio del instituto aquella mañana. —Bonnie recordó a su hermano saliendo de las sombras entre los árboles cercanos.

—Tienes buena vista. Tuve que largarme corriendo.

—¿También fuiste tú el visitante de Elsa Langer?

Nick asintió con la cabeza.

—Cuando dijiste que habías ido a verla, me pareció que valía la pena echar un vistazo. Por desgracia, la pobre mujer no tenía ya mucho que enseñar.

—¿Y adónde nos lleva todo esto?

Se hizo un largo silencio.

—Sólo hay una persona que tenía motivo y oportunidad y carece de coartada. Además tenía un arma de calibre 38.

—¿Insinúas que fue Rod?

Nick bajó la vista al suelo.

—Lo que digo es que se trata de una posibilidad real.

Bonnie meneó la cabeza con vigor, a pesar del vértigo que aquel movimiento le provocaba.

—No puedo creerlo. Llevo más de cinco años viviendo con él. Me resulta imposible creer que haya matado a nadie.

—Lo que sucede es que te niegas a creerlo —dijo su hermano.

—¿De verdad crees que Rod mató a su ex mujer, y que quizá esté planeando matarnos a mí o a mi hija? —Las palabras se hundieron en el estómago de Bonnie como piedras en el agua.

—¿Quién más se beneficiaría de vuestras muertes?

«Nadie», tuvo que reconocer Bonnie, aunque se resistió a decirlo en voz alta.

—Pero, ¿cómo voy a quedarme aquí si lo creo? ¿Cómo seguiré viviendo con él?

—Nadie te obliga —dijo Nick—. Coge a Amanda y márchate.

—¿Y adónde iríamos?

—A casa de papá, al menos de una manera provisional.

Bonnie meneó la cabeza.

—No puedo hacerlo. Rod es mi marido. Y el padre de Amanda. Me niego a creer que tuviera algo que ver con la muerte de Joan. Me niego a creer que sea capaz de hacer daño a Amanda, o a mí.

—Espero que tengas razón. Pero yo pediría a Rod que cancelara tu seguro de vida y el de Amanda, por si acaso. Y si se niega a hacerlo, me largaría pitando.

«Mientras tanto, yo pediría a Rod que cancelara tu seguro de vida y el de Amanda», repitió Bonnie mentalmente, y las palabras adquirían impulso con cada una de sus inspiraciones, hasta que se descontrolaron y empezaron a dar dolorosos golpes contra las paredes de su cerebro.

—¿Qué te ocurre? —preguntó Rod. Fue hacia Bonnie y se arrodilló en el suelo, delante de la silla de su esposa—. Te has puesto blanca como la cera.

—Quiero que canceles mi seguro de vida, y el de Amanda —dijo Bonnie con la mirada al frente, sin atreverse a mirarlo.

—¿Qué?

—Quiero que canceles...

—Ya te he oído —la interrumpió él. Se puso de nuevo en pie y dio varios pasos hacia el centro de la habitación—, lo que ocurre es que no entiendo a qué viene todo esto de repente.

—No ha sido de repente —dijo Bonnie—. Llevo semanas pensándolo. La idea me resulta incómoda, y quiero que canceles esas pólizas. —¿Y si se negaba? ¿Qué iba a hacer si se negaba? ¿Tendría que preparar sus maletas, coger a su hija y marcharse?

—Dalo por hecho —repuso Rod.

—¿Cómo?

—Digo que lo des por hecho.

—¿Estás de acuerdo?

Rod se encogió de hombros.

—La verdad es que ya había pensado en cancelarlos. Estoy pagando unas primas altísimas por esos malditos seguros, y no tiene sentido en realidad, porque podríamos emplear ese dinero en otras cosas. —Hizo una pausa, y esbozó una débil sonrisa—. Piensas ponerte bien, ¿verdad?

Bonnie sonrió, luego se rió, y después se echó a llorar. ¿Cómo había llegado a dudar de él? Todo era culpa de aquella maldita infección del oído. Le estaba nublando el cerebro y no le permitía ver las cosas con claridad.

Él volvió junto a ella.

—¿Qué te ocurre, Bonnie? ¿Qué está pasando? Háblame, cariño. Dime qué está pasando —repitió.

Bonnie se refugió entre sus brazos, sollozando sobre su hombro.

—Estoy tan cansada —se lamentó—, tan increíblemente cansada.

Rod la abrazó, la ayudó a ponerse de pie con encantadora suavidad y la condujo hacia la escalera.

—Vamos, te ayudaré a acostarte.

—No quiero irme a la cama —dijo Bonnie, y el quejido de su voz le resultó desagradable a ella misma—. Acabas de llegar a casa; espero que me cuentes cómo te ha ido el viaje.

—Más tarde te lo contaré. De todas formas he de pasar un momento por el estudio.

—¿Te vas ahora?

—Sólo un rato. Volveré antes de que te despiertes, te lo prometo. Luego pasaremos el fin de semana juntos, y te haré llorar de risa con las historias de mis proezas en Florida. —Llegaron al rellano de la escalera—. Y quiero hablar con ese doctor Kline cuando te llame por teléfono, ya estoy harto. Si no es capaz de hacer algo para que te encuentres mejor, buscaremos otro médico que sí pueda. —Entró con Bonnie en el dormitorio y empezó a desabrocharle los botones del vestido.

—Dame un beso, Rod —suplicó Bonnie en un susurro, las mejillas empapadas de lágrimas.

Rod le dio un beso en una mejilla, luego en cada uno de los párpados, antes de pasar a su boca. Bonnie notó sus labios sobre los de ella, blandos como el algodón, mientras él bajaba el vestido de los hombros. Oyó como la prenda caía al suelo, y notó sus manos desabrochándole el sujetador. «¿Tendré fuerzas para hacer el amor?», pensó, y se preguntó si aquéllas serían las intenciones de Rod, que acababa de sentarse con ella en el borde de la cama. Él le alzó los pies, hizo que se echara en la cama y la tapó con el edredón. Era evidente que no tenía intención de hacer el amor.

—Duerme un poco, cariño —susurró él. Luego se acercó a la ventana y cerró las cortinas, devolviendo la habitación a la oscuridad a que Bonnie se había acostumbrado. Vio su sombra salir de la habitación; entonces cerró los ojos.

Cuando se despertó eran casi las cuatro. Con la mirada recorrió la habitación vacía. ¿Dónde estaban todos? Entonces se acordó: Sam y Lauren terminando su trabajo en casa de Diana; Amanda, en la guardería; Rod, en la emisora de televisión. ¿Todavía? ¿No le había prometido que volvería antes de que ella se despertara?

—¿Rod? —llamó. Retiró el edredón y bajó las piernas de la cama—. ¿Estás en casa, Rod?

Nadie contestó.

En ese momento, el teléfono sonó. Bonnie lo descolgó antes de un nuevo timbrazo.

—¿Es usted la señora Wheeler? —preguntó una voz.

—Sí —contestó Bonnie.

—Le paso al doctor Kline.

—Gracias —dijo Bonnie. Se frotó los adormecidos ojos, y se

atusó el cabello, como si quisiera estar presentable cuando el doctor le hablara por teléfono.

—Señora Wheeler —empezó el doctor—, ya tengo los resultados de sus análisis.

—¿Y bien?

Hubo un breve silencio.

—Al parecer, hay un alto contenido de arsénico en su sangre, señora Wheeler. No me explico...

—¿Cómo? —preguntó ella, convencida de que había oído mal—. ¿Quiere repetir eso, por favor?

—Sus muestras de sangre han revelado un alto nivel de arsénico —repitió el doctor, con un tono profesional que resultaba frustrante—. No lo entiendo, de verdad. Una cantidad tan elevada no puede ser algo accidental.

—¿Pero qué me está diciendo? —gritó Bonnie—. ¿Cómo ha llegado arsénico a mi sangre?

Hubo un silencio.

—Procure calmarse, señora Wheeler.

—¿Insinúa que alguien intenta envenenarme? ¿Es eso lo que trata de decirme?

—Yo no insinúo nada, señora Wheeler. Esperaba que usted me diera alguna explicación.

—No lo entiendo... —dijo Bonnie, y se interrumpió; su mente iba tan deprisa que sus palabras no podían seguir su ritmo—. ¿Cómo... dónde...?

—El arsénico se encuentra en diversos productos domésticos —explicó el doctor Kline—. Insecticidas, venenos para ratas, herbicidas...

—¿Pero no me habría dado cuenta si alguien hubiese puesto veneno en mi comida? —preguntó—. ¿No habría notado el sabor?

—El arsénico es insípido. Es perfectamente posible que no se diera cuenta de que estaba ingiriéndolo. En cualquier caso, ya hablaremos de eso más tarde. Ahora lo que quiero es que ingrese en el hospital, de inmediato.

—¿Cómo?

—Yo trabajo en el Boston Memorial. Puedo arreglarlo para que la admitan...

348

—Me es imposible —dijo ella con tono inflexible—. Ahora no puedo ir al hospital. Tendría que dejar sola a mi hijita.

—Señora Wheeler, me parece que no comprende la gravedad de su situación. Para eliminar el veneno de su cuerpo, hemos de someterla a un tratamiento bastante agresivo.

—No puedo ir al hospital. Todavía no —insistió Bonnie, intentando asimilar lo que el médico le había dicho. ¿Cómo era posible? ¿Alguien intentaba envenenarla?— No puedo dejar sola a mi hija. No estoy dispuesta a dejarla sola.

—Procure organizarse de alguna manera. Mientras tanto, diga a su farmacéutico que me llame por teléfono. Le recetaré una medicación más potente. Los antibióticos que ha estado tomando no son lo bastante fuertes, aunque tal vez gracias a ellos usted sigue con vida. —Hizo una pausa—. Y no coma ni beba nada que no haya sido preparado ante sus ojos.

—Pero si hace una eternidad que no como —dijo Bonnie—. Sólo tomo caldo de pollo y té.

—¿El caldo hecho por usted?

—No, me lo trajo un amigo. —Recordó al desaliñado y atractivo Josh Freeman. «Me pareció que necesitabas un amigo —le había dicho—. Igual que yo.»

—¿Le queda algo de ese caldo? —preguntó el doctor.

—¿Cómo?

—¿Le queda caldo?

—No lo sé.

—De ser así, le sugiero que la policía lo analice.

Bonnie tenía dificultades para seguir la conversación. ¿Insinuaba el doctor que el caldo que Josh le había llevado estaba envenenado?

—Esto es ridículo —dijo—. Ya me encontraba mal mucho antes de que mi amigo me trajera el caldo.

—¿Recuerda cuándo se encontró mal por primera vez? —preguntó el doctor Kline.

Bonnie se concentró cuanto pudo para recordar ese momento.

—Fue en plena noche. Mi hermano había venido a cenar. Nos hizo espaguetis —dijo, tropezando con sus propias palabras—.

Pero nadie más se sintió mal —añadió—. Y mi hijastra llevaba toda la semana enferma con los mismos síntomas que yo.

«Desde la noche en que mi marido preparó la cena —recordó, y un escalofrío recorrió su cuerpo, como una descarga eléctrica—. Y mi marido estaba en casa la noche que Nick preparó sus famosos espaguetis. Quizá Rod añadió sus propios condimentos.»

Bonnie contuvo la respiración, intentó a la desesperada impedir que aquella idea sobrevolara mucho rato su cerebro y aterrizara. ¿Y si Rod y Nick estaban compinchados?, se preguntó cuando ya no pudo retrasar más esa pregunta. ¿Y si habían conspirado juntos para matar a Joan, y luego para matarla a ella? ¿Y si Lauren también estaba en peligro? ¿Y si lo que su hermano le había dicho la noche anterior era mentira? ¿Y si había vuelto a engañarla, como se pasaba la vida engañando a todo el mundo?

—Tengo que dejarle, doctor Kline.

—Señora Wheeler, debe ir a un hospital. Y si no va, al menos póngase en contacto con la policía de inmediato...

Bonnie colgó el auricular.

«No puede ser», pensó mientras se mecía adelante y atrás en la cama, intentando aclarar sus ideas. Tenía que concentrarse, ordenar sus pensamientos, racionalizar lo que acababa de saber. La estaban envenenando poco a poco, de eso no le cabía duda. Arsénico, un producto que se encuentra en diversos productos de uso doméstico corriente. Al principio le habían dado el veneno a Lauren, bien por accidente o bien a propósito, para no despertar sospechas y hacer creer a Bonnie que se trataba de un vulgar caso de gripe. Y luego ella había enfermado. Y todavía no se había recuperado. Rod estaba siempre con ella, asegurándose de que bebía suficiente líquido, de que se tomara el té. Él sabía que Bonnie había detestado siempre a los médicos.

Pero Rod había pasado toda la semana fuera, y ella no había mejorado, ni siquiera tomando los antibióticos; eso quería decir que seguían suministrándole el veneno. ¿Y qué significaba eso? ¿Tenía Josh algo que ver? Y si así era, ¿actuaba por su cuenta, o de acuerdo con Nick? ¿O con Rod? Era probable que actuaran los tres juntos.

—Esto es una locura —gimió Bonnie—. Me estoy volviendo loca.

¿Y Sam? Con creciente horror, Bonnie cayó en la cuenta de que Sam era una constante: la única persona que nunca había dejado de ver. Se había mostrado muy solícito; le preparaba el té, le llevaba tazas de caldo a la cama. Le habría resultado muy sencillo añadir una pizca de algo inesperado en la comida. Igual de fácil que esconder la serpiente y soltarla más tarde en la cama de su Amanda.

«Dios mío —pensó Bonnie—. No puede ser. Es imposible.»

Bonnie cogió el teléfono, y marcó el número de la policía de Newton.

—Con el capitán Mahoney, por favor.

—Lo siento, el capitán no se encuentra en la comisaría en este momento —fue la respuesta.

—Entonces póngame con la detective Kritzic.

—Lo siento, tampoco está. Quizá pueda ayudarle otra persona.

—No, llamaré más tarde. —Bonnie colgó el auricular, se levantó, volvió a sentarse, se levantó de nuevo. Se le agotaba el tiempo. Tenía que vestirse y salir de allí. Corrió hacia su armario, se puso un jersey azul y unos tejanos y abandonó el dormitorio a toda prisa. No sabía adónde dirigirse. Ignoraba qué iba a hacer, pero tenía que marcharse de la casa antes de que alguien llegara.

Pasaría por la guardería y recogería a Amanda, la llevaría... ¿adónde? No podía ir a casa de su padre: Nick estaría allí. No podía ir a casa de Diana: Sam estaría allí. No podía ir al Instituto Weston Hights: Josh estaría allí. Y desde luego no podía quedarse en casa, con Rod. No sabía adónde ir, ni en quién confiar.

Se acordó del apartamento que tenía Diana en Boston y llamó por teléfono al despacho de la abogada. Diana se lo dejaría, por supuesto.

—Con Diana Perrin —dijo a la telefonista que la atendió.

—La señora Perrin no volverá al despacho hasta el lunes —le informó la secretaria de Diana—. Si quiere dejarle algún mensaje...

Bonnie colgó rápidamente el auricular. No tenía tiempo para eso. Tenía que salir de allí e ir a la comisaría, esperaba que el capitán Mahoney y la detective Kritzic hubieran vuelto ya. Débil y mareada cogió su bolso; bajó por la escalera a toda prisa, y cuando estaba a punto de abrir la puerta principal se dio cuenta de que había olvidado el tarro de caldo.

Estaba escondido en el fondo de la nevera, y al principio no lo encontró. Ya se disponía a cerrar el frigorífico cuando vio el alto tarro, sólo quedaban unos pocos centímetros de líquido. Lo cogió, frío y resbaladizo en la palma de su mano, y corrió con él hacia la puerta principal; mientras buscaba las llaves del coche en el bolso estuvo a punto de caérsele al suelo. Encontró las llaves, pero saltaron de sus dedos y se le cayeron. «¡Oh, no, por favor!», se lamentó; las recuperó y entonces, todo lo demás que tenía en las manos se le cayó: el bolso, las llaves de la casa, la cartera, el tarro de cristal.

—¡No! —gritó al ver como el frasco caía al suelo y se hacía añicos mientras el claro líquido se derramaba sobre el asfalto y desaparecía, como la lluvia—. ¡No, maldita sea! —gritó otra vez y, echándose a llorar, se arrodilló entre los grandes trozos de cristal para recuperar la cartera y las llaves.

Y entonces oyó el ruido de un coche que se acercaba, aminoraba la marcha y torcía para entrar en el camino. Rod había vuelto a casa, y ella se había entretenido demasiado. Ya no se iría.

Cerró los ojos, levantándose poco a poco. Oyó que el coche se paraba y que una portezuela se abría y se cerraba; luego unos pasos que se dirigían hacia ella, y que se detenían a sólo unos centímetros. El rancio aroma de la marihuana la rodeó. Y entonces abrió los ojos.

Haze estaba delante de ella.

¿Había ido para meterle una bala en el corazón?

—¿Está Sam? —preguntó el chico sin más preámbulos.

Bonnie se echó a reír a carcajadas. Haze la miró con extrañeza y dio un paso atrás.

—Está en casa de Diana —contestó Bonnie entre risas histéricas—. Quería terminar de empapelar el cuarto de baño antes del fin de semana.

—Voy a buscarlo —dijo Haze. Se metió en su antiguo coche azul oscuro y salió del camino de Bonnie.

Por un instante, ella se quedó paralizada, inmóvil, apenas capaz de respirar. Un segundo después estaba en su coche, ya en la carretera, asiendo con fuerza el volante, camino de School Street para recoger a su hija, sin saber aún qué iba a hacer cuando llegara allí.

29

—¿Ahora adónde vamos, mami? —preguntó Amanda revolviéndose en el asiento del coche. Habían parado en una farmacia, donde Bonnie compró una bolsa de patatas fritas a Amanda y pidió al farmacéutico que llamara al doctor Kline. Quince minutos más tarde ya tenía su medicamento, y dos píldoras viajaban por su interior con la misión de eliminar el veneno que había en su sangre.

—He pensado que podríamos dar un paseo en coche, tesoro —dijo con una sonrisa a la pequeña mirando por encima del hombro hacia el asiento de atrás, preguntándose si la niña se daría cuenta de lo falsa que era aquella sonrisa. ¿Cuánto rato sería capaz de seguir conduciendo? Tarde o temprano tendrían que ir a alguna parte.

—No quiero dar un paseo —protestó Amanda—. Quiero ir a casa. Quiero ver *Barrio Sésamo*.

—Todavía no podemos ir a casa, tesoro. Antes he de hacer unas cosas.

—¿Qué cosas?

Bonnie decidió ir a la policía. No tardaron ni diez minutos en llegar a Newton.

—Tenemos que parar aquí un momento —dijo Bonnie a Amanda mientras aparcaba el coche en el estacionamiento de la parte trasera de la comisaría.

—No quiero entrar ahí. —Amanda se cruzó de brazos y amenazó con ponerse a llorar.

—Vamos, cariño, por favor. Será sólo un momento.

—Quiero ir a casa. Quiero ver *Barrio Sésamo.*

Bonnie desabrochó el cinturón de seguridad de Amanda y la levantó de su asiento, mientras la niña ponía el cuerpo en tensión, indignada.

—Vamos, cariño. Ayúdame, por favor. No me encuentro muy bien.

—Quiero ir a casa. —Amanda se puso a patalear.

Bonnie llevó en brazos a su hija, que no paraba de dar patadas y de retorcerse, hacia la entrada principal.

—No te quiero —dijo Amanda—. No eres guay.

—Necesito hablar con el capitán Mahoney —anunció Bonnie al agente que había en el mostrador de recepción, mientras Amanda guardaba un misericordioso silencio.

El joven policía la miró fijamente; al parecer no la reconocía.

—En estos momentos no se encuentra en la comisaría. ¿Puedo ayudarla?

—¿Está la detective Kritzic?

—No, tampoco. ¿Qué problema tiene?

Bonnie dejó a Amanda en el suelo y se inclinó hacia el agente:

—Me están envenenando —dijo.

«Ha sido una pérdida de tiempo colosal», pensó Bonnie mientras abandonaba furiosa el aparcamiento de la comisaría y consultaba el reloj digital de su coche. Más de cuarenta minutos, ¿y para qué? Para que un cínico jovencito, con el rostro lleno de espinillas, recién salido de la academia, le formulara un montón de preguntas irrelevantes, y sólo para que después le dijera que como el presunto envenenamiento había tenido lugar en Weston, quedaba fuera de su jurisdicción.

—Pero estoy segura de que al capitán Mahoney le interesará... —había empezado Bonnie, pero se interrumpió, no le quedaba energía. ¿Para qué insistir? Buscaría un motel donde pasar la noche y llamaría por teléfono al capitán Mahoney por la mañana. Lo que no estaba dispuesta a hacer era regresar a Weston.

—Tengo hambre —protestó Amanda al cabo de unos minutos—. ¿Adónde vamos?

Bonnie echó un vistazo a las calles, y le sorprendió descubrir que estaban en Lombard Street. Bonnie redujo la velocidad y avanzó despacio.

—¿Dónde estamos, mami?

La casa del número 430 de Lombard Street tenía el mismo aspecto que un mes antes. Ni siquiera habían tocado el letrero EN VENTA. La policía había retirado la cinta amarilla con que había acordonado la zona. La gente podía pasar ya cuando quisiera. Habían limpiado la casa a conciencia, sin duda, eliminando todo rastro de sangre de Joan. Sólo quedaba su fantasma.

Bonnie se detuvo delante de la casa, recorriendo con la mirada el camino que conducía a la puerta principal. «Si yo no hubiese recorrido este camino...», pensó, y se preguntó si las cosas habrían sido muy diferentes. Si no hubiese escuchado a Joan. Si no hubiese contestado el teléfono aquella mañana. Si no esto, si no lo otro... ¿habría cambiado algo?

—¿De quién es esta casa, mami? —preguntó Amanda.

Bonnie se apartó de la acera.

—De nadie. —Se preguntó cuánto tiempo tardarían en vender la casa ahora que se había convertido en el escenario de un homicidio, y si los Palmay se verían obligados a rebajar el precio de venta. Volvió a Commonwealth Avenue, siguió hasta Chestnut y luego entró en West Newton Hill.

En el número 13 de Exeter Street tampoco se habían producido cambios; seguía con su exterior beige verdoso y sus enigmáticas vidrieras. No había señales visibles de que allí no viviera alguien. Hasta el césped estaba bien cortado, como si la casa siguiera habitada.

Bonnie detuvo el coche y apagó el motor.

—¿Dónde estamos? —volvió a preguntar Amanda.

Bonnie abrió su portezuela, bajó, abrió la de atrás y desató a Amanda de su asiento, luego la llevó al jardín de la casa de Joan.

—¿Es una iglesia? —preguntó Amanda al ver las vidrieras.

—No, cariño. Aquí es donde vivían Sam y Lauren.

—¿Están ahí dentro?

—No. —Bonnie precedió a Amanda por el camino que conducía a la gran puerta doble de madera.

—¿Vamos a entrar?

¿Iban a entrar? Bonnie metió la mano en su bolso para sacar el llavero, encontró la llave adecuada y la introdujo en la cerradura. Había olvidado por completo que tenía una hasta el momento en que salió de su casa y se le cayó el manojo de llaves al suelo; entonces vio la de Joan centelleando bajo un trozo de cristal roto.

¿Sabía desde entonces que acabaría yendo allí?

La puerta se abrió con facilidad; Bonnie cruzó el umbral, y Amanda echó a correr hacia el vestíbulo. Bonnie recordó su primera visita a aquella casa, oyó el eco de la voz de Lauren llamando a su madre desde lo alto de la escalera, recordó la expresión de confusión de Lauren cuando se asomó por la barandilla y vio a su padre, le pareció notar sus furiosos puños golpeándole el rostro, el sabor de la sangre en sus labios.

¿Por qué había vuelto?

Amanda se coló en el salón.

—Qué casa tan rara, mami —dijo mientras saltaba de una alfombra india a otra, como si fuesen cuadrados de tiza pintados en la acera, y por fin se detuvo delante de la enorme chimenea de ladrillo.

—Ten cuidado, cielo —la avisó Bonnie—. No vayas a alterar nada.

—¿Qué quiere decir alterar? —preguntó Amanda.

—No tocar —respondió Bonnie. Cruzó el comedor, de aspecto medieval, y llegó a la cocina, situada en la parte trasera de la casa. No le costó localizar la despensa, y abrió la puerta.

Estaba casi vacía. En los estantes había unos cuantos paquetes de cereales, café instantáneo, una caja de pasas, un paquete de dos kilos de azúcar, pero poca cosa más. En el estante inferior había una plancha, todavía guardada en la caja, junto a un paquete por abrir de servilletas de papel.

Bonnie cerró las puertas de la despensa y abrió el armario de las escobas, que estaba al lado. Se le cayeron encima el palo de una escoba y el de un aspirador. Bonnie los colocó de nuevo en su sitio, y luego cerró la puerta. Pasó al fregadero, moviéndose como un robot, como si alguien hubiese programado de antemano cada uno de sus movimientos.

—¿Puedo beber un poco de leche? —preguntó Amanda.

—No hay. —Bonnie se arrodilló y abrió el armario que había debajo del fregadero.

—¿No les gusta la leche?

—Ahora nadie vive aquí, cariño, ¿recuerdas? La leche se habría estropeado. —Bonnie revisó el contenido del armario: un cubo de basura verde oscuro, un recipiente de plástico lleno de diversas esponjas y estropajos, dos tipos de lavavajillas, una botella pequeña de Mister Proper.

—¿Puedo beber agua?

—No, tesoro. —Bonnie apartó la botella de Mister Proper.

—¿El agua también está mala?

—Ésta no es nuestra casa —le recordó Bonnie.

—¿Entonces qué hacemos aquí? —preguntó Amanda, en una reacción muy lógica.

«Estoy buscando una cosa», pensó Bonnie, pero no lo dijo, y dos imaginarios ratones blancos pasaron corriendo ante sus ojos. Insecticidas, venenos para ratas, herbicidas, había dicho el doctor Kline. Bonnie no tenía ni insecticidas ni herbicidas en casa, y nunca había necesitado veneno para ratas. Jamás había visto una en su casa, hasta que Sam se fue a vivir con ellos. Bonnie metió la mano en el fondo del armario, hacia una lata cilíndrica que vio en el rincón.

—Quiero ir a casa —dijo Amanda haciendo pucheros. Se apoyó con todo el peso de su cuerpo en la espalda de su madre, con lo cual puso en peligro el precario equilibrio de Bonnie, que cayó al suelo y derribó con una mano los paquetes de lavavajillas y la botella de Mister Proper, desparramando las esponjas por todas partes.

Amanda se echó a reír.

—Mira lo que has hecho, mami.

Bonnie recobró el equilibrio. Antes de sacar la lata cilíndrica del fondo del armario recogió las esponjas y las puso otra vez en su lugar, y luego colocó en su sitio los paquetes de lavavajillas y la botella de Mister Proper.

Lo primero que vio en la lata fueron la calavera y las tibias cruzadas. PELIGRO, VENENO, rezaba una inscripción con letras mayúsculas negras. PRODUCTO TÓXICO, anunciaban las letras naranjas sobre rayas blancas y negras, y debajo, en letras más pequeñas, RATICIDA. En el centro de la etiqueta había dibujada una rata muerta.

Bonnie tragó saliva, se sentía mareada, helada, paralizada, sudorosa. Dio la vuelta a la lata. *Precaución. No ingerir. Mantener fuera del alcance de los niños. No utilizar en zonas donde pueda haber expuestos alimentos. No utilizar en zonas destinadas al almacén de alimentos. No utilizar en armarios donde se guarden alimentos o utensilios de cocina. En caso de ingestión, no provocar el vómito. Ingrediente principal: arsénico.*

Bonnie la dejó caer al suelo, y vio cómo salía rodando. Amanda corrió detrás de la lata para cogerla.

—¡No la toques! —gritó Bonnie; la niña, asustada, retrocedió y se le llenaron los ojos de lágrimas—. No ocurre nada, cariño —se apresuró a decir su madre—, pero eso es muy peligroso. No debes tocarlo.

—¿Y por qué lo has tocado tú? —preguntó Amanda.

—No debería haberlo hecho —concedió Bonnie. Estiró el brazo, cogió la lata, tapando con los dedos la etiqueta de advertencia.

—Suéltalo, mami —grito Amanda—. Suéltalo.

Bonnie dejó la lata en el fondo del armario, se aseguró de que todo estaba tal como lo había encontrado, y luego se lavó las manos.

—Quiero ir a casa, mami. Ésta no me gusta. Quiero ir a casa. —Amanda había salido ya corriendo de la cocina y estaba en el vestíbulo.

—Espera, Amanda —la llamó Bonnie—. Espérame.

—Quiero ir a casa —gimoteó la pequeña mientras su madre la cogía en brazos.

—¿Quieres que vayamos a comprarnos un helado?

—Quiero ir a casa —insistió Amanda con obstinación.

—Todavía no podemos ir a casa, cariño —dijo Bonnie.

—¿Se ha vuelvo a escapar *L'il Abner*? —preguntó Amanda—. Porque ya no le tengo miedo, ¿sabes? Sam me ha dicho que estaba enfadada porque tenía hambre, y que se asegurará de que nunca vuelva a tener hambre.

—Muy bien, tesoro.

—Sam me cae muy bien.

—También a mí —dijo Bonnie, y se dio cuenta de que era verdad. ¿Lo consideraba capaz de matar a sangre fría? Abrió la puerta principal y ambas salieron; luego cerró con llave una vez fuera.

—Y *L'il Abner* también me cae bien. Es muy guay.

—Sí, cariño.

Bajó las escaleras con su hijita en brazos, y antes de meterse en el coche intentó decidir qué haría a continuación. Compraría un cucurucho de helado a Amanda, llamaría por teléfono otra vez a la comisaría de policía, insistiría en hablar con el capitán Mahoney aunque estuviera fuera, y le contaría lo que había descubierto. Tal vez se le ocurriera algo. Tenía que haber algo que pudiera hacer.

—¿Bonnie? —dijo una mujer que la esperaba junto a su coche.

Bonnie dirigió la mirada hacia la mujer, alta y rubia, con un guardapolvo manchado de pintura. ¿Cuánto rato llevaría allí?

—Hola, Caroline —la saludó Bonnie al tiempo que dejaba a Amanda en el suelo.

—He visto el coche y he pensado que serías tú —empezó Caroline—. Pero estás muy cambiada, y no he reconocido a la niña...

—Es mi hija, Amanda —repuso Bonnie, sin saber qué más decir.

—Me alegro mucho de conocerte, Amanda —Caroline Gossett se puso de cuclillas y tendió la mano hacia Amanda, que la asió y la estrechó con movimientos vigorosos—. ¿Alguien te llama Mandy?

—Mi tío Nick.

—Bueno, Mandy, pues eres una niñita muy guapa.

—Gracias.

Caroline Gossett se irguió y miró a Bonnie.

—¿Estás bien?

—No demasiado —reconoció Bonnie.

—¿Puedo ayudarte en algo? —preguntó Caroline.

—No me vendría mal un vaso de agua.

—Yo también quiero agua —intervino Amanda—. Mami no me ha dejado beber agua de esa casa porque dice que no es nuestra. —Señaló la casa de Joan.

—Bueno, en casa no sólo tengo agua fresca, sino también helados y galletas —dijo Caroline Gossett.

—¡Helado! —exclamó Amanda—. ¡Galletas!

—Vamos —dijo Caroline cogiendo a Bonnie por el codo—. Me parece que te irá bien sentarte un rato.

—¿Quieres contarme qué ha ocurrido? —preguntó Caroline una vez que Amanda estuvo cómodamente instalada en la salita del televisor con su tarro de helado.

—Me parece que no sé por dónde empezar.

—Empieza por ese corte de cabello.

Bonnie sonrió.

—Últimamente no me he encontrado muy bien —empezó—. Tenía el cabello hecho un desastre. Pensé que si me lo cortaba, mejoraría.

—¿Y mejoró?

—¿Sabías que el cabello estropeado, las encías sangrantes y las náuseas agudas son síntomas de envenenamiento por arsénico? —preguntó Bonnie, recitando lo que el farmacéutico le había dicho.

—¡Qué! —Caroline Gossett se inclinó en el sofá del salón—. ¿Estás diciéndome que te han envenenado?

—Al parecer hay un alto nivel de arsénico en mi sangre.

—No lo entiendo.

Bonnie se recostó contra el respaldo de la butaca, bebió otro largo trago de agua, y sus ojos se anegaron de lágrimas.

—Alguien ha intentado envenenarme.

—Dios mío. ¿Y sabes quién?

Bonnie meneó la cabeza.

—Es evidente que se trata de alguien cercano a mí —admitió de mala gana—. Tal vez la misma persona que mató a Joan.

—¿Qué dice la policía?

—Que no estoy en la jurisdicción adecuada.

—¿Cómo?

—Es una historia muy larga. El capitán Mahoney no se encontraba en la comisaría. Tendré que llamarlo por teléfono más tarde.

Caroline se levantó, fue a la cocina y volvió con su aparato de teléfono portátil.

—Prueba ahora —dijo.

Bonnie marcó el número de la comisaría de Newton, dijo a la operadora que quería hablar con el capitán Mahoney o con la detective Kritzic, le respondieron que todavía no habían regresado, y le preguntaron si quería dejar algún mensaje.

—Dales este número —susurró Caroline y Bonnie obedeció.

—Gracias. Detesto molestarte tanto.

—¡Por el amor de Dios, eres increíble! —Caroline meneó la cabeza—. Alguien intenta matarte y tú te preocupas de si me molestas. Hazme un favor: no te preocupes. Estoy encantada con tu compañía. Además, es evidente que no puedes volver a tu casa hasta que hayas solucionado esto. Tú y tu hija os quedaréis a pasar la noche aquí.

—No puedo hacer eso.

—Puedes, y lo harás.

—Pero tu marido...

—Yo no he dicho que vayas a dormir con él.

Bonnie sonrió, casi consiguió reírse.

—No puedo quedarme aquí toda la vida.

—Tampoco he dicho que te quedes toda la vida. —Caroline se hizo sitio junto a Bonnie en la butaca—. Pero si alguien cercano a ti está intentando asesinarte, no puedes volver a casa hasta que la policía averigüe su identidad. Además, es evidente que necesitas unos días de descanso y recuperación. ¿Te ha dicho el médico si debías ir al hospital?

—No —mintió Bonnie—. Tengo unas pastillas. —Señaló su bolso, que había dejado en el suelo, junto a sus pies.

—Muy bien, entonces no se hable más. Te quedarás aquí, por lo menos hasta mañana.

Bonnie miró la hora.

—Me gustaría llamar a una amiga mía —dijo—. ¿Te importa?

—Llama a quien quieras.

Bonnie marcó el número particular de Diana. Contestaron al primer timbrazo.

—¿Diana? —dijo Bonnie, aliviada al oír la voz de su amiga.

—¿Eres tú, Bonnie? —gritó Diana por el auricular—. ¿Dónde estás?

—Con una amiga —respondió, alarmada por el tono de voz de Diana.

—Rod ha estado llamándome por teléfono cada cinco minutos, absolutamente frenético. Nunca lo había visto así. Está desesperado. Dice que has desaparecido.

—No he desaparecido. —Se imaginó a su marido, gritando por teléfono, Nick y Sam a su lado, escuchando—. ¿Cómo está el cuarto de baño? —preguntó de pronto.

—¿Cómo dices?

—Tu cuarto de baño. Sam se ha esforzado mucho para tenerlo acabado antes de tu regreso.

—Ah, muy bien —dijo Diana, claramente distraída por el súbito giro de la conversación—. Todavía le quedan un par de cosas por hacer, pero está quedando estupendo.

—¿Y cómo te ha ido por Nueva York?

—Muy bien —respondió la abogada sin darle importancia—. Bonnie, ¿qué ocurre? Rod dice que salió por unas horas y que cuando se marchó te encontrabas tan mal que casi no te tenías en pie. Pero cuando volvió a casa, no estabas. No le has dejado una nota diciéndole dónde habías ido, ni nada. Lo tienes muy preocupado...

—Diana —la interrumpió Bonnie—. Escúchame. Me encuentro bien. Ahora estoy a salvo.

—¿Ahora? ¿Qué quieres decir con eso?

—Alguien ha estado intentando envenenarme.

—¿Envenenarte? Bonnie, no digas tonterías.

—No son tonterías. Me han hecho análisis de sangre. Y

los análisis han revelado un alto nivel de arsénico en mi cuerpo.

—¿Arsénico?

—Alguien ha estado poniendo arsénico en mi comida.

La voz de Diana se convirtió en un susurro.

—¿Rod?

—No lo sé —dijo Bonnie después de una pausa. Se imaginó a Diana meneando la cabeza con asombro.

—No me lo creo. No puedo creérmelo —dijo su amiga. Y añadió—: ¿Dónde estás?

Bonnie miró a Caroline.

—En casa de una amiga.

Caroline sonrió.

—¿De qué amiga? —preguntó Diana.

—Creo que las dos estaremos más seguras si no te lo digo —replicó Bonnie, comprendiendo de pronto todo cuanto su hermano le había contado. Suponiendo, claro está, que su hermano fuera lo que decía ser.

—¿Más seguras?

—Si no sabes mi paradero, no tendrás que mentir. No podrán persuadirte ni engañarte...

—A mí nadie me engaña con facilidad, Bonnie —repuso Diana.

«No como a mí», pensó Bonnie.

—¿Has hablado con la policía?

—Todavía no.

—¿Pero estás segura de eso que dices? ¿No puede haber sido un accidente?

—¿Cómo ingiere uno arsénico de forma accidental? —preguntó Bonnie.

Hubo una breve pausa.

—Está bien, de acuerdo.

—¿Qué quieres que le diga a Rod?

—No quiero que le digas nada.

—¿Lo dices en broma, Bonnie? Me va a llamar dentro de dos minutos. ¿Pretendes que finja que no he hablado contigo?

—Yo hablaré con Rod.

—¿Sí? ¿Cuándo?

—Le llamaré ahora mismo.

—¿Y qué vas a decirle?

—No lo sé. Ya pensaré algo.

—Esto es una locura, Bonnie —dijo Diana—. Me siento tan inútil. Debe de haber algo que yo pueda hacer.

Bonnie pensó en el apartamento que Diana tenía en la ciudad. No podía abusar de la generosidad de Caroline indefinidamente.

—Puede que sí. Cuando haya hablado con la policía, tendré una idea más clara de cuáles son mis opciones. Al menos eso espero —dijo, y casi se echó a reír—. Mira, te llamaré a primera hora de la mañana.

—¿Me lo prometes?

—Te lo prometo.

—Porque no pienso apartarme del teléfono hasta que me hayas llamado.

—Lo haré a primera hora.

—¿Seguro que te encuentras bien?

—No estoy segura de nada —admitió Bonnie. Si no podía confiar en el caldo de pollo, ¿en qué podía confiar?—. Te llamaré —dijo. Apretó el botón para cortar la comunicación, e inmediatamente marcó el número de su casa.

Rod contestó antes de que hubiera acabado de sonar el primer timbrazo.

—Rod...

—Bonnie, ¿dónde demonios estás? ¿Te encuentras bien? ¿Dónde te has metido? —dijo, las palabras agolpándose, como colores que se funden en uno solo en la lavadora.

—Estoy bien.

—¿Dónde estás?

—Con Amanda —dijo, esquivando la pregunta—. Y esta noche no iré a dormir a casa.

—¿Qué?

—Lamento haberte hecho volver de Florida, Rod.

—¿Que lamentas haberme hecho volver? ¿De qué estás hablando?

—Ya te llamaré mañana, Rod.

—Espera, Bonnie, no cuelgues.

—Mañana te lo explicaré todo.

—Bonnie...

Ella cortó la comunicación, devolvió el teléfono a Caroline, y se preguntó si al día siguiente habría avanzado algo.

30

Eran casi las diez de la mañana cuando Bonnie se despertó, sola en la cama. Amanda, que había pasado toda la noche a su lado, acurrucada como una bolita caliente, había desaparecido. Bonnie recorrió con la mirada la enorme y blanca habitación: alfombra blanca, cortinas de encaje blancas, edredón blanco. Miró en el blanco cuarto de baño contiguo: baldosas blancas, bañera blanca, toallas blancas. Amanda no estaba allí.

—¿Amanda? —llamó, y se puso el albornoz blanco que Caroline había dejado a los pies de la cama. Salió sin hacer ruido, descalza, de la habitación—. ¿Amanda?

Siguió por el amplio pasillo, pasó por delante de varias puertas cerradas, atenta a los ruidos, y oyó voces amortiguadas procedentes de la habitación que había al fondo. Se acercó, sigilosa, se apoyó contra la puerta y vio que estaba abierta.

—¡Mami! —Amanda, completamente vestida, recién peinada, se hallaba sentada delante de una gran pantalla de televisión—. Caroline me ha dejado ver los dibujos animados. —Señaló la pantalla, donde una figura golpeaba a otra en la cabeza con un enorme trozo de madera claveteada—. Y me ha dado dos tazones de copos de maíz para desayunar. Y leche con chocolate.

—¿Dos tazones de copos de maíz? ¡Qué suerte!

—Dijo que no hiciera ruido para que tú pudieras seguir durmiendo.

—Espero que no te importe —dijo Caroline, que acababa de aparecer, con un aire de lo más saludable, y un vestido color malva—. Dormías tan profundamente que no quise despertarte.

—No puedo creer que haya dormido tanto —dijo Bonnie.

—Tienes mejor aspecto. Parece que te ha sentado bien —comentó Caroline—. ¿Quieres comer algo?

—No sé si estoy preparada para tomar alimentos sólidos.

—¿Ni siquiera una tostada? Yo las hago muy buenas.

—Está bien. No creo que me siente mal.

—¿Y té?

—Me parece que no volveré a beber té en mi vida —exclamó con toda sinceridad.

—¿Qué me dices de un zumo de naranja?

—Sí, un zumo.

—Muy bien. Sólo tardaré dos minutos. —Caroline se dirigió a Amanda—: ¿Cómo va todo, peque? ¿Te traigo más copos de maíz?

Amanda se echó a reír.

—Me he comido dos tazones —dijo con orgullo.

—¿En serio? ¿Cómo ha sido eso? Lyle no deja que nadie toque sus Corn Pops.

—¿Qué ha comentado Lyle de nuestra presencia aquí? —preguntó Bonnie cuando Amanda volvió su atención a los dibujos animados—. Dime la verdad.

—Ya lo oíste anoche. Puedes quedarte todo el tiempo que quieras.

—Fue muy generoso por su parte, pero ¿por qué va a soportar a dos extrañas en su casa? Ni siquiera me conoce.

—Conocía a Joan. Está deseando que su asesino sea conducido ante la justicia, igual que yo.

Bonnie bajó la mirada al suelo, vio que los dedos de sus pies se retorcían.

—Debería llamar a la policía —dijo.

—Entretanto te prepararé el desayuno.

Bonnie llamó por teléfono al capitán Mahoney. Le dijeron que no llegaría hasta mediodía. Bonnie volvió a dejarle un mensaje, e insistió en que era urgente. ¿No había forma de hablar con él antes de mediodía? Le respondieron que era muy difícil, tratándose de un sábado. Quizá pudiera ayudarla otra persona.

—¿Qué te han dicho? —preguntó Caroline al ver entrar a Bonnie en la cocina y sentarse a la mesa.

—No llegará hasta mediodía.

Caroline depositó dos tostadas en un plato delante de Bonnie, junto con la mantequilla, mermelada de frambuesa y confitura de naranja. Luego llenó un vaso alto de zumo y se lo pasó a Bonnie. Se quedó mirando cómo bebía un sorbo.

—Bébetelo todo —le aconsejó—. Necesitas hidratarte.

—Gracias.

—¿Te has tomado las pastillas?

—Hace unos minutos.

Caroline se echó a reír.

—Parezco mi madre.

—Debe de ser una mujer encantadora —dijo Bonnie con sinceridad.

—Gracias. Lo era. —Caroline hizo una pausa—. Y bien, ¿qué opinas? ¿Es o no es la mejor tostada que has probado jamás?

Bonnie, complaciente, dio un mordisco.

—Es, sin ninguna duda, la tostada más deliciosa del planeta.

—Prueba la mermelada de frambuesa. La hago yo misma.

Bonnie esparció un poco de mermelada sobre la tostada. «Y no coma nada que no haya sido preparado ante sus ojos», oyó recitar con voz solemne al doctor Kline. De inmediato dejó la tostada en el plato. ¿Qué estaba pensando? ¿De verdad creía que Caroline Gossett intentaba también envenenarla?

—¿Te ocurre algo?

Bonnie inspiró hondo.

—No, nada. —Mordió la tostada con decisión, notando el rico sabor de la frambuesa en el paladar, y luego tragó. Decidió que, al fin y al cabo, en alguien tenía que confiar—. Debería llamar por teléfono a mi amiga —dijo, y se imaginó a Diana esperando su llamada con inquietud.

Caroline le pasó el aparato.

—Estaré en la otra habitación.

—No hace falta que te marches —dijo Bonnie, que agradecía la compañía de Caroline; oyó sonar el teléfono una vez, dos veces, tres—. Debe de estar en el cuarto de baño —dijo, nerviosa; lo dejó sonar otras seis veces y luego colgó, para intentarlo de nuevo—. Tal vez he marcado mal. —Aunque algo le decía que no se había equivocado; pero, de todos modos, probó—. Supongo que debe de haber salido un momento. —¿Después de haberle dicho que no pensaba apartarse del teléfono hasta que ella la hubiera llamado? ¿Sin poner el contestador automático?

—Quizá esté en la ducha —sugirió Caroline.

—Debe de ser eso —coincidió Bonnie enseguida. Se tocó la cabeza y añadió—: A mí tampoco me vendría mal una ducha, la verdad. Si no te importa...

—Por favor. Estás en tu casa.

Bonnie se puso en pie con cierta dificultad.

—Pero antes acábate la tostada y el zumo —la instó Caroline—. No sé por qué pero intuyo que vas a necesitar toda la fuerza que seas capaz de reunir.

Bonnie, de pie bajo el chorro caliente de la ducha, vio cómo su cuerpo desaparecía en una nube de vapor. Aunque no quedaba mucho de su cuerpo por desaparecer. Había adelgazado cinco kilos por lo menos, quizá más, y las costillas le sobresalían por debajo de los pequeños senos. Sus piernas parecían palillos, y no tenía mucha más carne en los muslos que en las pantorrillas. Casi prepubescente. El regreso de Twiggy,[1] con su mirada atormentada, sus pestañas inferiores postizas, su cabello casi rapado y su pecho plano. Tal vez Twiggy no era delgada por naturaleza. Quizá se ponía aquellas exageradas pestañas postizas porque las suyas se le habían caído. O se había hecho aquel peinado de huérfano desvalido porque su melena, antaño lustrosa, se había convertido en estropajo. Tal vez era víctima de envenenamiento con arsénico.

Bonnie se echó a reír, y el champú resbaló desde el nacimiento de su cabello y le entró en la boca. Escupió el champú, se rió otra vez, y se frotó la cabeza con dedos vigorosos.

—*Me voy a sacar a ese hombre de la cabeza* —canturreó en voz baja, y entonces se preguntó por qué demonios cantaba. Toda su vida se venía abajo, alguien estaba intentando matarla, no

---

1. Modelo que hizo furor al poner de moda el cuerpo delgado, sin formas.

sabía en quién podía confiar, y allí estaba, cantando en la ducha. El arsénico debía de haberse filtrado en su cerebro.

Le pareció oír algo. Esperó hasta haberlo oído de nuevo, y cerró el agua al darse cuenta de que alguien llamaba a la puerta del cuarto de baño.

—¿Sí? —gritó, y se preguntó si de verdad había oído algo.

—Bonnie —dijo Caroline; entreabrió un poco la puerta, y una ráfaga de aire frío se coló dentro. Bonnie notó que el aire le envolvía el torso, como una toalla—. Perdona que te moleste, pero me ha parecido oportuno avisarte enseguida. Es el capitán Mahoney, está al teléfono.

Bonnie apenas tuvo tiempo de secarse y vestirse antes de que el capitán Mahoney llamara a la puerta de la casa. Le contó todo; las palabras salían a borbotones de su boca, como agua hirviendo de una tetera: lo mal que se había encontrado aquellas últimas semanas, su visita al médico, los resultados de los análisis de sangre, la certeza de que alguien la había estado envenenando, la incertidumbre de quién podría ser.

—Encontré una lata de raticida bajo el fregadero de Joan —explicó.

—¿Estuvo usted en su casa?

—Ayer. —Detectó una chispa de sorpresa en los oscuros ojos, que se tornó en impaciencia. Sentado al lado de Bonnie, el capitán, nervioso, fingía examinar la alta escultura de un desnudo situada enfrente del piano en el salón de Caroline Gossett. Caroline se encontraba en el sótano, enseñando a Amanda a hacer cartón piedra. Lyle se había marchado a primera hora de la mañana a jugar a golf.

—¿La tocó? —preguntó el capitán, y la resignación se adhirió a sus palabras como un obstinado cosquilleo en la garganta.

—Sí. —Bonnie comprendió, sin necesidad de que se lo explicara, que seguramente sus descuidadas manos habían destruido cualquier posibilidad de que la policía descubriera huellas frescas en la superficie de la lata.

—Lo siento. No se me ocurrió.

El capitán se rascó la cabeza.

—Todo el mundo se cree detective —murmuró.

—¿Como mi hermano? —preguntó Bonnie; se quedó esperando la respuesta del capitán, pero no la obtuvo—. ¿Es lo que dice ser, capitán Mahoney?

—Su hermano no es sospechoso del asesinato de Joan —replicó el capitán Mahoney con secretismo.

—¿Es agente de policía? —presionó Bonnie.

—No puedo decírselo.

—¿No puede o no quiere?

—Su hermano no es sospechoso de este caso —repitió.

Bonnie asintió con la cabeza.

—Entonces, ¿no corro peligro si me pongo en contacto con él?

—No corre peligro —contestó el policía. Los ojos de Bonnie se llenaron de lágrimas de agradecimiento.

—Gracias —dijo—. No sabía a quién acudir.

—Al parecer acudió a la persona adecuada —repuso él, recorriendo el salón de Caroline con la mirada.

—He tenido suerte. Caroline es una mujer maravillosa.

—Los buenos amigos no abundan.

—¡Oh, Dios mío, me he olvidado de Diana! —exclamó Bonnie—. Debe de estar histérica. —Se levantó, fue corriendo a la cocina, descolgó el auricular y marco el número de Diana.

El teléfono volvió a sonar una, dos, tres veces. Cuando estaba a punto de colgar para marcar de nuevo, de repente descolgaron.

—Por fin te encuentro —dijo Bonnie sin esperar a oír la voz de Diana—. Te he llamado antes, pero debías de estar en la ducha.

—¿Quién es? —La voz que hablaba al otro extremo de la línea era monótona, inexpresiva, aunque algo familiar.

Una línea de sudor frío brotó a lo largo del labio superior de Bonnie. El aire se le quedó atascado en la garganta, se negaba a pasar.

—¿Con quién hablo? —preguntó ella a su vez.

—Soy el detective Haver, de la policía de Weston —contestó la voz—. ¿Con quién hablo, por favor?

—¿Detective Haver? —repitió Bonnie, recordando al agente

de policía de piel oscura con quien había hablado en la guardería de Amanda tras el incidente con la sangre.

El capitán Mahoney acudió junto a Bonnie.

—Déjeme a mí —dijo, y ella le entregó el auricular sin insistir.

Se quedó mirando al capitán Mahoney, que frunció el entrecejo y adoptó una expresión ceñuda. Oyó cómo su voz se reducía casi a un susurro.

—Sí, comprendo. ¿A qué hora ha sido? —Le vio menear la cabeza, sujetando el auricular entre su oreja y su cuello mientras sacaba el bloc de notas del bolsillo trasero de sus pantalones y apuntaba algo en él—. ¿Te importa que vaya a echar un vistazo? —le oyó preguntar antes de colgar el teléfono.

—Se ha cometido un homicidio —dijo el capitán mirando a Bonnie a los ojos mientras ella se agarraba al mármol de la cocina.

Bonnie apenas podía hablar.

—No —fue cuanto consiguió decir.

—Un vecino acaba de identificar el cadáver.

—No, por favor —susurró Bonnie.

—Me temo que su amiga ha muerto —dijo el capitán Mahoney con expresión solemne—. Le han disparado.

—Han disparado contra Diana —repitió Bonnie, negándose a creer lo que oía, las palabras que ella misma estaba diciendo.

—Un solo disparo en el corazón.

—¡Dios mío! ¡Dios mío! Mi pobre Diana. —Bonnie recorrió la cocina con la mirada inquieta, fijó sus ojos en el dibujo al carbón de una madre con su hijo recién nacido. Hubiese querido coger a su hija y echar a correr, correr todo lo rápido y todo lo lejos que le fuera posible—. ¿Cabe la posibilidad de que hayan sido ladrones? ¿O quizá un ex marido de Diana? Estuvo casada dos veces, ¿sabe usted? Casada y divorciada. A lo mejor ha sido uno de ellos, u otra persona que ella conocía. Nunca le han faltado hombres. Esto no tiene por qué estar relacionado con Joan, ni conmigo, ¿verdad? Quizá se trate de una de esas espantosas casualidades, uno de esos perversos giros del destino, ¿verdad? —preguntó Bonnie, que deseaba con todas sus fuerzas tener razón, aunque sabía que no era el caso.

—Un vecino vio un coche que salía a toda velocidad del camino de la casa hacia las diez de esta mañana —dijo el capitán Mahoney—. Como le pareció extraño, cruzó la calle y vio que la puerta principal estaba abierta; entonces entró, la encontró tendida en el suelo del salón.

Bonnie hizo todo lo posible para no imaginarse a su más íntima amiga tendida, muerta en el suelo del salón. Era imposible. Tenía que haber algún error. Diana era un ser humano tan complejo, tan intenso y complicado, tan lleno de energía y de contradicciones. ¿Cómo podía alguien despojarla de toda aquella intensidad con algo tan sencillo como una bala en el corazón?

—¿Pudo ver el vecino a la persona que conducía el coche? —preguntó Bonnie.

—No. Pero vio bien el vehículo.

—¿Qué tipo de coche era? —preguntó Bonnie, y oyó la respuesta casi antes de que el capitán Mahoney lo dijera.

—Un Mercedes rojo.

—Hemos asignado la vigilancia de la casa a varios agentes —explicó el capitán Mahoney más tarde, aunque tuvo que decirlo varias veces hasta que todos se hubieron mentalizado de lo que quería decir—. Estarán en un coche sin distintivos, un poco más abajo de la calle. También pondremos a alguien en la parte de atrás, por si acaso. Y hemos pinchado el teléfono, por si intentara ponerse en contacto con ustedes.

—¿Ponerse en contacto con nosotros? —preguntó Bonnie.

—Nunca se sabe.

—Estoy segura de que mi hermano no ha sido —insistió Lauren, que estaba sentada a la mesa del comedor, los brazos extendidos a la buena de Dios sobre la mesa, la cabeza colgándole del cuello, como una marioneta a la que hubieran cortado las cuerdas.

Llevaban un buen rato sentados así: Bonnie, Rod, Lauren, Nick, el capitán Mahoney, el detective Haver; cuerpos vencidos, brazos y piernas fláccidos. Bonnie recordó otra ocasión, varias semanas atrás, en que otro pequeño grupo se había reunido alrededor de aquella misma mesa, sólo que entonces Haze ocupaba el lugar del detective Haver, y Sam el del capitán Mahoney. Y Diana... Bonnie se imaginó a su amiga, sus ojos azules como un mar tropical.

—Todos sabemos que no ha sido Sam —insistió Lauren, con menos convicción.

—También tenemos agentes vigilando la casa de los Gleason, por supuesto —continuó el detective Haver—. Por si aparecen por allí.

Resultó que al vecino de Diana le había parecido ver a dos hombres en el coche. Jóvenes con el cabello largo, dijo, aunque no había sabido decir con seguridad si los jóvenes en cuestión eran Sam y Haze. No importaba. Ni Sam ni Haze habían sido vistos desde aquella mañana. Había una orden de busca y captura contra ellos.

—¿Qué interés tendría Sam en hacer daño a Diana? —preguntó Lauren, aunque su mirada era inexpresiva y su voz no iba dirigida a nadie en particular—. Estaba loco por ella. Jamás le habría hecho daño.

Bonnie intentó bloquear el sonido de la voz de Lauren cerrando los ojos. Si las sospechas de la policía se confirmaban, y Diana había sido violada antes de morir, Lauren no estaba haciendo lo mejor para ayudar a su hermano. El forense tardaría varios días en emitir su informe, pero el capitán Mahoney estaba convencido de que demostraría que Diana había sido asesinada con la misma arma que había matado a Joan, y que la habían violando antes o después de su muerte.

—Dios mío —gimió Bonnie, tapándose la boca con la mano. Todo era culpa suya. De no haber sido por ella, Diana seguiría con vida. ¿No había metido ella a su amiga en aquel lío? ¿No la había llamado desde la comisaría el día que descubrió el cadáver de Joan y había hecho que fuera a Newton, a pesar de que ella sabía muy poco de derecho criminal? ¿No la había invitado a cenar, no se la había presentado al hijo de Rod? «Sam, te presento a Diana. Diana, te presento a la muerte.»

—Dios mío —gimió de nuevo, tapándose el rostro con las manos.

Unas manos fuertes se posaron sobre sus hombros, dándole

un masaje con los dedos en los músculos de la base del cuello.

—Me quedaré aquí esta noche —dijo Nick mientras aplicaba con los dedos la cantidad justa de presión—. En el sofá del salón.

Bonnie asintió con la cabeza, miró hacia Rod, preguntándose cómo reaccionaría. Pero no dijo nada. Sentado al otro extremo de la mesa, con la mirada perdida, ni siquiera se percataba, al parecer, de que Nick estaba allí, de que su casa se encontraba llena de policías, de que había más agentes fuera. Bonnie dedujo que debía de estar conmocionado, y cayó en la cuenta de que casi no había hablado desde que ella llegó a casa acompañada por el capitán Mahoney. El enfado y la indignación habían sido sustituidos por el horror y la consternación. El capitán le había comunicado que Diana estaba muerta, y que su hijo era el principal sospechoso. También era el principal sospechoso de la muerte de su madre y del intento de envenenamiento de su madrastra. Rod lo escuchó todo con un silencio de perplejidad, y luego se retiró al comedor, donde se sentó. Seguía allí desde entonces, sin hablar, sin moverse, sin respirar apenas.

Bonnie hubiera querido acercarse a él, rodearlo con sus brazos y decirle que todo se arreglaría, pero algo se lo impedía. ¿Cómo decirle que todo se arreglaría, si seguramente eso nunca ocurriría? ¿Cómo consolarle, si sólo unas horas atrás pensaba que Rod podía ser el culpable?

—Tengo que ir a ver a Amanda —dijo Bonnie poniéndose en pie; se tambaleó y volvió a sentarse.

—Acabo de ir —le recordó Nick—. Estaba dormida. Algo que tú deberías intentar también. No creo que ocurra nada esta noche, y esas pastillas que estás tomando son bastante fuertes. Deberías acostarte. —Miró a su cuñado y añadió—: Y tú también, Rod.

Él no respondió. Siguió contemplando la pared del otro extremo del comedor, como si nadie le hubiese hablado.

—¿Papi? —llamó Lauren. Se levantó de su silla, caminó hasta su padre, lo rodeó con sus brazos, lo abrazó fuerte, como si intentase infundirle vida, y le acarició las mejillas con los labios—. Vamos, papi —susurró—. Te ayudaré a subir.

Rod dejó que su hija lo acompañara fuera del comedor. Bonnie los vio subir muy despacio por la escalera, plantando ambos pies firmemente en cada escalón antes de pasar al siguiente.

—Deberías haber ido al hospital —dijo Nick volviéndose hacia su hermana.

—No puedo, hasta que hayamos solucionado esto. Hasta que esté segura de que Amanda no corre peligro.

—No irán muy lejos —sentenció el capitán Mahoney—. Dos adolescentes de cabello largo con un Mercedes rojo... No les costará mucho detectarlos.

Bonnie meneó la cabeza, intentó imaginarse dónde estarían, adónde se dirigían, por qué habían matado a Diana.

«¿Por qué», se preguntó una vez más, y las palabras hicieron que la cabeza le diera vueltas. ¿Por qué todo aquello? Nada tenía sentido. Tal vez Sam no fuera el hijo soñado de una madre —llevaba un pendiente en la nariz y tenía una serpiente en su dormitorio—, y era reservado y malhumorado, caprichoso y tímido. Pero también dulce y sensible, y atento, y tenía una desesperada necesidad de amor.

¿Era eso lo que había ocurrido? ¿Le había llevado su necesidad de ser amado a interpretar mal la amabilidad de Diana? ¿Había salido a la superficie la rabia contenida al rechazar ella sus torpes insinuaciones de adolescente? ¿La había violado, matándola después para que no hablara? ¿Había sido su muerte un acto de odio aislado, o formaba parte de un plan más extenso?

¿Y si Haze era el principal culpable? ¿Sería suyo el esperma que habían descubierto en el cuerpo de Diana? Ésa era la parte más sencilla, según el capitán Mahoney. Si Diana había sido asaltada sexualmente, los análisis de ADN descubrirían al culpable.

—Ya casi ha pasado todo —la tranquilizó Nick.

Bonnie asintió con la cabeza, rezando para que tuviera razón. Se levantó y se encaminó hacia la escalera, con Nick detrás de ella. El capitán Mahoney y el detective Haver se quedaron en el comedor. Se marcharían cuando todo estuviera preparado.

—A papá le gustaría que le llamaras por teléfono —dijo Nick cuando llegaron al pasillo—. Le has tenido muy preocupado desde que fuiste a visitarlo. Sabe que están ocurriendo muchas cosas, y creo que dormirá mucho más tranquilo si le dieras un telefonazo.

—No sé si podré, Nick. No sé si tengo fuerzas.

—Mira, yo no malgastaría ni un minuto preocupándome por tus fuerzas —dijo Nick—. Eres una mujer muy fuerte, Bonnie. Si un cargamento de arsénico no ha podido acabar contigo, no creo que nada debas temer de un inofensivo anciano que te quiere... —Se interrumpió; luego, cuando volvió a hablar, lo hizo con voz firme—. No podemos hacer nada por los muertos, Bonnie. Es a los vivos a quienes tenemos que aprender a prestar más atención.

Tendió los brazos hacia ella, y Bonnie se derrumbó en ellos, doblándose como un pañuelo de papel. Al cabo de unos segundos levantó la cabeza, besó a su hermano en la punta de su delicada nariz, dio media vuelta y subió por donde había subido su marido.

Estaba tendido en la cama, y Lauren le quitaba los zapatos cuando Bonnie entró en la habitación.

—No he conseguido convencerlo para que se desnudara —dijo Lauren.

Bonnie miró a Rod, encogido en posición semifetal sobre la colcha, con los ojos abiertos, aunque sin mirar nada. Bonnie intentó ponerse en su lugar. ¿Cómo se sentiría ella, al fin y al cabo, si un capitán de policía le anunciara que su hija era una psicópata asesina responsable de la muerte de dos personas y el envenenamiento de otras dos?

—¿Te encuentras bien? —preguntó Bonnie a su hijastra.

Lauren se encogió de hombros.

—¿Crees que hallarán a Sam?

—Seguro que sí.

—Tengo tanto miedo —se lamentó Lauren con voz queda—. Tengo tanto miedo de que lo maten.

Bonnie se acercó a la niña y la abrazó.

—Nadie va a matar a nadie —dijo. «Ya ha habido bastantes muertos», pensó—. Creo que a todos nos vendrá bien dormir un poco. Ha sido un día muy largo.

—¿Te encuentras bien?

—Sí, no te preocupes.

Lauren volvió junto a la cama y plantó un suave beso en la frente de su padre.

—Hasta mañana, papi. Ya verás, ahora todo se arreglará. —Se fue de puntillas hasta la puerta, y una vez allí se volvió—. Te quiero, papi —dijo, y se marchó.

Bonnie fue hasta el teléfono que había al lado de la cama, y marcó un número con gestos mecánicos. Varios segundos después oyó el tentativo «Hola» de su padre.

—Soy Bonnie. Nick me ha dicho que estabas preocupado por mí.

—¿Te sientes bien?

—He estado mejor —contestó Bonnie sin fingir—. ¿Y tú?

—¿Yo? Bien. —Bonnie tuvo la impresión de que le sorprendía la pregunta—. Sólo quería asegurarme de que te encontrabas bien.

—Me encuentro bien. No te preocupes.

—Los padres siempre nos preocupamos.

Bonnie sonrió con tristeza, se dio cuenta de que era verdad.

—¿Puedo llamarte dentro de un par de días? —preguntó a su padre—. Espero que las cosas se hayan calmado un poco para entonces... Podríamos hablar...

—Llama cuando quieras.

Bonnie notó que las lágrimas le corrían por las mejillas.

—Lo mismo te digo —dijo.

—Te quiero, cariño.

—Buenas noches, papá —susurró Bonnie, y colgó el auricular. Luego se metió en la cama, junto a su marido, y esperó hasta quedarse dormida.

31

A las seis de la mañana, Bonnie notó que alguien avanzaba por la moqueta hacia ella. De pronto, una sombra cayó sobre sus párpados, todavía cerrados, cortando una gruesa línea diagonal a través de la primera luz del sol. Notó unos dedos, suaves y ligeros como una pluma que le rozaban el brazo, y oyó una dulce voz que flotaba hacia su oído.

—Bonnie —dijo la voz—. Despierta, Bonnie.

Ella abrió los ojos, vio el rostro de su hermano a sólo unos centímetros del suyo, y se incorporó de un brinco.

—No ocurre nada —la tranquilizó él enseguida mientras retrocedía unos pasos—. Lo siento, no era mi intención asustarte.

—¿Qué pasa? —Bonnie volvió la cabeza hacia un lado. Rod seguía durmiendo. No se había movido en toda la noche.

—Acabamos de recibir una llamada de la policía estatal de Nueva York. Han parado en la autopista a dos chicos que iban en un Mercedes rojo, por exceso de velocidad por la autopista. Al parecer se trata de Sam y Haze.

—¿Y ahora qué? —preguntó Bonnie mirando de reojo a Rod, que seguía con los ojos cerrados, aunque Bonnie apreció una ligera tensión en sus miembros, como si contuviese la respiración.

—Los traerán a Newton. Hablaremos con ellos cuando lleguen a la comisaría.

—¿Cuánto tardarán?

—Un par de horas. —Nick se sentó en la cama y cogió las manos de Bonnie—. ¿Estás bien?

—Lo único que deseo es que todo esto se acabe de una vez.

—¿Y entonces irás al hospital?

—En cuanto sepa que Amanda está a salvo.

Nick acarició la mejilla de su hermana.

—Eres una fiera.

Bonnie sonrió.

—Supongo que me viene de familia.

—Será mejor que me marche —dijo Nick—. Quiero hablar con el capitán Mahoney antes de que traigan a Sam.

Bonnie asintió con la cabeza.

—¿Me llamarás en cuanto sepas algo?

—En cuanto me sea posible.

Bonnie oyó los pasos de Nick bajando por la escalera, y la puerta principal que se abría y cerraba. Luego puso la cabeza en la almohada, pues el cuello y los hombros no soportaban ya su peso, y miró a Rod.

Rod tenía los ojos abiertos.

—¿Lo has oído? —La voz de Bonnie sonaba independiente, como si procediese de otra persona, como si no tuviese relación con su cuerpo.

—Han cogido a Sam y a Haze en la autopista de Nueva York —repitió Rod con tono inexpresivo y desprovisto de emoción, como si hablase de unos desconocidos.

Bonnie observaba el diálogo entre su marido y ella como si mirara un programa de televisión, uno de esos *reality shows* que hacían furor desde que la realidad había desbancado a la ficción en el absurdo ámbito del espectáculo. Veía a un hombre y una mujer, los dos con la ropa arrugada del día anterior, rostros pálidos y desconcertados, posturas y expresiones en la misma medida de desafío y derrota. Se preguntó quiénes eran aquellas dos personas, tan alejadas de sus propias vidas y una de la otra, que interpretaban sus papeles como si fuesen actores mal caracterizados que leen un guión sin acabar de comprenderlo.

—¿Estás bien? —preguntó Bonnie.

—¿Y tú? —preguntó él a su vez.

—Me siento un poco más fuerte. No bien del todo, pero sí un poco mejor.

Rod no dijo nada. Se puso boca arriba y se quedó contemplando el techo.

—¿Quieres que hablemos? —preguntó ella.

—No —contestó él—. ¿De qué serviría?

—Se trata de tu hijo —dijo Bonnie.

El sonido que escapó de la boca de Rod se hallaba a medio camino entre la risa y el llanto. Fue como si alguien arrastrara una pala por el hielo.

—Quizá no fue Sam —apuntó Bonnie. Se sentó en la cama junto a Rod y encogió las piernas, apoyando luego la barbilla sobre las rodillas—. A lo mejor fue Haze. Tal vez él metió a Sam en todo esto... —se interrumpió. ¿Intentaba convencer a su marido o convencerse a sí misma? —No me entra en la cabeza que Sam sea un asesino —continuó al cabo de unos segundos—. He pasado mucho tiempo con él estas últimas semanas, y me resulta imposible creer que haya hecho algo así. Es un buen chico, Rod. Se siente solo y desgraciado, pero no es un psicópata. No pudo matar a su madre, ni tampoco hacer daño a Diana.

Rod se volvió hacia el otro lado, hundió el rostro en la almohada, sin llegar a amortiguar los sollozos que salían de su garganta. Bonnie observaba los temblores de su espalda, las espasmódicas sacudidas de sus hombros. Quería echarse sobre él, taparlo con su cuerpo para darle calor y protección, como si fuese una criatura; decirle: «Todo se arreglará», como lo había hecho con Lauren la noche anterior. Sin embargo, algo no se lo permitía. Una mano invisible le sujetaba los brazos, la mantenía a distancia, impidiendo que tocara a su marido. ¿Qué era? ¿Por qué no podía consolar al hombre que amaba?

—Todo se arreglará, Rod —dijo, pero aquellas palabras sonaron vacías, incluso para sus propios oídos.

Él siguió llorando en silencio.

¿Lloraba por su hijo o por sí mismo? O quizá por los dos. Por la relación que no habían tenido; por la relación que seguramente nunca tendrían. Era demasiado tarde, demasiado tarde para interpretar el papel de padre embelesado, demasiado tarde para

385

recuperar aquellos años perdidos, demasiado tarde para cimentar los lazos de unión entre padre e hijo que, de buen principio, no habían sido establecidos de la forma adecuada.

«O quizá no», reflexionó Bonnie, que ahora entendía todo un poco mejor; comprendía que la necesidad de un padre era algo que un niño nunca llegaba a superar del todo. Tal vez nunca era demasiado tarde para que un padre se acercara a su hijo.

Bonnie observó que el estremecimiento de los hombros de su marido iba cesando. ¿Empezaba a asumir la gravedad de cuanto había ocurrido? ¿Que era posible que su hijo hubiera matado a su madre? ¿Que quizá había violado y asesinado a una mujer que había intentado ofrecerle su amistad? Desde luego, Rod no malgastaría lágrimas por Joan, a quien había llegado a detestar; ni por Diana, una mujer que apenas soportaba. ¿A qué venían esas lágrimas tan amargas?

—Rod...

Él se incorporó, se secó las lágrimas de la cara con el dorso de la mano. Cuando se volvió hacia Bonnie, sus ojos marrones parecían más opacos que nunca, como el fondo de un río lleno de barro.

—¿Qué ocurre? —preguntó ella.

Él meneó la cabeza, como para librarse de los indeseables pensamientos que se habían instalado en ella.

—Cuéntamelo, Rod, por favor.

—La policía realizará análisis —dijo Rod, como si estuviese interviniendo en una conversación diferente.

—¿Qué quieres decir?

—Muestras de sangre, muestras de esperma —continuó con la misma voz monótona—. Para realizar sus análisis de ADN.

—Sí. —Bonnie no estaba segura de adónde quería llegar su marido.

—Se acabó —dijo él—. Todo se acabó.

—¿De qué me estás hablando, Rod?

Hubo un largo silencio.

—Sam no violó a Diana —se decidió él a romperlo—. Ni Haze.

—¿Qué?

—El esperma que encontrarán en el cuerpo de Diana no es de Sam —repitió.

Bonnie se levantó con lentitud de la cama y retrocedió hacia la pared, aunque apenas notaba la moqueta debajo de sus pies.

—¿Qué significa eso?

—Creo que lo sabes.

Bonnie tardó unos segundos en recuperar el habla, finalmente consiguió emitir un ronco susurro.

—¿Estás diciéndome que el esperma es tuyo?

Rod no respondió.

—¿Estás diciéndome que la mataste tú? —Bonnie miró hacia la puerta, midiendo en silencio los pasos que necesitaba para llegar hasta ella.

—¡No! —exclamó Rod, y ese grito suyo pareció sacarlo de su letargo—. Aunque la policía lo pensará así, por supuesto. Están deseando ponerme las garras encima. —Se echó a reír, un sonido estrangulado que perforó el aire como un clavo atravesando un globo.

—No lo entiendo.

—Yo no maté a Diana, por el amor de Dios. No le habría hecho daño por nada del mundo. —El rostro de Rod se contrajo con un dolor sincero—. Estaba enamorada de ella —susurró, tapándose el rostro con las manos para amortiguar sus palabras—. Estaba enamorado de ella —repitió, y entonces sus palabras sonaron tan claras y tan frías como un arroyo de montaña.

—Estabas enamorado de Diana —susurró ella, y esperó a que Rod continuara, pero él no añadió más; sólo se quedó mirándola con aquellos ojos opacos sin fondo—. ¿Desde cuándo...?

—Desde hace un año.

—Entonces, todas esas noches que te quedabas a trabajar hasta tarde; todas esas reuniones a primera hora de la mañana...

Rod asintió con la cabeza, reconociendo que no había necesidad de decirlo con palabras.

—Pero si Diana nunca te cayó bien —protestó ella con voz débil. Sintió como si el suelo que pisaba se hubiese esfumado, como si estuviese de pie en medio de un vasto vacío, y sólo fuera cuestión de tiempo que el centro de aquel vacío la absorbiera, que lo que quedaba de ella desapareciera por completo.

—No sé cómo pasó, Bonnie. —Rod levantó una mano en el aire, la dejó flotar al azar unos segundos, y luego la dejó caer de nuevo.

Al fin y al cabo, ¿qué podía decir? ¿Que nunca se les ocurrió que llegarían tan lejos? ¿Que nunca pensaron hacerle daño?

—Diana no fue a Nueva York —pensó Bonnie en voz alta—. Estaba contigo en Florida.

Rod asintió con la cabeza.

—Estaba a tu lado cuando te comenté que había ido a ver al doctor Kline, y que Diana me lo había recomendado.

—Ella me dijo que nunca había oído hablar de él.

—Por eso sabías que su médico se llamaba Gizmondi, porque ella te lo estaba diciendo.

—Nos extrañó tanto que mintieras. Creíamos que sospechabas de nosotros e intentabas descubrirnos.

Bonnie agachó la cabeza, pensando en sus erróneas sospechas.

—Y yo que pensé que era con Marla con quien me ponías los cuernos.

—¿Con Marla? —preguntó Rod, ofendido por aquella sugerencia.

Bonnie casi se echó a reír. «Todo empieza a encajar», reflexionó, y fue reuniendo las piezas del rompecabezas, acoplándolas unas a otras con sus correspondientes enganches.

—La ropa interior que encontré en el fondo de tu cajón no era para mí —sentenció, adoptando en ese momento la costumbre de Caroline Gossett de transformar las preguntas en afirmaciones—. Era para Diana. —Se imaginó a su amiga, con aquella exuberante cabellera oscura que le llegaba por encima de sus abundantes senos—. No me extraña que el sujetador me quedara grande. —Recordó la conversación que mantuvo con Diana justo después de encontrar la ropa interior sexy en el fondo del cajón de la cómoda de Rod. Era evidente que Diana había llamado por teléfono a Rod inmediatamente después, para informarle del inoportuno descubrimiento de su esposa, y lo había enviado a casa con las órdenes de mostrarse cariñoso y atento al máximo.

—Así que llevabas un año acostándote con Diana —resumió Bonnie—. Todas las veces que los tres estuvimos juntos, durante las cuales fingías aguantarla por mí, lo que hacías en realidad era aguantarme a mí. Aquel día en la comisaría, cuando te enfadaste tanto por encontrarla allí conmigo, no estabas enfadado con ella en absoluto. Estabas enfadado conmigo. Porque yo había estropeado vuestra cita, ¿verdad? Por eso me fue imposible localizaros a ninguno de los dos. Por eso no tenías coartada para la hora de la muerte de Joan. ¡Porque estabas jodiendo con mi mejor amiga!

—Bonnie...

—Mientras yo me encontraba tan enferma, tú estabas con ella —prosiguió Bonnie, anonadada. ¿Cómo había sido tan estúpida? ¿De verdad se había convertido en aquel lamentable cliché? ¿La esposa que es la última en enterarse? —Hasta cuando volviste de Florida estabas con ella.

—Regresamos juntos. Primero la acompañé y luego vine a casa —dijo él por propia voluntad, las palabras saliendo de su boca, casi como si deseara hablar de ello con Bonnie.

«A lo mejor lo estaba deseando —pensó Bonnie mientras escuchaba, impotente. Quería decirle que se callara, pero no podía—. Me está haciendo su cómplice», pensó con inquietud.

—Sí, viniste a casa, me dedicaste unos minutos y luego me acostaste como si fuese una criatura y te marchaste otra vez a seguir con lo tuyo.

—Haces que parezca tan frío. No fue así.

—¿Ah, no?

—Al menos no pretendía serlo.

—Y te encontrabas allí cuando Sam y Lauren aparecieron para acabar de empapelar el cuarto de baño —prosiguió Bonnie. Se imaginó la escena y se preguntó si lo habría encontrado divertido si le hubiese ocurrido a otra persona.

—Les dije que acababa de llegar del aeropuerto y que había pasado a ver a Diana para saber de verdad cómo te encontrabas, por si me estabas ocultando algo. Me pareció que se lo creían... —Su voz se fue apagando, como si de pronto supiera que al menos debería tener la decencia de sentirse avergonzado por aquellas revelaciones.

—Y entonces volviste a casa y descubriste que tu esposa se había largado.

—Estaba frenético. No sabía dónde demonios te habías metido.

—¡Qué considerado por mi parte! —exclamó ella sarcástica.

—Yo no tenía intención de...

—Y volviste a casa de Diana. Debiste de sentir un gran alivio cuando llamé por teléfono.

—No sabíamos qué estaba pasando.

—Y teníais que consolaros mutuamente, claro.

—No me quedé a dormir —aclaró él.

—Pero hicisteis el amor.

Hubo un minuto de silencio, hasta que Rod dijo lo que ya era evidente.

—Sí.

—Y luego te marchaste.

—Vine a casa.

—¿Qué hora era?

—Cerca de medianoche.

—Y lo siguiente que supiste fue que Diana estaba muerta, que le habían disparado un tiro en el corazón, igual que a Joan, tal vez con la misma arma, y que sin duda había sido la misma mano. Pero, por supuesto, tú nada tuviste que ver con ninguno de los dos asesinatos. ¿Intentas decirme eso?

—Yo no las maté, Bonnie. Te juro que no las maté. Tienes que creerme. Estoy destrozado por la muerte de Diana.

—El motivo por el que estás condenadamente destrozado nada tiene que ver con el hecho de que Diana esté muerta —soltó Bonnie—, sino con el hecho de que fuiste lo bastante estúpido como para dejar tu esperma en su cuerpo, ¿verdad? Tus lágrimas no tienen relación con Diana, ni siquiera con tu hijo. Lloras por ti mismo. Dime, ¿alguna vez te has preocupado por alguien que no fueras tú mismo?

Rod la contempló con expresión lastimera.

—Me preocupo por ti. —Y le tendió los brazos.

Bonnie se le acercó con lentitud, atraída por la fuerza de su necesidad de Rod, y se abrazaron con fuerza. Notó el calor de los brazos de él alrededor de su cuerpo, la suavidad de sus mejillas apretadas contra las suyas. Siempre le había encantado que Rod la abrazara.

Se apartó un poco y miró sus insondables ojos marrones. Pero ya no eran tan profundos. Se libró con suavidad de su abrazo. Aquellos ojos eran sorprendentes, decepcionantes, peligrosamente llanos.

—¿Qué haces? —preguntó Rod al ver que Bonnie se dirigía hacia el teléfono que había al lado de la cama y empezaba a marcar un número.

—Me llamo Bonnie Wheeler —dijo—. Necesito hablar con el capitán Mahoney al momento. Sí —dijo a la telefonista, mientras su marido se derrumbaba sobre la cama y se cogía la cabeza con las manos—, puedo esperar.

—¿Adónde ha ido mi padre? —preguntó Lauren, que entraba en aquel momento en la cocina, con Amanda a su lado.

Bonnie, sentada a la mesa de la cocina, contemplaba el dibujo que Amanda había hecho de gente con la cabeza cuadrada. Se volvió con lentitud y sonrió a las dos hijas de Rod, con sus pelirrojos y rubios rizos y sus rostros tan parecidos. «Dulces y saladas y preciosas. Así son las niñitas», pensó.

—Ha tenido que ir a la comisaría.

—De eso hace horas —dijo Lauren—. ¿No debería haber vuelto ya?

Bonnie miró la hora. Eran casi las once de la mañana.

—Me imagino que la policía tendrá muchas preguntas que hacerle.

—¿Y Sam?

—Sam y Haze están en la comisaría también. —Bonnie volvió a consultar su reloj, aunque sólo habían pasado unos segundos. Hacía varias horas que no tenía noticias de Nick ni de la policía. Sin duda no tenían nada nuevo que comunicarle. Estaban interrogando a Rod, a su hijo y al amigo de su hijo. A los tres les habían leído sus derechos. «Mirandizado», recordó que había dicho Diana. Habían avisado a los abogados. Confiaba en que no tardaran en decirle algo.

—Quiero ir al parque —dijo Amanda dando saltitos sin moverse del sitio.

—Ahora no puedo ir al parque, tesoro —dijo Bonnie.

—¿Por qué?

—Yo puedo llevarla —se ofreció Lauren—. No me importaría tomar un poco el aire.

—No sé... —vaciló Bonnie; no estaba segura de que fuera una buena idea dejarlas salir hasta que hubiera llamado la policía.

—Por favor —suplicó Amanda.

Bonnie se preguntó por qué dudaba. La policía tenía a todos los principales sospechosos de los asesinatos en la comisaría. ¿Esperaba que la llamaran para decirle que el asesino había confesado? ¿Lo consideraba una posibilidad? Ni siquiera estaba segura de que la policía presentara algún cargo. ¿Podía tener a su hija enjaulada definitivamente? —Está bien, podéis ir accedió al fin, comprendiendo que Lauren necesitaba aire fresco.

—¡Hurra! —Esta vez, cuando Amanda saltó arriba y abajo, levantó los pies del suelo.

—Voy a buscar mi bolso —dijo Lauren, y salió corriendo con Amanda hacia la escalera.

Sonó el teléfono.

—Diga —dijo Bonnie, que lo descolgó casi al instante.

—Hola, Bonnie. Soy Josh. ¿Cómo estás?

—¿Josh?

—Josh Freeman. ¿Te acuerdas de mí? —dijo el profesor.

—Por supuesto, Josh. Perdóname. Es que esperaba otra llamada.

—¿Te pillo en mal momento?

—No. —De hecho se alegraba de oír su voz.

—Sólo quería saber cómo te encuentras.

—Un poco mejor —contestó Bonnie. «Mi marido y mi hijastro están en la comisaría, sospechosos no sólo de haber asesinado a Joan, sino también a mi mejor a amiga, Diana, que al parecer llevaba un año acostándose con mi marido. Ah, ¿y no te he comentado que tengo un elevado contenido de arsénico en la sangre?» Bonnie pensó todo eso pero no lo dijo. Había cosas que era mejor no decir por teléfono.

—A lo mejor paso a verte un poco más tarde, si te parece bien —dijo Josh, como si le leyera el pensamiento.

—Claro. Me parece estupendo.

—¿Dentro de una hora?

—Muy bien.

—Pues hasta luego.

Bonnie colgó el auricular. Le apetecía ver a Josh. Aunque, si lo pensaba bien, el día anterior sospechaba que le había llevado caldo de pollo envenenado. Miró el teléfono de reojo y se planteó llamarle y decirle que dejara la visita para otro día.

—Esto es ridículo —dijo en voz alta. No era Josh el que había estado intentando envenenarla. Desde luego Josh no podía ser el asesino de Diana. ¿Qué motivos tendría para ello? Sin embargo, pensó que no estaría de más asegurarse hasta tener la certeza absoluta. Llamaría por teléfono a su hermano, le pondría al corriente de la situación, le pediría que pasara por su casa a la misma hora que Josh.

El teléfono sonó cuando Bonnie estaba a punto de levantar el auricular.

—Ya estamos dispuestas —dijo Lauren, saltando los últimos escalones de la escalera, con su enorme macuto colgado al hombro, y Amanda con una bolsa Barbie.

Bonnie cogió el auricular.

—¿Diga?

No obtuvo respuesta.

—¿Diga? —insistió.

Seguían sin hablar.

—¿Quieres que te traiga algo del supermercado? —preguntó Lauren.

—Mira si falta leche —respondió Bonnie, distraída por un momento.

Lauren fue a la nevera, la abrió, y miró dentro.

—No, ya hay.

—¿Diga? —repitió Bonnie por tercera vez, y se preguntó por qué no colgaba; cuando estaba a punto de hacerlo oyó aquel chasquido familiar al otro lado del hilo. ¿Qué era aquello? Reconocía aquel sonido de algo, pero no localizaba de qué.

—¿Quién es? —preguntó Lauren, y su gesto de preocupación dibujó pequeñas arrugas alrededor de sus enormes ojos color avellana.

—¿Quién es, por favor? —dijo Bonnie.

Silencio, luego otro chasquido. Y otro.

Clic. Clic.

Bonnie respiraba con suavidad. Se sentía como si estuviese a la deriva en un mar en calma, esperando con ansiedad que la próxima ola la impulsara hacia la playa. Se hallaba tan cerca. Lo único que necesitaba era un empujoncito.

Clic.

Y de pronto se vio entrando con su coche por un largo estacionamiento en un aparcamiento abarrotado, y entrando apresuradamente por la puerta principal de un hermoso y amplio edificio blanco. Con cierto aire del Sur, recordaba haber pensado la primera vez que lo vio. Se vio cruzando el vestíbulo hacia el mostrador de recepción, esperando, impaciente, ante los ascensores, vacilando delante de la puerta de la habitación 312.

Clic.

Vio cómo se abría la puerta, y la anciana sentada en una silla de ruedas, con unas piernas como troncos, el rostro estropeado por la edad, los ojos apagados por el aburrimiento, su amplia y grosera boca abierta, sosteniendo la dentadura postiza con la punta de la lengua, y colocándola de nuevo en su sitio.

Clic. Clic.

—¿Mary? —preguntó Bonnie con cautela—. ¿Es usted, Mary?

—Quizá —contestó la voz—. ¿Quién lo pregunta?

32

Quince minutos más tarde, Bonnie estacionaba su coche en el abarrotado aparcamiento del Centro de Salud Mental Melrose, en Sudbury. Subió a la carrera los escalones de la entrada, cruzó a la misma velocidad el vestíbulo y se dirigió hacia los ascensores de la derecha. Había un grupo de gente esperando, y Bonnie se apoyó contra la pared, intentando recuperar el aliento y ordenar sus ideas.

—¿Por qué había vuelto allí? ¿Qué le había hecho salir a toda prisa de su casa, en cuanto Lauren y Amanda se hubieron ido al parque, meterse en el coche y pisar a fondo el acelerador? Todavía no se encontraba bien. No tenía sentido que pusiera su vida en peligro para hablar con una anciana chalada que, con toda probabilidad, nada interesante tenía que decirle.

Por teléfono no lo había hecho, desde luego. Fue Bonnie quien habló. ¿Por qué la llamaba? ¿Tenía algo que contarle? ¿Quería hablar con ella sobre Elsa Langer?

La anciana había respondido «Quizá. ¿Quién lo pregunta?» a todos sus intentos de saber algo.

De modo que allí estaba, actuando movida tan sólo por su instinto animal, de pie entre un montón de desconocidos, cuyos rostros, sin excepción, denotaban el intenso deseo de encontrarse en otro lugar. Y si alguno de ellos se lo hubiese preguntado, Bonnie no habría sido capaz de ofrecerle ni una buena razón que explicara su presencia allí. ¿Qué esperaba averiguar en realidad?

Sonó una campana, una luz verde se iluminó encima de la

puerta de uno de los ascensores, y la puerta se abrió muy despacio. Hubo un veloz intercambio —gente que salía, gente que entraba—, y pronto el ascensor se llenó. Las puertas se cerraron, y Bonnie se quedó en tierra, con otra media docena de personas. Juntos retrocedieron y se dirigieron al otro ascensor, casi como si fuesen una sola persona. «Actuar como una unidad», pensó. El doctor Greenspoon estaría orgulloso de ella.

Otra campana sonó; otra luz verde indicó la inminente llegada de un segundo ascensor. Bonnie salió del grupo, se abrió paso hasta las puertas del ascensor y empezó a entrar en cuanto éstas se abrieron.

—Disculpe —gruñó una mujer de mediana edad, cuyo lacio cabello acentuaba la flaccidez de su rostro—. Me gustaría salir, si no le importa.

Bonnie se apretujó en un rincón del ascensor, y se quedó contemplando con resolución los números del panel que había junto a la puerta, mientras el ascensor se iba llenando.

—¿Puede alguien apretar el tercero, por favor? —preguntó, y fingió que miraba a su alrededor, como si otra persona lo hubiese dicho. Estaba acalorada, mareada, temía desmayarse, y daba gracias de que hubiera tanta gente en el pequeño cubículo para mantenerla en pie. Se preguntaba si sería capaz de sostenerse ella sola.

Aquella idea le pareció adecuadamente simbólica, y echó a reír. De inmediato, y pese a la falta de espacio, notó que quienes la rodeaban daban un paso atrás. Cuando las puertas se abrieron en la segunda planta, los que quedaban en el ascensor se apartaron de ella aún más.

Bonnie vaciló cuando el ascensor llegó a la tercera planta.

—Qué demonios —susurró por lo bajo, y salió al pasillo. Ya estaba allí. Sólo le faltaba averiguar el porqué.

Avanzó con paso lento por el largo corredor hacia la habitación de Mary, y se detuvo unos segundos delante de la puerta.

—Pase —dijo Mary desde dentro—. ¿A qué espera?

Bonnie abrió.

Mary estaba sentada en su silla de ruedas, junto a la ventana, contemplando los jardines.

—Lo tienen muy cuidado, ¿verdad? —preguntó sin volverse.

—Sí, es verdad —coincidió Bonnie. Echó un vistazo a la habitación y le sorprendió descubrir unos relucientes ojos que la miraban fijamente desde la cama de Elsa Langer.

—Hola —dijo a la mujer, delgada y morena, de aspecto casi regio. Bonnie se preguntó qué hacía en el Centro de Salud Mental Melrose.

—¿Cómo está usted? —dijo la mujer tendiéndole la mano—. Me llamo Jacqueline Kennedy Onassis.

—¡No le haga caso! —bramó Mary desde la ventana—. Está como una cabra.

Bonnie se quedó boquiabierta. ¿No era aquella la expresión que siempre utilizaba su marido para describir a su ex mujer?

—Primero me ponen un vegetal, y ahora me mandan una cabra. —Mary hizo girar la silla para mirar a Bonnie—. ¿Qué ocurre? —Bonnie se acercó a la silla de ruedas, y se fijó en que Mary llevaba una bata limpia a rayas azul marino y blanco, y que su moreno cabello parecía haber sido teñido hacía poco tiempo y estaba sujeto con diversas pinzas de diferentes tamaños.

—¿Para qué quería verme? —preguntó.

—¿Quién ha dicho que yo quisiera verla?

—Usted, cuando me ha llamado por teléfono. Me ha dado a entender que tenía algo que contarme.

—¿Ah, sí?

Bonnie notó que se hundía en la desesperación. ¿De verdad había ido corriendo hasta allí para aquello? ¿Para sostener una estúpida conversación con una anciana enferma? Aunque si no hubiese ido, no habría tenido ocasión de conocer a Jacqueline Kennedy Onassis. Sonrió a la mujer de ojos brillantes que descansaba en la cama de Elsa Langer.

—Pensé que quizá quisiera decirme algo sobre Elsa Langer —especuló Bonnie.

—¿Sobre quién?

—Elsa Langer —repitió Bonnie.

—Teddy no tuvo la culpa —proclamó de pronto la mujer que estaba en la cama—. Intentó salvar a aquella niña. Pero nunca fue buen nadador.

—¿Dice usted que yo la he llamado por teléfono? —preguntó

Mary, dándose golpecitos en las rodillas con las manos con creciente agitación.

—Hace apenas veinte minutos.

—No ha tardado mucho en llegar hasta aquí.

—Pensé que sería importante. Es evidente que usted se tomó ciertas molestias para conseguir mi número.

—Qué va —dijo Mary—. Se lo pedí a la enfermera. Recordé que usted le había dicho a Elsa que le dejaría su número.

—¿Qué más recuerda?

—¿Sobre qué?

—Sobre Elsa —dijo Bonnie.

—Era un aburrimiento —dijo Mary haciendo un desagradable gesto con los labios y luego torciéndolos a uno y otro lado—. Se pasaba el día estirada en la cama, nunca hablaba. Aunque esta Jackie Onassis tampoco es mucho mejor.

—Christina era una niña muy antipática —les confió la mujer que estaba en la cama—. Intenté simpatizar con ella, pero a ella no le interesaba. Quería a su padre para ella sola.

—Hábleme más de Elsa —insistió Bonnie.

Mary empezó a empujar su dentadura postiza con la lengua.

—Nada hay que contar. Se pasaba la vida en la cama, hasta que un día se murió.

—A usted debió de molestarle eso —comentó Bonnie; pensó que lo mejor que podía hacer era marcharse, pero estaba agotada, necesitaba unos minutos para descansar, para reagruparse.

—No me di ni cuenta, con sinceridad —dijo Mary, y se echó a reír abandonando temporalmente su lucha con la dentadura postiza—. Fue la enfermera la que se percató de que había entrado en coma.

—Por lo menos no sufrió —dijo Bonnie—. Supongo que eso es una suerte.

—Supongo. —Mary hizo girar de nuevo su silla hacia la ventana—. Debería decírselo a la niña. Eso hará que se sienta mejor.

—¿La niña? —Bonnie se acercó a la ventana, y miró fijamente a la mujer de la silla de ruedas.

—Su nieta. ¿Cómo se llamaba?

—¿Se refiere a Lauren?

—Sí, creo que sí. Bueno, usted lo sabrá mejor que yo, ya que fue quien la trajo la primera vez.

—¿Cómo dice?

—Yo siempre le decía que hiciera régimen —anunció la señora Onassis desde su cama—. Pero ella no me hacía caso. Me odiaba. Me odió desde el principio.

—¿Qué quiere decir con eso de «la primera vez»? —preguntó Bonnie.

—Usted fue la que trajo a los chicos, el niño y la niña. —Mary empezó a torcer la boca una vez más, como si hiciese gárgaras.

—Sí, lo sé. Pero sólo los traje una vez.

—La niña volvió —dijo Mary, impasible.

—¿Cómo? —A Bonnie se le puso el vello de punta.

—Volvió. Trajo una crema para Elsa. Dijo que la había hecho ella misma. Se sentó en la cama y se la dio. A mí no me dejó ni probarla. No fue muy amable, la verdad. —Mary empezó a hacer pucheros—. Yo sólo quería probarla.

Bonnie asió los dos brazos de la silla de ruedas y obligó a Mary a mirarla a los ojos.

—Piénselo muy bien, Mary —le ordenó Bonnie, haciendo lo posible para no dejar que el pánico la invadiera—. ¿Cuánto tiempo transcurrió desde que Lauren estuvo aquí hasta que Elsa entró en coma?

Mary se sacó la dentadura postiza de la boca y se la volvió a colocar.

—Ocurrió aquella misma noche —dijo.

Bonnie notó que su cuerpo se tambaleaba, e hincó los dedos en la blanda goma de los brazos de la silla de ruedas para no caerse.

—¡Dios mío! —exclamó. ¿Qué significaba aquello? Bonnie miró a su alrededor, desesperada. ¿Era posible que Lauren hubiese envenenado a Elsa Langer? Y si había envenenado a Elsa Langer...

—Es imposible —murmuró Bonnie—. Es imposible.

—Pensé que lo mínimo que podía hacer era dejarme probar un poco de crema —dijo Mary—. Pero no, se empeñó en que su abuela se la comiera toda.

—He dejado a Amanda con ella. Está sola con mi hija. —Bonnie se precipitó hacia la puerta.

—Intenté hacerme amiga suya. —Los gritos de la mujer que se creía Jacqueline Kennedy Onassis llegaron hasta Bonnie mientras corría por el pasillo—. Yo habría ayudado a esa chica si ella me hubiese dejado.

Bonnie condujo como una posesa por la carretera Veinte, hasta que Boston Post Road se convirtió en State Road West, y luego State Road East, ya en Weston, donde volvía a convertirse en Boston Post Road. Temblaba, sudaba, lloraba, gritaba.

—Es imposible —repetía una y otra vez—. Es imposible.

Bonnie recordó el interés manifestado por Lauren en visitar a su abuela, lo mucho que se emocionó cuando la anciana pronunció su nombre, lo cariñosa que se había mostrado con ella, sentada a su lado en la cama, dándole la comida. ¿Había vuelto unos días más tarde para suministrarle el veneno? ¿Cuándo? Lauren pasaba todo el día en el instituto. ¿Cuándo tuvo aquella oportunidad?

—Un día se quedó en casa —dijo Bonnie en voz alta, recordando el día en que Lauren se encontró mal y ella pensó que quizá sufría una recaída de la gripe. Pero no era la gripe. Era el arsénico.

A no ser que nunca hubiese estado enferma. A no ser que sólo lo hubiese fingido.

—No, es imposible —dijo Bonnie—. Yo vi lo enferma que estaba. Me pasé horas sosteniéndole la cabeza mientras ella vomitaba. No fingía. Estaba enferma de verdad.

«Pero mejoró —pensó—. Mientras que yo me ponía cada vez peor. Y ella siempre estaba a mi lado. Siempre a mi lado.»

—Pero, ¿por qué? —preguntó Bonnie. Frenó ante un semáforo en rojo, en la esquina de Boston Post Road y Buckskin Drive, mirando a uno y otro lado con impaciencia, dando golpecitos con el pie derecho en el pedal del acelerador—. ¿Por qué querría matarme?

Bonnie rememoró la tarde en que Rod y ella fueron por primera vez a casa de Joan para comunicar a Lauren y a Sam la muerte de su madre. Recordó el violento arrebato de Lauren, sintió los fuertes golpes de los zapatos de Lauren en sus espinillas, su duro puñetazo en la boca. «Me odia», recordó haber pensado.

Pero aquello había cambiado, sin duda. A lo largo de las semanas siguientes se habían acercado la una a la otra, creando un vínculo de respeto y amistad. A no ser que también eso fuese fingido.

«Pero, incluso en ese caso —reflexionó Bonnie—, ¿me odia tanto como para desear verme muerta? ¿Y por qué querría matar a su abuela, una anciana inofensiva que apenas se acordaba de ella?»

«¿Y a quién más?», se preguntó. En cuanto el semáforo cambió a verde, pisó el acelerador a fondo, y el coche salió del cruce a toda velocidad, como si alguien hubiese apretado sin querer el botón de cámara rápida de un reproductor de vídeo.

Bonnie, desesperada, intentó no pensar, concentrarse en la conducción. Sus ideas eran demasiado extrañas, demasiado absurdas; no parecían estar relacionadas con la realidad, sino, más bien, con fantasías producidas por una droga. ¿De verdad era capaz de pensar que Lauren podía estar implicada en el asesinato de Joan, su madre, y en el de Diana?

«No, eso es ridículo. Sólo piensas estupideces.»

El día que mataron a Joan, Lauren estaba en el instituto. La noche que asesinaron a Diana estaba en casa. ¿No?

Bonnie se dio cuenta de que no le habría costado mucho faltar a una o dos clases. La policía no se habría tomado la molestia de comprobarlo. ¿Quién sospecharía que una muchachita de catorce años hubiera matado a su madre? Y tampoco le habría costado demasiado salir sigilosamente de casa para matar a Diana mientras Rod dormía. Sabía el domicilio de Diana. Había estado en su casa aquella misma tarde.

Pero, ¿por qué? ¿Por qué querría hacer daño a Diana? ¿Y qué motivo tenía para matar a su madre?

Estáis en peligro —le había advertido Joan—. *Tú y Amanda.*

¿Era Lauren el peligro del cual Joan había intentado prevenirla?

—¡Dios mío! —Bonnie se imaginó la inocente mano de su hija entrelazada con la de su medio hermana—. ¡No hagas daño a mi niña! ¡No te atrevas a hacer daño a mi niña! —Torció por Highland Street, y mientras aceleraba por la calle despejada, el paisaje se difuminó en una niebla verde—. No hagas daño a mi niña, por favor —suplicó en voz alta.

¿Cómo había dejado a su hija sola con Lauren? ¿No le había avisado Joan suficientes veces de que nunca utilizara a sus hijos como niñeras? Quizá aquellas advertencias eran sólo manías etílicas de una ex mujer celosa. Tal vez ya entonces Joan intentaba prevenirla.

Pero, ¿por qué?

Siempre la misma pregunta.

No tenía sentido. Era imposible que Lauren hubiera tenido algo que ver con la muerte de su madre o con la de Diana, con el envenenamiento de Elsa Langer o con el suyo. Sí, sabía donde guardaba su padre la pistola; sí, debía de saber donde guardaba su madre el matarratas. Pero aquello no significaba nada. Sam también lo sabía y Rod.

Pero Sam y Rod se encontraban en la comisaría de policía en esos momentos, y Lauren estaba con su hija.

Lauren, que se había llevado a Amanda al parque; pero ¿a qué parque? Había varios en la zona, y habían podido ir a cualquiera de ellos.

—¿Dónde estás, maldita sea? —preguntó Bonnie—. ¿Adónde has ido?

Dejó atrás Brown Street, y, sin darse cuenta, miró hacia la casa de Diana. Vio la cinta amarilla con que habían acordonado la vivienda y que ya empezaba a resultarle familiar: *Policía. No pasar.* «No te pongas nerviosa», se dijo. Torció a la derecha, por South Avenue, vio el pequeño parque de la esquina de South y Wellesley, y aminoró la marcha.

Había unos cuantos niños jugando en los columpios y los toboganes, vigilados por varias mujeres de mirada aburrida, pero Lauren no se encontraba entre ellas, y tampoco Amanda. Bonnie pensó en detenerse y preguntar a las mujeres si habían visto a su hija, pero no reconoció a ninguna de ellas, y no quería perder tiempo. De todas formas, dudaba que fuera capaz de hablar con cierta coherencia.

¿Adónde más podían haber ido? Había un pequeño parque detrás de Blueberry Hill Road, pero era diminuto con sólo unos cuantos columpios, y a Amanda no le gustaba mucho. Y estaba el parque infantil de detrás del colegio de la niña, el parque infantil situado junto a aquel pequeño callejón, la Calle del Alfabeto, donde alguien había vaciado un cubo de sangre sobre la cabeza de Amanda.

—Dios mío —murmuró Bonnie. No creía que Lauren fuera a hacerle daño ahora, cuando había pasado tan poco tiempo del asesinato de Diana.

Bonnie subió a toda velocidad por Wellesley Street hacia School Street, y giró a la izquierda. Entró a toda velocidad por el camino del colegio-guardería, bajó del coche de un salto al tiempo que sacaba la llave del contacto y corrió por el camino hacia la parte trasera del colegio. El parque infantil, equipado hasta el mínimo detalle, apareció ante sus ojos.

Nadie. Bonnie volvió en redondo.

—¿Dónde os habéis metido? —gritó—. Maldita sea, Lauren. ¿Adónde te has llevado a mi hija? —Y entonces vio la bolsa Barbie de color rosa tirada en el suelo, a los pies de uno de los columpios. Corrió hacia ella, se agachó y la recogió. De modo que habían estado allí. Y se habían ido.Quizá hubieran regresado a casa.

Bonnie corrió hacia su coche, y a punto estuvo de chocar con un árbol cuando metió la marcha atrás para salir a la calle.

«Tranquilízate —se dijo, y levantó un poco el pie del acelerador mientras giraba hacia la derecha para tomar Winter Street—. Ya casi estás.»

La casa apareció detrás de la segunda curva de la calle. Bonnie entró en el camino y se bajó del coche.

—¡Amanda! —gritó antes de llegar a la puerta principal—. ¡Amanda! ¡Lauren! —Metió la llave en la cerradura con manos temblorosas y abrió la puerta. Entró en el vestíbulo dando traspiés y subió por la escalera saltando los escalones de dos en dos.

Vio la sangre en cuanto llegó al pasillo de la planta de arriba. Sólo había unas gotas rojas en las blancas baldosas del cuarto de baño, pero aun así eran inconfundibles. «¡Dios mío! —Bonnie se tapó la boca con la mano para no gritar—. ¡No, por favor, no!»

A paso muy lento, como si tuviese los pies atrapados en cemento, se aproximó al cuarto de baño.

Y entonces oyó un gritito a través de la puerta cerrada del dormitorio de Amanda. Se volvió hacia donde procedía el sonido.

—¿Amanda? —gritó, la voz temblorosa como una lágrima. Estiró el brazo hacia la puerta y la empujó con suavidad, la respiración contenida, sin atreverse a enfocar la mirada.

En el centro de la habitación se hallaba Amanda, sentada en el suelo, con las piernas cruzadas; tenía una mano sobre la rodilla derecha y la otra tendida hacia Lauren. Ésta, sentada a su lado, con el macuto en el regazo, agarraba la muñeca de Amanda con una mano, y con la otra, una hoja de afeitar.

—¡Dios mío!

—No te acerques, por favor —dijo Lauren con tono helado.

—Me he caído, mami —explicó Amanda levantando la mano de su rodilla arañada—. Lauren me estaba empujando en el columpio, y me he caído y me he hecho daño en la rodilla. Entonces me he puesto a llorar, pero Lauren me ha dicho que no llorara, y me ha curado la rodilla.

—Lamento que el cuarto de baño esté tan desordenado —dijo Lauren, como si aquélla fuese la conversación más normal del mundo, como si no tuviese apoyada una hoja de afeitar contra la muñeca de Amanda.

—Amanda —empezó Bonnie, con los ojos clavados en las delicadas venas de su hija—, ¿por qué no vas abajo y te preparas un vaso de leche con galletas...?

—Ahora no, Amanda —dijo Lauren con autoridad. Y la pequeña no se movió.

—Lauren dice que ahora vamos a ser hermanas de verdad. Hermanas de sangre —enfatizó la niña—. Me ha prometido que no me dolerá.

De pronto, Bonnie notó que el aire que la rodeaba se convertía en hielo. Necesitó hacer verdaderos esfuerzos para respirar.

—¿Qué?

—¿Qué te ha contado Mary? —preguntó Lauren—. Ya sé que has ido a verla. Te ha dicho que estuve allí, ¿verdad? —Su voz adoptó una cadencia distante, como si hablase desde otra habitación.

—Sí. —Bonnie dio un paso hacia adelante.

—Yo no me acercaría —dijo Lauren—. Ten en cuenta que podría ponerme nerviosa, y quizá se me escapara la mano.

Bonnie se detuvo en seco.

—No le hagas daño —suplicó—. No le hagas daño, por favor.

—Lauren dice que no me dolerá, mami. Menos que el arañazo de la rodilla.

—Claro que no, Amanda. —Lauren apretó suavemente la mano de la niñita—. Yo sería incapaz de hacerte daño. Eres mi hermanita.

—Por favor —suplicó Bonnie—. Suelta la mano de Amanda. Podemos hablar. Estoy segura de que todo tiene arreglo.

—¿Y si no quiero hablar?

—Si no quieres, no hace falta que lo hagamos —concedió Bonnie de inmediato—. No es necesario que digamos nada.

—¿Qué quieres? ¿Que esperemos a que venga la policía para que hables con ellos? —preguntó Lauren.

—No tengo nada que decir a la policía.

—¿No? Qué raro. Pensé que te gustaría contarles muchas cosas.

—No —dijo Bonnie—. Nada.

—Yo las maté, ya lo sabes —dijo Lauren con tono frío—. Las maté a todas.

Bonnie notó que el corazón le pesaba y se le hundía en el estómago.

—¿Mataste a tu madre? —Aunque su pregunta era absurda, pues ya había sido contestada.

La voz de Lauren adoptó un tono petulante.

—Ella tuvo la culpa. Si no hubiese metido las narices en mi cuarto, no habría encontrado mi álbum de recortes. Así fue cómo empezó todo.

—¿El álbum de recortes era tuyo?

Lauren asintió con la cabeza.

—Bonito, ¿verdad? Empecé a confeccionarlo el día en que te casaste con mi padre.

—Pero, ¿por qué?

Una amenazadora nube pasó por los ojos de Lauren.

—Mi padre me quiere, ¿te enteras? Siempre me ha querido. Me quería incluso cuando se marchó. Me quería aun cuando tú intentaste robármelo.

—Lauren, cariño, yo nunca he querido robarte a tu padre.

—Lo intentaste —insistió Lauren—. Todo el mundo lo intentó. Pero yo no lo permití.

Desesperada, Bonnie intentó entender aquellas palabras, sin apartar la vista de la delicada muñeca de su hija. A lo mejor, si conseguía hacer hablar a Lauren el rato suficiente, le soltaría la muñeca.

—¿Por eso mataste a Diana?

—Era muy lista, ¿verdad? Fingía ser tu amiga. Pero te engañaba. Se acostaba con mi padre. ¿Sabes cómo me enteré?

—¿Cuando tu padre se presentó en casa de Diana?

—No. —Lauren meneó la cabeza—. Lo sabía desde mucho antes. Me enteré la primera vez que Sam y yo fuimos a su casa, el día que Amanda nos acompañó. ¿Sabes qué encontró Amanda mientras curioseábamos en el armario de Diana? —Volvió la cabeza hacia la pequeña—. Encontraste toda clase de braguitas sexys, ¿verdad, Amanda?

La niña asintió con la cabeza, hipnotizada, aunque claramente aturdida por el giro que había dado la conversación.

—¿Sabes qué más encontró? —continuó Lauren—. Aquellos pañuelitos, como los que tú tenías atados en las muñecas aquella noche que yo me puse tan enferma. La misma clase de pañuelos con que mi padre te ató a la cama para hacer el amor.

—Mami, ¿por qué te ató papá a la cama? —preguntó Amanda con ojos desorbitados.

Bonnie agachó la cabeza, invadida por los recuerdos de aquella noche como por el olor de la fruta podrida.

—Madre mía, aquello me puso enferma —dijo Lauren—. Casi tan enferma como el arsénico.

—¿Tomaste arsénico?

—Inteligente, ¿verdad? Lo vi una vez en una película. Por eso no sospechaste que había sido yo, ni siquiera cuando te enteraste de que te estaban envenenando. Pero yo debía hacerlo de manera gradual, claro. Sólo podía darte un poco cada vez, para que todo el mundo creyera que era la gripe.

—Y pusiste la serpiente en la cama de Amanda —afirmó Bonnie.

—Tenía que enroscársele en el cuello y apretar un poco, pero no funcionó. Aunque no me importó. Sabía que tendría otras oportunidades. Los niños pequeños sufren accidentes continuamente. Como caerse del triciclo. O del columpio. —Se rió y añadió—: Además, era divertido verte sufrir.

—¿Por eso le tiraste la sangre por encima? ¿Para verme sufrir? Lauren sonrió a Amanda.

—Tendrías que haberla visto antes de que la limpiaran. Era todo un espectáculo.

—Tú me tiraste la sangre —repitió la niña indignada al tiempo que intentarba apartarse de Lauren—. Ya no te quiero.

—Vamos, Mandy —la engatusó Lauren asiendo su muñeca con más fuerza—. A ti no te asusta ver un poco de sangre, ¿verdad que no? Pensaba que eras una niña mayor.

—Ya no te quiero —repitió la pequeña—. Eres mala. No quiero ser tu hermana. —Intentó soltarse de nuevo.

Lauren se la subió al regazo y le puso la hoja de afeitar en el cuello.

—¡No, por favor! —gritó Bonnie—. ¡No le hagas daño, por favor! ¡No te muevas, cielo! —advirtió a su hijita, que no paraba de retorcerse.

—La culpable de todo esto eres tú, ¿te enteras? —dijo a Bonnie.

—¿Yo?

—Tenían que haberte detenido por matar a mi madre. Entonces me habría ido a vivir con mi padre, y hubiera podido librarme de Amanda sin ningún problema. Habría sido mucho más sencillo. No hubiera tenido que hacer autostop ni coger tantos malditos taxis de un sitio para otro. Tampoco hubiese necesitado pedir a Haze que me consiguiera la sangre. —Se echó a reír—. Es un gilipollas. Él creyó que estábamos jugando a algún juego inocente. Hasta anduvo trasteando en tu coche para que no arrancara.

Las lágrimas empezaron a deslizarse por el rostro de Amanda, y una de ellas se torció a causa de la pequeña cicatriz que le recorría la mejilla.

—Ahora no llores, cariño —dijo Bonnie, mientras se preguntaba qué haría para distraer a Lauren e intentar poner a Amanda a salvo.

—¿Y Sam? —preguntó para ganar tiempo—. ¿Tuvo algo que ver en todo eso?

—¿Lo dices en broma? Sam cree que eres lo mejor del mundo después del Leggo. —Emitió un sonido a medio camino entre la risa y el llanto—. Debió de llevarse un buen susto cuando fue a cobrar su dinero y se encontró con Diana muerta en el suelo.

Amanda se revolvía en los brazos de Lauren. Ésta le apretó un poco más la hoja de afeitar contra la garganta. Apareció una gota de sangre.

—Por favor —suplicó Bonnie—, tú no deseas hacer daño a Amanda. En realidad no quieres hacerle ningún daño. Es tu hermanita.

Hubo un silencio.

—No quiero hermanitas —replicó Lauren con una voz fría y dura, como el granito de una tumba—. Nunca he querido hermanitas, ninguna.

Bonnie notó que todo su cuerpo se paralizaba cuando comprendió el significado exacto de aquellas palabras, y la sangre se heló en sus venas.

—¿Qué quieres decir? —preguntó con tono reposado.

—Me parece que ya lo sabes.

Bonnie sacudió la cabeza de un lado a otro. —¿Estás diciendo que mataste a Kelly? ¿Que su muerte no fue un accidente?

Lauren la miró con ojos fantasmales.

—Pero si eras sólo una cría. Tenías seis años cuando Kelly se ahogó.

—No hace falta ser muy fuerte para sujetar la cabeza de un bebé bajo el agua —repuso Lauren con frialdad—. Era una cosita minúscula. Eso decía papá siempre, que era una cosita minúscula. —Los ojos de Lauren se escondieron con una súbita rabia—. Todo era perfecto hasta que ella nació.

Bonnie pensó en Joan, en su largo y triste declive tras la muerte de su hija menor.

—Tu madre sabía que no había sido un accidente —dijo.

Lauren asintió con la cabeza.

—Mintió por mí. Hizo todo lo posible para protegerme.

—¡Y tú la mataste!

—Yo no quería hacerlo —protestó Lauren—. Pero no me dejó otra alternativa. Cuando encontró mi álbum de fotos, se volvió muy recelosa. No me quitaba los ojos de encima. Intenté razonar con ella. Pero cuando descubrió que la pistola había desaparecido, se asustó y te llamó por teléfono para contártelo todo. Igual que a mi abuela. Se lo contó una noche mientras bebían. —La miró con expresión acusadora—. La culpa de que mi abuela esté muerta es tuya —dijo—. Tuviste que ir y encontrarla. No podías ocuparte de tus propios asuntos.

—Lauren...

—Y ahora mi padre se enfadará conmigo. Pensará que soy mala. Y se marchará otra vez.

—Tu padre no irá a ningún sitio, Lauren. Te quiere. Te quiere muchísimo.

—¿De verdad lo crees? —preguntó Lauren, y sus enormes y ovalados ojos se llenaron de lágrimas—. Eso es lo único que he anhelado siempre, ¿sabes? Que mi padre me quisiera. ¿No lo entiendes?

Otro silencio.

—Sí —dijo Bonnie con sinceridad—. Lo entiendo.

Lauren se enjugó las lágrimas con el dorso de la mano, frotándolas por la mejilla.

«Como una niña pequeña», pensó Bonnie, y miró de nuevo a Amanda.

—Bonnie —llamó de pronto una voz—. ¿Estás ahí, Bonnie?

Lauren volvió tan de repente la cabeza hacia el sonido, que por un instante soltó el cuello de Amanda, mientras unos pasos subían por la escalera. Rápidamente, Amanda saltó de los brazos de Lauren hacia el otro extremo de la habitación.

—¡Mami!

Bonnie vio que Lauren rebuscaba, furiosa, dentro de su macuto. «La pistola», comprendió. Se lanzó hacia el macuto, y agarró el brazo de Lauren justo en el momento en que la niña asía la culata del arma.

El brazo de Lauren se endureció, se resistió, se negó a rendirse. «Como una maldita serpiente», pensó Bonnie; entonces golpeó la muñeca de Lauren contra el suelo, la oyó crujir, y vio que la pistola caía de su mano inerte.

De pronto, Josh Freeman apareció a su lado, apartó la pistola de un puntapié y agarró a Bonnie.

—¿De dónde demonios sales? —preguntó ella, con los ojos fijos todavía en Lauren, mirando como la niña se acurrucaba en posición fetal.

—He encontrado la puerta principal abierta de par en par, y he entrado. ¿Estáis bien?

—Creo que lo estaré —respondió Bonnie cerrando los ojos con alivio.

Amanda corrió a los brazos de su madre, y hundió el rostro en su cuello.

—¡Mami, mami!

—Cariño mío, ¿estás bien? —Los temblorosos dedos de Bonnie tocaron la gota de sangre bajo la barbilla de Amanda.

—¿Qué le pasa a Lauren, mami?

—Se encuentra mal, cariño.

—¿Se pondrá bien?

Bonnie besó a su hija en la mejilla.

—No lo sé. —Le apartó unos mechones de la frente—. ¿Y tú? ¿Cómo estás?

—Bien. —Se libró con suavidad del abrazo de Bonnie, y se acercó con cautela a Lauren, que yacía inmóvil en el suelo del dormitorio. Bonnie la miró, conteniendo la respiración.

—Ahora no llores, Lauren —dijo Amanda—. Todo se arreglará. Ya lo verás. Ahora no llores. No llores. —Luego se sentó a su lado, y comenzó a acariciarle la larga cabellera pelirroja hasta que la policía llegó.

Rod la esperaba en el despacho del capitán Mahoney. Al verla se puso inmediatamente en pie, derribando la silla en que se había sentado.

—¿Estás bien, Bonnie?

Ella cerró la puerta después de entrar.

—Sí, estoy bien.

Rod dio un paso hacia ella, pero se detuvo al ver que Bonnie tensaba el cuerpo.

—¿Y Amanda?

—Está asustada, aturdida. Pero creo que se le pasará. La semana que viene la llevaré a ver al doctor Greenspoon.

—¿El doctor Greenspoon?

—Somos viejos amigos —replicó Bonnie, sin tomarse la molestia de dar más explicaciones—. Pareces agotado.

—Ha sido un día horrible —dijo él, con un amago de sonrisa.

—Se han llevado a Lauren al hospital. Está en observación —explicó Bonnie—. Supongo que deberías ir lo antes posible.

Rod parecía sorprendido.

—No sé si podré, Bonnie. No me veo capaz de enfrentarme a ella.

—¡Tienes que hacerlo! —exclamó Bonnie, impetuosa—. Es tu hija y te necesita.

Rod se quedó callado unos segundos.

—¿Me acompañarás? —dijo por fin.

Bonnie escudriñó los ojos marrón oscuro de su marido en busca de algún rastro del hombre al que una vez creyó conocer. Pero lo único que vio fue el rostro de un extraño, un hombre atractivo cuyo cabello canoso le hacía parecer más joven de lo que era, incluso en ese momento, a pesar de todo lo que había pasado.

—No —se limitó a decir.

Rod bajó la vista. —Y ahora, ¿qué va a pasar? —preguntó.

—Te agradecería que antes de que acabe la próxima semana hubieses sacado todas tus cosas de la casa —dijo Bonnie.

Rod asintió con la cabeza, resignado.

—Si eso es lo que quieres...

—Tengo que ingresar en el Boston Memorial un par de días —continuó Bonnie—. He pedido a mi padre que Amanda se quede con él. Nick se la llevará dentro de un rato. Yo me reuniré allí con ellos en cuanto el doctor Kline me dé el alta.

—Bonnie...

—Sam se quedará a dormir en casa de Josh Freeman. Habla

con él mañana por la mañana, y decidid juntos lo que os parezca que se ha de hacer.

—Por el amor de Dios, Bonnie, sabes que yo no puedo cuidar de él...

—Ya le he dicho que a Amanda y a mí nos gustaría que se quedara con nosotras —dijo Bonnie.

—Creo que eso sería lo mejor —coincidió Rod de inmediato.

Bonnie sonrió con tristeza.

—Sí, ya me lo había imaginado. —Entonces dio media vuelta, dispuesta a marcharse.

—Bonnie...

Ella se detuvo y esperó, la respiración contenida.

—¿Me dejas que te acompañe al hospital?

En ese momento, ella vio a Josh por el rabillo del ojo, que la esperaba junto a la puerta de la comisaría. «Me pareció que necesitabas un amigo —le había dicho en una ocasión—. Igual que yo.»

—No, gracias —respondió a Rod—. Me lleva un amigo.

ESTE LIBRO HA SIDO IMPRESO
EN LOS TALLERES DE
PRINTER INDUSTRIA GRÁFICA, S. A.
CARRETERA N-II, KM. 600. CUATRO CAMINOS, S/N
SANT VICENÇ DELS HORTS (BARCELONA)